新編 怪奇幻想の文学

4

黒魔術

【監修】紀田順一郎・荒俣宏
【編】牧原勝志（『幻想と怪奇』編集室）

Tales of Horror and Supernatural 4
Black Magic

新紀元社

新編 怪奇幻想の文学 4
黒魔術

Tales of Horror and Supernatural
4
Brack Magic

儀式、魔女、契約、夜宴、呪術、魔道書、供犠(くぎ)――これらの言葉を口にするたび、視界をよぎるおぼろなもの。それは黒いものの姿なのか、白い光を受けた影なのか。あなたには見極められるだろうか?

目次

新編 怪奇幻想の文学 4
黒魔術

編者序文

牧原勝志

「悪魔崇拝」や「黒魔術」という言葉が、人の心を捉え、興味を惹くのは、なぜだろう。

英米では「Black Magic（黒魔術）」や「Witchcraft（魔術）」をタイトルに冠したアンソロジーが数多く出ているが、日本では本シリーズ企画の母体となった新人物往来社『怪奇幻想の文学』の第二巻『暗黒の祭祀』（一九六九）を含めても、意外に少ない。宗教の差異もあるのかもしれないが、それでもこれらの言葉が私たちを惹きつけるのは、澁澤龍彦の『黒魔術の手帖』（一九六一）に導かれたことがあるからにちがいない。

カバラ、薔薇十字、サバト、黒ミサ、ホムンクルス——と、出版当時は馴染みの薄かった言葉が目次に並ぶ同書は、今読むと著者生来のディレッタンティズムゆえか、その書きぶりの軽さに驚くが、それは著者が同書を「雑然たる挿話的な神秘の集積」となるよう企図したがゆえだろう。そして、その一見は軽く、雑然とした挿話の数々は、未知のもの、陰の側に潜むものが存在していることを、知識で伝えるのではなく、感覚に訴えてきた。

さらに種村季弘『悪魔礼拝』（一九七四）は、悪魔や黒魔術について、さらに系統立てて記述しており、『黒魔術の手帖』で取り上げられた事件や人物にもさらに深く踏み込んでいる。昭和のサブカルチャーの一端、とりわけ怪奇幻想の分野を担ったこの二人が、『暗黒の祭祀』を挟むようにして、それぞれ黒魔術に関する著書を上梓していることは興味深い。こと、同書の巻頭にある二つの命題は示唆的だ。

「神の敵対者であるサタンはキリスト教独特の神の反像である……」

「キリスト教出現以前……の時代と空間には、悪魔主義は存在しなかった……」

私たちの目に馴染んでいる黒魔術には、そのイメージに西洋のカウンター・カルチャー——たとえばホラー映画やロック・ミュージック、もちろん本書のような怪奇小説なども——を通したものも多い。そこにはかつて宣教師たちに退けられた、より古くより自由な信仰や、かれらの教義によって「悪」とされてしまった存在へのシンパシーや、押しつけられた「善」や「正」への反撥への希求があるのだろう。悪しきものが心を惹く、そのことの理由の一つは、ここに糸口を見せているようだ——もちろんその傍らには、つねに善なるものもいるのだが。

本書には、魔女、悪魔、魔術師、魔道書など、黒魔術に関連するテーマの物語を集めた。偶然にも、その数は十三編、魔女の一ダースとなった。これらの物語を通し、怪奇幻想の真髄に触れていただきたい。本書は、自由な想像力が創りだす善悪を超えた世界への、格好の道案内となることだろう。

若いグッドマン・ブラウン

ナサニエル・ホーソーン

植草昌実 訳

Young Goodman Brown

Nathaniel Hawthorne

夕暮れどき、若い畑主殿（グッドマン）ブラウンは、玄関からセイラム村の通りに一歩踏み出し、敷居をまたいだあと、新妻と出がけの接吻（くちづけ）を交わそうと振り返った。その名のとおり誠実で信心に篤（あつ）い妻フェイス*が、かわいらしい顔を戸口に出して良人（おっと）に呼びかけると、帽子につけた桃色のリボンが風に揺れた。

「だんなさま」細君は彼の耳元に唇を寄せ、いくぶん悲しげな小声で言った。「どうか、御出立は明日の朝になさって、今晩はうちでお寝（やす）みください。一人でいると、夢見が気になって、余計な心配をしてしまいそうです。お願いですから、どうか今年の今晩だけは、一緒にいてください」

「おれの大事な女房どのよ」と、若いグッドマン・ブラウンは答えて言った。「今年の今晩ばかりは、おまえを残して行かねばならない。出立などとは大袈裟な。行かずに済まぬ用向きだが、長くかかるものでなし、夜明け前には帰ってくるよ。祝言（しゅうげん）を挙げてまだ三月（みつき）だってのに、もう信じちゃもらえないのかい？」

「神様の御加護がありますように」帽子のリボン越しにフェイスが言った。「御無事のお帰りを」

「アーメン！」声高らかに、グッドマン・ブラウンは唱えた。「フェイスよ、おれのために祈ってくれ。日が暮れたら早めに寝むことだ。悪いことなど起きはしないさ」

かくて夫婦はしばしの別れ、若き良人が寄合所の角でふと振り返ると、帽子のリボンは桃色なのに、青白い顔のフェイスが、心配げにまだ見送っていた。

「すまない、フェイス」気が咎めて胸が痛んだ。「用向きとはいえ、大事な女房をひとり置いていくとは、見下げた亭主と言われても仕方がない。夢見を気にしていたな。今夜のことを夢に見でもしたのか、心配そうな顔だった。いやいや、まさか。よしんば夢に見ただけでも、かわいそうに、生きちゃいられまい。地上に降りてきた天使みたいな女だからな。今夜の用が済んだら、あとは一緒に天国に行くまで、あいつのスカートにしがみついていよう」

かくもすばらしい未来を胸に決めたグッドマン・ブラウンは、良からぬ用は早く済ませてしまうに如くはなし、と腹をくくった。たどる小道は森の中でもひときわ鬱蒼として、木の間を縫って通るそばから、すぐさま枝葉が閉じていく。ここまで淋しい道もそうそうはあるまい。こんな人気のないところではむしろ、数限りない幹の陰や、高く張り出した太い枝の上に、人でも隠れていはしないか、という気がしてくるものだ。一人で歩いていると思っても、実は見えない群衆のあいだをすり抜けているのかもしれない。

「どの木の陰にも、インディアンの悪党が隠れていそうだ」グッドマン・ブラウンはひとりごち、おそるおそる振り向くと言い加えた。「悪魔に肘が触れるかもな!」

向き直って小道を曲がると、年古りた木の根方に、堅苦しいほどきちんとした身なりの男が座って

その名のとおり……　フェイス（Faith）には信仰、信頼、誠意などの意がある。

いるのが見えた。グッドマン・ブラウンが近づくと、男は立ち上がり、肩を並べて歩きはじめた。

「遅いぞ、グッドマン・ブラウン」男は言った。「十五分前にボストンを通ったとき、オールドサウス教会*の時計が鳴っていた」

「フェイスに引き留められたんでね」答える声が震えていたのは、この同行者が唐突に現れたせいだが、その出現をまったく予想していなかったわけでもない。

　森はすっかり夜陰に沈み、こと二人の歩む先はひときわ暗かった。近くで見たかぎりでは、同行者は五十がらみで、身分はグッドマン・ブラウンと同じくらいか、目鼻立ちはさておき、ぱっと見は実によく似ていた。親子と思われてもおかしくはない。質素だがきちんとした身なりで、物腰にも居丈高なところはないが、いかにも世知に長けている様子で、総督*から晩餐に招待されても、ウィリアム王*の宮廷に呼ばれても、落ち着きはらっているにちがいない。だが、何より目を惹くのは手にした杖で、大きな黒い蛇が彫りつけてあり、今にもうねうね動きだしそうだった。もちろん、あたりがあまりに暗いので、そんなふうに見えたのだろうが。

「どうした、グッドマン・ブラウン」同行者が呼びかけた。「歩きはじめたばかりなのに、足がのろいぞ。もう疲れてしまったのなら、この杖を貸してやろう」

「お連れさんよ」グッドマン・ブラウンは遅い足取りをぴたりと止めた。「ここで会う約束は果たしたのだから、もう帰らせてもらいたい。お察しのとおり、心配ごとがあるものでね」

「おや、そうかね？」蛇の男は聞き流した様子で笑った。「まあ、歩きながら話そう。私の話に納得できなかったら、引き返せばいい。まだこの森に入ったばかりだしな」

「とんでもない、もう歩くのにも飽きたよ！」とわめきはしたものの、グッドマン・ブラウンの足は止まらなかった。「おれの親父も祖父さんも、こんな用向きで森に来たためしはないね。こちとら殉教者の時代*からずっと、正直で信心深い家柄なんだ。だからこの道に入るのは、一族ではおれが最初だし――」

「それに、私のような道連れもいるしな」言い終えないうちに、年嵩の男が口を挟んだ。「よく言ってくれた、グッドマン・ブラウン！　私は清教徒ならみなよく知っているが、ことにきみの家系の人たちとは縁が深い。保安官だったきみのお祖父さんが、クエーカー*の女を鞭打ちながら村の表通りを引きまわしたときは手伝った。フィリップ王戦争*のときは、インディアンの村を焼き討ちできるよう、きみのお父さんに松明を渡した。どちらも私の親友だったよ。この道を何度も一緒に楽しく行っては、真夜中すぎにまた楽しく戻ってきたものだった。それだけの付き合いだったんだから、きみとも仲良くしておきたくてね」

十五分前にボストンを通ったとき……　ボストン―セイラム間の距離は三十キロを超える。
オールドサウス教会　一七二九年ボストンに建立。七二年のボストン大火ののち集会場となる。
総督　本作は一七世紀、植民地時代の話で、マサチューセッツにもイギリスの総督が駐在していた。
ウィリアム王　イングランド王ウィリアム三世（一六五〇―一七〇二、在位一六七二―一七〇二）。
殉教者の時代　イングランド女王メアリ一世（在位一五五三―五八）によるプロテスタント迫害期。
クエーカー　一七世紀、清教徒革命を機にイギリスに発生したプロテスタントの分派。非暴力と平等を称える。作者の先祖ウィリアム・ハソーン（一六〇六頃―八一）は作中にあるとおり、かれらを迫害した。
フィリップ王戦争　ニューイングランド入植者の土地略取に抗する先住民の戦争（一六七五―七六）。

「あんたの言うとおりだとしても」グッドマン・ブラウンは答えた。「祖父さんからも親父からも、あんたの話を聞いたためしがないのは解せないね。もっとも、噂がたっただけでも、まちがいなくニューイングランドから追い出されたろうから、話さなかったのは当然かもな。わがブラウン家は信心篤い、善行をなす家柄だ。こんな悪行に従うものか」

「悪行かどうかは知らないが」ねじれた杖を手に同行者は言った。「このニューイングランドで私を知らない者はほとんどいない。どこの教会の執事とも聖餐式のワインを酌み交わした仲だ。いくつもの町の行政委員たちから、委員長に指名されてもいる。大陸会議も植民地代議員会議も、私に不利な計らいはしない。総督とも——おっと、これは国家機密だ」

「まさかね」疲れた様子も見せない同行者に目を向け、グッドマン・ブラウンは声をあげた。「そうは言っても、総督も行政委員会も、おれには関わりない。あちらの仕事はあちらの仕事、ただの畑主には縁もゆかりもないことだ。それに、あんたと一緒に行ったら、村の牧師様、あの根っから善人のご老体に会わせる顔がなくなっちまう。日曜のお祈りなりお説教の日なり、震えあがって声も聞けなくなるだろう」

年長の同行者は、しばし神妙に耳を傾けているようだったが、堪えきれなくなったか、体じゅうを揺さぶって大笑いし、それに合わせて手の杖も蛇がうねるかのように揺れた。

「はっはっは！」高らかに笑ったのち、男は息を整えて言った。「続けるがいい、グッドマン・ブラウン、遠慮することはない。だが、私を笑い死にさせないでくれよ」

「よし、ならばさっさとけりをつけよう」苛立ちもあらわに、グッドマン・ブラウンは言った。「おれには女房のフェイスがいる。あいつが胸を痛めるようなまねをするくらいなら、おれの心臓が破れちまったほうが、ずっとましってもんさ」

「そうか」同行者は言った。「ならば好きにするがいい、グッドマン・ブラウン。先をよろよろ歩いていくような婆さんの二十人に代えても、フェイスに悪いことが起きてほしくないのは、私も同じだ」

男が杖で指した先に、同じ道を行く婦人の姿があり、グッドマン・ブラウンはそれが誰か気づいた。信心の鑑(かがみ)というべき人で、自分が幼い頃には主の御教(みおし)えをわかりやすく解いてくれたし、今も老牧師やグーキン執事とともに、彼の道徳や信仰の助言者でいてくれる。

「これは驚いた。善女(グッディ)クロイス*がこんな夜更け、こんな荒れ野にいようとは」グッドマン・ブラウンは言った。「ここは失礼して近道を通り、あの信心篤い御婦人を追い越してしまおう。見慣れないあんたは見とがめられるし、誰なのか、どこへ行くのかと、訊かれるのはおれのほうだからな」

「それもよかろう」同行者は言った。「きみは森を抜けるがいい。私はこの道を行く」

グッドマン・ブラウンは道から逸(そ)れたが、同行者からは目を離さずにいた。男は静かに歩き、杖を伸ばせば老婦人に届くまでに近づいた。彼女は歳のわりには早い足取りで歩を進め、よく聞き取れない言葉をつぶやいていた――いや、あれはまちがいなく祈りの文言だ。男は杖を差し出して、蛇の尾のようなその先端で、彼女の首筋に触れた。


善女(グッディ)クロイス　サラ・クロイス（一六四八―一七〇三）。一六九二年のセイラム魔女裁判の被告の一人。なお、作者の高祖父ジョン・ハソーン（一六四一―一七一七）は、この裁判で判事の一人を務めた。

「悪魔！」敬虔(けいけん)な老婦人は悲鳴をあげた。

「おや、グッディ・クロイスはかつての友をよく覚えておられる」男は前に立ち、ねじれた杖に寄りかかって、老婦人をまっすぐ見やった。

「まあ、これはこれは、閣下ではいらっしゃいませんか」老婦人は大声で答えた。「先々代のグッドマン・ブラウン、今晩の集会に来る若いお馬鹿さんのお祖父さんとは、昔からの知り合いですが、今の閣下はよく似ていらっしゃる。ところで、信じていただけますかどうか、おかしなことに、わたしの箒(ほうき)がなくなってしまったんです。善女(グッディ)コーリー＊、あの吊るし首をまぬかれた魔女が盗んでいったにちがいありません。わたしが塘蒿(セロリ)と金露梅(きんろばい)と鳥兜(とりかぶと)の絞り汁を体に塗っているあいだに」

「質の良い小麦粉と、嬰児(みどりご)の脂(あぶら)で練るのだったな」グッドマン・ブラウンの祖父に似た男が言った。

「さすが、よくご存じで」老婦人は甲高い声をあげた。「そんな次第で、集会の仕度はすっかり済ませたというのに乗るものがないので、歩いていかなくてはなりません。今夜は立派なお若いかたが、共與(きょうよ)の儀をお受けになるのだとか。閣下のお手をお貸しいただければ、あっという間に着けるのですが」

「それは難しいな」男は言った。「グッディ・クロイス、手は貸せないが、この杖を使うがよい」

彼が老婦人の足元に投げ出した、この生きている杖は、おそらくは魔術師もエジプトで同じように投げ出したことだろう。＊もっとも、グッドマン・ブラウンには知るよしもない。驚いて目をやると、すでにグッディ・クロイスの姿も蛇の杖もなく、ただ同行者だけが、何事もなかったかのように、静かに彼を待っていた。

「子供の頃、あのおばさんには聖書の絵解きをしてもらったものだ」グッドマン・ブラウンはそれだけしか言わなかったが、その一言には言葉以上の意味が込められていた。

　二人はまた連れだって歩きはじめ、弱音を吐かず歩調を保って行くように同行者は言ったが、グッドマン・ブラウンにはその励ましが、言われたのではなく自分の胸のうちから湧いてきた声のように聞こえた。途中、年嵩(としかさ)の男は杖にしようと楓(かえで)の枝を折り、夜露に濡れた枝葉をむしり取りはじめた。その手が触れるや、枝は不思議なことに、一週間も日にさらされたように乾ききってしまった。こうして二人は足早に進んでいったが、道が窪んで小暗くなったあたりに来るや、グッドマン・ブラウンは切り株に座り込み、先に行くのを渋った。

「お連れさん」と彼は言いきった。「決めたよ。この用向きなら、もう先へは行けない。天国に行く仕度をしていた婆さんが、悪魔の連れになるほうを選んだからって、おれには関わりのないことだ。大事なフェイスを置いて婆さんを追っていく理由なんぞあるもんか」

「そのうち考えも変わろうさ」同行者は静かに言った。「座ってしばらく休むといい。先に行きたくなったら、私の杖を使いなさい」

　そのあと彼は何も言わず、若い道連れに楓の杖を投げてよこすと、深まる夜陰に紛れるかのように消えていった。グッドマン・ブラウンはしばらく道端に座って自分を称えつつ、これで散歩する老牧

善女(グッディ)コーリー　マーサ・コーリー（一六一九?　二〇?―九二）セイラム魔女裁判の被告の一人。実際には絞首された。

この生きている杖は……　『旧約聖書』出エジプト記、第七章。エジプト王パロの前で、モーセの兄アロンと魔術師がそれぞれ投げた杖は、共に蛇となった。

師と朝の挨拶を気兼ねなく交わせるし、長いつきあいのグーキン執事の目を怖れることもない、と思いもした。この夜は邪なものになるはずだったが、これでもう帰れるし、フェイスのかたわらで、心おだやかに眠ることもできる！　かくも心楽しい思いをめぐらせていると、馬の駆ける足音が聞こえたので、森に身を隠すにしくはなし、と考えた。善なる翻心をしたものの、ここまで足を運ぶことになった目的に、罪悪感を覚えたからだった。

蹄の音とともに近づいてきたのは、老人が二人、馬上で厳粛に言葉を交わす声だった。隠れているところからほんの二、三ヤード先を通りすぎたようだ。だが、闇が深いせいか、馬も乗り手も見えなかった。道端の小枝をかすめていったのに、ぼうっと光る夜空は一瞬たりとも影にさえぎられることがなかった。グッドマン・ブラウンは屈んだり、背伸びをしたり、枝をかきわけて道に目を向けたが、人影ひとつ見えなかった。まさかそんなこともあるまいが、その声が老牧師とグーキン執事のもののように聞こえたのが気がかりだ。声の届くところで馬が停まり、枝が折れる音がした。

「牧師様、二つに一つと言うのなら」と言う声は執事のものに似ていた。「私は聖職按手式＊の晩餐を欠席しても、この集会には出席したいのです。ファルマスや、もっと遠くからも人が来ると聞きましたし、コネティカットやロードアイランドからばかりか、われらが達人にも比すべき、秘術に通底したインディアンの祈禱師たちも来るそうですからな。さらに、若い女性が一人、儀式に加わるとのことです」

「たいへん結構、グーキン執事！」老牧師の声が厳粛に答えた。「遅れないよう急ぎましょう。私が到着しないことには、始まりませんからな」

ふたたび蹄の音が響き、教会に集まる信徒たちどころか、祈りを捧げるキリスト教徒一人いない淋しい森の中を、奇妙な声は遠ざかっていった。神に仕えるこの二人は、この異教徒の森の奥深くへと、何のために向かうのだろうか。胸は苦しく気も遠く、若いグッドマン・ブラウンは地面に倒れかけたが、木につかまって身を支えた。天があるかどうかさえ覚束なく、思わず見上げると、青い夜空いちめんに星が燦々と輝いていた。

「空に天国あり、地にわがフェイスありだ、悪魔なんかに負けてたまるか！」グッドマン・ブラウンは叫んだ。

天穹を仰ぎ、両手を差し伸べて祈ろうとすると、風もないのに雲が天頂に流れ、きらめく星を隠した。雲塊は、彼の真上だけを覆っていたが、じきに青い夜空を北へと流れていった。空の高みの、雲の奥から湧き起こるかのように、惑乱したかのような、さまざまな声が響く。その中に、セイラム村の住人たちの声も交じっているようにグッドマン・ブラウンは思った。男も女も、信心深い人も不信心な人もいるし、聖餐式のテーブルで聞いた声もあれば、酒場の喧嘩で聞いた声もあるように。だが、声はあまりにおぼろげで、風もないのにざわめく年古りた森の音ではないか、と訝んだ。だいたい、そんな声は村で明るいうちから耳にするもので、夜空の雲から響いてくるものではない。その中に、悲嘆に暮れている若い女の声が聞こえた。何を悲しんでいるのかは定かでないが、得られそうにないものを求め、希っているかのようで、共にいる大勢の声は、聖人も罪人もともに、それを後押しして

聖職按手式　新たな司祭や執事の頭に、主教が按手して祈り叙任する礼拝式。

いるようだった。

「フェイス！」苦悩と絶望のあまりグッドマン・ブラウンが叫ぶと、森は彼を嘲笑うかのように、「フェイス！　フェイス！」と谺を響かせた。谺はこの荒れ野に彼女を捜す群衆の、乱心した呼び声のようだった。

　惨めな思いで息をこらす夫の耳に、悲嘆と憤怒と恐怖の叫びが、夜陰を裂いて届いた。だが、叫びをかき消すどよめきが起こり、さらに笑い声に変わって遠ざかると、同時に雲も流れ去り、晴れた夜空が戻ってきた。そこに、何かがひらひらと舞い落ちてきて、枝にひっかかった。手に取ると、それはピンクのリボンだった。

「フェイスが行っちまった！」しばし言葉をなくしていた彼は、ようやく声を出した。「この地に善きものはなく、罪はもはや名ばかりだ。次は悪魔のお出ましか。この世界はやつのものになったのか」

　絶望に正気を失い、大声で笑いながら、グッドマン・ブラウンは杖をひっつかむと、歩く走るというよりも飛ぶような勢いで、森を行きはじめた。進むほどに道筋は荒涼とし、やがては道そのものがなくなって、暗い荒れ野に一人いるばかりになったが、邪悪なものへと近づく衝動に駆られ、彼は先に進んだ。森は怖ろしい音に満ちていた——木々の枝の軋み、獣たちの声、インディアンたちの叫び、さらに風が遠い教会の鐘のように鳴り、時には彼を取り囲んで嘲弄するかのように吼えた。だが、彼が怖じることはなかった。自分こそが、この場にいるもっとも怖ろしいものだったからだ。

「はっはっは！」風の嘲りに、グッドマン・ブラウンは吠えるような笑い声で答えた。「笑うのはどっちだ。魔術ごときに怖じ気づくおれじゃない。魔女や魔道士が来ようと、インディアンの祈禱師が来ようと、当の悪魔が直々に出てこようと、男ブラウンここにあり。怖い目にあうのはおれじゃない、おまえらのほうだ」

たしかに、このお化けの出そうな森でも、この夜にはグッドマン・ブラウンの姿ほど怖ろしいものはなかった。黒松のあいだを飛ぶようにすり抜け、気ぶれのように杖を振りまわし、聞くに堪えない悪態をついたかと思うや、悪魔さながらの高笑いを森じゅうに谺させた。悪魔というものは、姿を現したときよりも、人に取り憑いて荒れ狂っているときのほうが、怖ろしく見えるものだ。かくて彼は内なる魔に駆られて森を抜けていくうちに、木の間に揺らめく赤い光を目にした。木を薙ぎ枝を払って燃やしたか、篝火が夜の森を鮮やかに赤く照らしている。我に返って立ち止まると、大勢が歌う荘厳な声が、遠くから聞こえてきた。村の教会で聖歌隊が歌っていた、聞きおぼえのある歌だ。だが、歌は次第に森の音に取って替わり、歌詞もなくなり、消えていった。グッドマン・ブラウンは叫んだが、その声も森の音と融けあい、彼自身の耳に届く前に消えた。

静寂の中、彼は火が顔を照らすところまで歩み寄った。暗い木立に囲まれた、森の中の空き地の一方に、祭壇か説教壇に似た形の岩があり、その四方には松の木が立ち、葉の茂った枝先に火がついているさまに、彼は夕の礼拝に灯す蠟燭を思い出した。岩の上でも枝葉が燃え、ちらちらと空き地を照らしていた。下がった枝も、連なった葉も、炎を上げている。その赤い光が揺らめきが、いつもは人が踏み込まない森の一角の、この空き地に集う群衆を照らしだした。

「これはまた、黒尽くめで揃って、かしこまったもんだな」グッドマン・ブラウンはひとりごちた。

たしかに、みながみな黒い身なりをしていた。ちらつく火明かりと夜陰のあいだを行き交う人たちは、ふだんは行政委員会に出席していたり、日曜のたび詰めかける信徒たちに聖なる説教壇から慈愛に満ちた目を向けたりしていた。もしグッドマン・ブラウンが知っていたら、総督夫人もいたと言いきるだろう。少なくとも、総督夫人と付き合いの深い貴婦人たちがいたし、他にも数かぎりない名士の夫人たちや未亡人たち、善行で名高い老嬢たち、ここに来たことを母親に知られやしないかとおどおどしている若い娘たちもいた。一瞬、勢いを増した炎に目がくらんだのでなければ、ひときわ厳格なことで知られるセイラム村の教会の、教会役員の何人かの姿も見えた。善良なるグーキン老執事もとうに来ており、尊敬すべき老牧師のそばで待機していた。だが、ここにかしこまって集う信心篤い名士貴人や教会の古老、貞淑な婦人たちや花も恥じらう乙女たちに交じって、訝くも屯しているのは、放蕩者どもや艶な浮名を流す女たち、あらゆる賤業や悪事に関わり、犯罪にまで手を染めたと疑われるようなならず者どもだった。奇妙なことに、善人は悪人を怖れもせず、罪人は聖者に臆する様子もなかった。敵であったはずの白い顔が群なす中に、知られるかぎりのイギリスの魔術より強い力をもってこの森で怖れられてきた、インディアンの祈禱師の顔もあった。

「それにしても、フェイスはどこにいるんだ?」グッドマン・ブラウンは思ったが、きっと見つかると期待を抱くと、思わず身震いした。

別の賛美歌がはじまり、そのゆったりとしたもの悲しげな調べは、神の愛を伝えるにふさわしいものだったが、歌詞は人の本性が罪ととらえる言葉を並べたて、さらに罪深い言葉を暗に示していた。死すべき人間には計り知れないもの、それが悪魔の言葉である。オルガンが強く鳴らす通奏低音のような荒野のざわめきとともに、怪しい歌は途切れることなく続く。この不浄の賛歌は最後に至って、風の唸りや川の急流、獣の咆哮など、あらゆる野生の音が混じりあって不協和音をなし、さらに魔王を称えるかのような罪深い声が、そこに加わった。燃える松の木は炎をさらに高く上げ、渦巻く煙の下に集った、神をも怖れぬ会衆の怖ろしげな顔を照らし出す。岩の上の火も赤々と燃えてアーチを描き、その下に人の姿が現れた。ここで敬意をもって書き表せば、その人は服装も立ち姿も、ニューイングランドの教会を統べる、とある聖職者に少なからず似ていた。

「改宗する者は前に！」叫び声が荒れ野に湧き起こり、森に響いた。

その言葉を聞いたグッドマン・ブラウンは、木の陰から踏み出し、群衆に近づいていった。心の中の悪いものが目覚め、かれらに忌まわしい同胞愛を感じはじめたのだ。立ちこめる煙ごしに、死んだ父親が前に出るようにと手招きするかたわらで、女性の姿がぼんやりと浮かんで、必死の形相で手を突き出し、戻るよう彼に告げていた。母親なのか？　だが、彼は足を止めず、抗う気にもなれず、左右から老牧師とグーキン執事に腕を取られて、燃える岩の前に連れられていった。かたわらには、幼い頃の彼に聖書の絵解きをしてくれた信仰篤いグッディ・クロイスと、自分を地獄の女王にするよう悪魔と約束をとりつけたという、正真正銘の魔女マーサ・キャリア*のあいだに、ヴェールを被った女が立っていた。かくて二人の改宗者は炎の天蓋の下に肩を並べた。

「よく来られた、わが子たちよ」黒い人影が言った。「ここはあなたがたの一族が集まるところです。あなたがたは若くして、みずからの本性と運命とを知ったのです。さあ、後ろをごらんなさい！」

マーサ・キャリア　（一六四三～五〇？―九二）セイラム魔女裁判の被告の一人。死刑に処された。

二人は振り返った。悪魔を崇める一群が、炎に照らされている。どの顔も、歓迎の笑みを浮かべていた。

「ここにいるのは」黒い人影は続けた。「あなたがたが幼い頃から敬ってきた人たちです。二人とも、その人たちが自分よりも信心深いと思い、その高潔な暮らしや、天国を心に描く思いに照らして、自分の罪深さを怖れていました。今夜はその人たちがみな、私の集会に来てくださいました。これからは、かれらの秘められた行いを知ってもよいことにします。白いひげをたくわえた教会の長老たちが、身のまわりの世話をするメイドたちにどれほど好色な言葉をかけたか。いかに多くの婦人が寡婦になることを望み、夫に薬を与えその胸で息を引き取らせたか。ひげも生え揃わない若者たちが父親の遺産を得ようと急いだことも、美しい乙女たちが——自分のこととて顔を赤らめるなよ、娘たち！——庭に穴を掘り、嬰児の弔いに私一人を呼んだことも。人は罪深いものです。他人のおかした罪に共感し、あらゆるところに——教会でも寝室でも、通りや野や森でも——おかされた罪を見いだし、この地上がくまなく血にまみれたかのような、大きな罪の汚点に覆われていることを知れば、歓喜の声をあげることでしょう。それだけではありません。誰もが胸のうちに罪の神秘を抱いています。人の力では——私でさえも——なしえないほどの邪悪な衝動を、絶えず送り出す源泉が、誰の心の中にもあります。それを見抜く力をさずけましょう。さあ、わが子らよ、互いを見なさい」

二人は顔を見合わせた。地獄の業火のような篝火の前で、哀れなグッドマン・ブラウンは妻が、フェイスは夫が、神聖ならざる祭壇の前で震えているのを目にした。

「ごらんなさい、わが子らよ」人影は厳粛に言葉を発したが、その声はかれが遠い昔、まだ天使でいられた頃の性が、今なお悲惨な人々を思いやるかのように、荘厳な悲しみを湛えていた。「あなたがたは、互いの真心を信じ、美徳というものが夢ではないと願っていたのです。だが、今はそれが誤りであると知りました。悪こそが人の本性、悪徳こそが幸福なのです。わが子らよ、あらためて歓迎します。これがあなたがたの共與の儀です」

「ようこそ」悪魔崇拝者たちは、絶望と勝利のないまざった声をあげた。

今ここに立ち尽くす二人は、この暗く邪悪な世界の境目で、一歩踏み出すのをためらう最後の二人のようだった。前には器のように穿たれた岩があった。湛えられているのは、炎に赤く染まった水か、それとも血か、あるいは液状の炎なのか。黒い影はそこに手を浸して、二人の額に洗礼の印をつける用意をしていた。二人が罪の神秘を共有し、思いであれ行いであれ、おのが罪よりも余人のひそかな罪に気づくように。グッドマン・ブラウンとフェイスは、青ざめた顔を見合わせた。次に互いを見るときは、自分たちのあさましさを思い知り、見たものにも見せてしまったものにも震えあがるにちがいない。

「フェイス！　フェイス！」グッドマン・ブラウンは叫んだ。「天を見上げろ！　悪いやつらに抗え！」

フェイスが言われたとおりにしたかどうかはわからなかった。というのも、そう言い終える間もなく、気づけば彼はただ一人、夜の静寂に身を置いていて、聞こえるのは森を吹き抜ける風の音だけだったからだ。よろよろと岩に寄りかかると、それは濡れてひんやりとしており、燃えていたはずの小枝から、冷たい露が頬に落ちてきた。

その朝、若いグッドマン・ブラウンは、セイラムの表通りを慎重に歩を進めながら、当惑の目を周囲に向けていた。墓地に沿って朝食前の散歩をしながら、説教の中身を考えていた老牧師は、通りかかった畑主に祝福を授けた。彼は呪いを避けるかのように、牧師から身を遠ざけた。グーキン執事は自宅での礼拝のさなかで、開いた窓からは聖句を唱える声が聞こえた。「魔法使いめ、どんな神に祈っているのか」と、グッドマン・ブラウンはつぶやいた。グッディ・クロイスは窓格子に立って朝日を浴びながら、牛乳を一パイント届けに来た女の子に、聖書の話をしていた。悪魔から守ろうとするかのように、彼はその子を邪険に引き離した。寄合所の角を曲がると、ピンクのリボンがついた帽子をかぶったフェイスが見えた。心配そうに通りを見やっていた妻は、夫の姿を見て嬉しさのあまり小走りで駆け寄り、人目もはばからず接吻しようとした。だが、グッドマン・ブラウンは、暗く悲しげな目を妻に向けると、黙って通りすぎた。

果たしてグッドマン・ブラウンは、森の中で眠り込み、魔女集会の夢を見ただけなのだろうか？　読者のみなさんがそう思うなら、それで結構。だが、たとえ夢だったにしても、若き畑主には凶兆だった。彼はその怖ろしい夢の一夜から、自暴自棄にこそならなかったが、いつも悲しげに沈み込む男に変わってしまった。安息日に教会で歌われる賛美歌も、聞いていられなくなった。罪への賛歌が耳の中で湧き起こって、聖なる調べをかき消してしまうからだ。老牧師が説教壇から心のこもった説教をし、開いた聖書に手をかけて、私たちの宗教の聖なる真理や、聖者らしい生とそれにふさわしい栄光に満ちた死や、未来に待つ天の至福と、そこに達するまでの言葉にしがたい苦難を語っていても、その間グッドマン・ブラウンは青ざめた顔で、この白髪の罰当たりと、その話を聞いている連中の上に、教会の天井が崩れ落ちてくれないかとばかり考えていた。夜中に目をさまして隣のフェイスから身を離すこともしばしばだったし、朝夕に家族が跪いて祈りを捧げるあいだには眉をひそめて何やら呟き、妻を睨んでは目をそらしていた。長生きした彼にもとうとうお迎えが来て、すっかり白髪になった遺体を墓に運ぶとき、やはり年老いたフェイスのあとに子供たちや孫たちが続き、大勢の村人たちも参列したが、グッドマン・ブラウンは最期のときまで陰鬱だったので、墓石に希望に満ちた詩句が刻まれることはなかった。

ねじけジャネット

ロバート・ルイス・スティーヴンスン

夏来健次 訳

Thrawn Janet

Robert Louis Stevenson

マードック・スーリス師はデュール谷の湿原（ムーア）にあるバルウェアリ教区*の牧師を長年にわたって務めていた。聴衆を恐れさせるほどきびしくいかつい顔をした老人で、〈小藪ヶ岨（こやぶがそわ）〉の下にぽつんと建つ小ぢんまりとした牧師館に住み、縁者も使用人もだれ一人伴わずに晩年をすごした。強い意志を窺（うかが）わせる顔立ちでいながら、目は恐れを含むように落ち着かなく移ろいがちだった。内々に説教を施す折など、悔い改めぬ人々の先行きについて長々と戒めを述べるとき、その目は歳月の嵐をつらぬいて遙か未来の恐怖をも見通すかのようだった。聖餐式*が近づき、その準備のために牧師館にやってくる若い人々は、多くが牧師の語りに恐れを覚えた。毎年八月十七日のあとに来る日曜日になると、牧師は新約聖書『ペテロの手紙一』五章八節の「吼（ほ）え猛（たけ）る獅子のごとき悪魔」を引用し、その意味するところと説教壇での立ち居振舞いとが相俟（あいま）って、いつも以上に恐ろしい雰囲気を放った。子供たちは引きつけを起こすほど怖がり、年長者たちはいつも以上に敬虔（けいけん）さをあらわにし、かのハムレットによる咎（とが）めを一日中戒めとした。*デュール谷の鬱蒼たる木立のなかの小川の畔（ほとり）に建つ牧師館は、一方のわきに〈小藪ヶ岨〉が切り立ち、もう一方には冷えびえとした湿原丘陵群の頂（いただき）が高々とせり立っているところで、スーリス師が牧師に赴任した当初のころには、分別を知る人々はそのあたりを避けて通るのがつねだった。酒場につどう村の家長たちは、晩い時間にそうした侘しい場所を通る人々を思いやり、一様にかぶりを振った。なかでも一ヶ所、格別に恐れられているところがあった。牧師館は高みにのびる街道と谷あいの小川とのあいだに位置して、その双方へ破風を向けて建ち、後方半マイルほどのあたりに教区の中心の村バルウェアリがある。街道と小川に挟まれた敷地の前側は、山査子の垣根に囲まれたなにもない庭が占める。牧師館は二階建てで、各階に広い部屋がふたつずつ。庭は建物と接してはおらず、細道あるいは小径とでも呼ぶべき通路でつながっており、その小径の片側は街道に面し、もう一方の側は小川の岸に並ぶ柳や接骨木の木立に面している。そしてこの小径こそ、バルウェアリ教区の若い世代のあいだで悪い噂の立ったところにほかならない。スーリス師は暗くなってからこの小径をよく歩き、声を出さず祈禱を唱えているとき、不意に大きな唸り声をあげることがときどきあった。そのため、牧師が玄関を施錠して外へ出かけると、怖いもの見たさの学童たちが胸の鼓動を高めつつ、親方ごっこ*だとばかりに、噂に高いこの小径をぞろぞろとわたっていくのだった。

憚るところなしとすら見えるこの正義の聖職者が漂わせる畏怖すべき雰囲気は、用があってにせよ

バルウェアリ教区　作者の生地エディンバラの対岸に位置する、十三世紀の魔術師マイケル・スコットの故地バルウェアリがモデルか。（訳者）

聖餐式　イエス・キリストの最後の晩餐に由来する儀式のプロテスタントでの呼称。カトリックでのミサあるいは聖体拝領に相当。

かのハムレットによる咎めを……　シェイクスピアの戯曲『ハムレット』の主人公による復讐の原因となった、人の背信や不義への戒めの意か。（訳者）

親方ごっこ　子供たちが先頭に立つ者を真似ながら行進する遊び。

たまさかにせよ、このひと知れぬ辺境の地を訪れる稀（まれ）な余所者（よそもの）たちにとっては、共通の疑問となり関心事となった。ところがスーリス師が赴任した最初の年に起こった一連の奇妙な出来事については、教区に住む人々でさえすでに多くが知らなかった。知っている一部の人々も、当然のごとく沈黙を守るか、口に出すのをためらうのがつねだった。それでも村の年配者が、三杯めの酒を傾けているときなどに勇気を奮い立たせ、スーリス牧師の異貌と孤独の原因となった事件について、このように語りだすことがあった。

五十年前、初めてバルウェアリに来たときのスーリス師はまだ若くてな——ほんの子供だと言う者もおったほどだ——学問の本をたくさん持っていて、人前で話をするのが上手だったが、なにしろ若いから、当然宗教のほうは経験に乏しかった。年若い連中はスーリス師の頭のよさや喋（しゃべ）りの巧さに参っていたが、まじめで心配性な大人衆は男でも女でも、身の丈以上に振る舞うこの若い牧師を思いやって祈ったり、かと思えば不相応な牧師をあてがわれた教区のために祈ったりしたものさ。穏健派はまだ力が弱くて、やりこめられてたころだったな*——けど悪いこともいいこともじつは似たようなもんで、どっちにしても少しずつは先へ進むのさ、ほんの少しずつな。あのころも人によっては、大学の先生方なんてものは神さまについても好き勝手なことを言うだけなんだから、若い者がそんな連中のところで勉強するくらいなら、ひどい目に遭わされた昔のキリスト教徒みたいに、泥地に坐りこんで聖書を腋（わき）の下に隠し、胸のなかでだけ祈るほうがまだましだ、なんて陰口を言うこともあったくらいだ。とにかくあのスーリス師も、大学で長く勉強しすぎたってのはまちがいないね。たったひとつの大事なこと*より、いろいろ余計なことにかかずらいすぎたんだな。そりゃもう本をいっぱい持っていたよ——教区じゅうの本を全部集めたよりも多いぐらいのな。運搬人には気の毒だった。キルマッカリからここまで運ぶ途中で、〈魔物ヶ淵〉に本を落っことしそうになったほどだからな。もちろん神学ってやつの本だろうさ、先生方がそう呼ぶところのな。でもまじめな話、神さまの御言葉(みことば)を全部寄せても格子服(プラッド)の隅に仕舞えるぐらいだってのに、そんなにたくさんの本なぞ要らんだろうと言われたものさ。しかもスーリス師はとてもまともとは思えんことに、日中の半分と夜中の半分をかけて、書き物に精を出しておった。初めはあれでほんとに説教文を読めるのかとみんな心配したが、ところがなんと自前の本を書いているんだとわかって、あの齢(とし)で経験のないご仁がやることじゃなかろうと言われる始末だった……。

　それはさておき、牧師館の掃除をしたり質素な夕飯の仕度をしたりするためには、ちょうどよさそうな年配の家政婦を雇わにゃならない。そこで勧められたのがジャネット・マクルーアという名の婆さんで、スーリス師はよほど巧く言いくるめられたのか、その女を雇うことにした。反対した者も大勢いた、というのはこのジャネット婆さんてのが、バルウェアリでも真っ当な人々のあいだではずいぶんと評判のよからぬ年寄りだったからだ。遠い昔、ある竜騎兵*の隠し子を産んだことがあってな。お

穏健派はまだ力が弱くて……　スコットランド国教会内部でも、神学の尊重を旨とする福音派と、より自由な信仰を是とする穏健派が対立していた。

たったひとつの大事なこと　新約聖書『ルカによる福音書』での、「必要なのはイエスの言葉に耳を傾けることのみ」との教え。

まけに三十年ものあいだ一度も聖餐式に出たことがなかった。夕暮れどきに〈鍵ヶ筋〉でなにやらブツブツつぶやいてるところを子供らによく見られとったもんだよ、まともな女ならそんな物騒な時間にあんなところをうろつくはずはないのにな。ところが、このジャネット婆さんを初めにスーリス師に勧めたのは、なんと郷士*さまその人だった。あのころはたとえ牧師でも、郷士さまにゃ気に入られるしかない時代だったからな。あの婆さんは悪魔と近づきになるような女だからやめなされとまわりの者が言い聞かせても、そんなことは迷信だと牧師は言い返すばかりだった。旧約聖書に出てくるエンドルの魔女*を引き合いに出して説得しても、それは遠い昔の話で、神さまはとうに悪魔を縛めになられたのだと逆に諭すありさまだった。

　とにかくそんなわけで、ジャネット・マクルーアが牧師館の家政婦になるという噂が村じゅうに広まると、人々は牧師にも当の婆さんにもすこぶる腹を立てて、一部の女たちは婆さんの住み処の戸口に押しかけ、聞き知るかぎりの悪い評判を洗いざらいぶちまけて責め立てた。そりゃあもう竜騎兵の隠し子の話から、ジョン・タムソン*の牝牛を二頭盗んだ話にいたるまでな。ひどく口数が少ない年寄りで、村の衆も平素は婆さんにかまわなかったし、婆さんのほうも村の衆にかまわなくて、「こんばんは」や「こんにちは」の挨拶すらしなかった。けどそんな婆さんも一旦口を開くと、粉挽きも耳が遠くなるほどどうるさくまくし立てた。*話の種もろくにないヴァルウェアリの村だが、その日婆さんがわめき立てた話だけはだれも耳を貸さずにゃいられなかった。村の衆がひと言喋り終えんうちに婆さんのほうはふた言喋るという具合だった。そうなるとその日の終わりごろには、村の女どもは婆さんをふんづかまえて、着てるものを背中から掻っさばいたあげくに、村のなかを引きずりまわして、谷あいの小川までつれていき、魔女かどうかたしかめようとする始末だった——つまり泳げるか溺れるかってやつだな。すると婆さんは〈小藪ヶ岨〉まで聞こえるほどの金切り声をあげた。しかも十人分ほども大暴れして、おかげで大勢の女どもがつぎの日まで残る傷を負って、そのあとになっても治らん者もいたそうだ。するとその取っ組み合いの真っ最中に駆けつけたのが（因果なことには）、新しい牧師だったというわけさ。

「奥方衆よ」と牧師は言うた（よう響く声をしとった）。「主の御名にかけて申すが、その人を放しておやりなさい」

ジャネット婆さんは牧師に駆け寄ると——そりゃもう如何にも怖そうに震えてな——すがりついて、神さまの御名にかけてこの売女どもからあたしを助けてくださいましと頼んだ。女どもは女どもで、婆さんの悪口をあることないこと牧師にまくし立てた。

「お婆さん」とスーリス師はジャネット婆さんに訊いた。「今の話は本当かね？」

「神さまがご覧の前で言うけれど」と婆さんは答えた。「神さまがお作りになったあたしがしたことと言えば、隠し子を産んだほかは、なにひとつほんとのことはありませんよ。あれからはずうっと身持

竜騎兵　銃器で武装する兵士。
郷士　領地を持つ有力者。
エンドルの魔女　旧約聖書『サムエル記』で、イスラエル王サウルの破滅を予言する霊媒。
ジョン・タムソン　平凡な庶民一般を指すスコットランドの俗語。
粉挽きも耳が遠くなるほどうるさく……　製粉用水車がまわる音より騒々しい意。

ちのいい女で来たんですから」

「では」と牧師は言うた。「主の御名にかけて、そして主のふつつかな使いたるわたしの前において、悪魔とその悪行にかかわったりしないと誓うかね？」

ところが婆さんは牧師にそう言われたときゾッとするような薄笑いを浮かべ、しかもまわりで見ていた衆は、頬っぺたのなかで歯がギリギリと擦れる音まで聞いたらしい。けど婆さんとしても、こうなっては返答で白黒つけるしかなかったんだろうな。片手をあげて、悪魔とかかわったりはしませんとみんなの前で誓った。

「では」とスーリス師は女どもに言うた。「あなたたちはもう家に帰って、主の許しを請いなさい」

それから、肌着一枚しか身につけとらんジャネット婆さんに手を貸して、まるで貴婦人でも扱うみたいに、村の住み処の戸口までつれていってやったが、そのときも婆さんは、聞く者をゾッとさせる薄気味悪い笑い声を洩らしていたそうだ。

その夜は村のだれもが、なにごともなければいいがと一生懸命祈りを捧げた。ところが翌朝になると、ヴァルウェアリじゅうが怯えることが持ちあがって、子供らは身を隠すし、大人衆まで戸口からこそこそ外を覗き見るというありさまになった。というのは、ジャネット婆さんが村のなかを歩いていたんだが——それが本物の婆さんなのかそれとも偽者なのかわからんような姿で——つまり、首から頭にかけてが片側にねじけていたのさ。まるで吊るし首にされた死骸みたいな恰好で、しかもその口ときたら、吊るされたあと顔に刻みこまれたみたいな笑いの形になっていた。村の衆はやっとのことでその姿を見慣れてきて、いったいどうしたんだと婆さんに尋ねかける者も出てきた。ところが婆さんはその日から先というもの、まともなキリスト教徒の女のようには口を利けなくなって、涎を垂らしながら、鋏の刃を擦りあわせるみたいに歯軋りするだけになっちまった。しかもその日から神さまの御名が婆さんの口の端に昇らなくなった。それを口にしようとしても巧く言えないらしいんだな。事情をよく知る衆は、もう婆さんの噂をあまりしなくなった。それどころか、その奇妙なものをジャネット・マクルーアの名前で呼ぶことすらなくなった。ジャネット婆さんはまさにあの日地獄に落ちたんだと言う者までいた。けどスーリス師だけは、諦めることも思いとどまることもなかった。みんながひどいことをするから、ジャネットに中風の発作が出てしまったんだと、村の衆を諫める始末だ。婆さんをいじめた子供らを鞭でしばいたりもした。そして〈小藪ヶ岨〉の下の牧師館に婆さんをつれていき、自分の部屋にとどめてずっと一緒にすごした。

それから日にちがすぎて、そんな厭な出来事についてもちょっとは気楽に考えられるようになってきた。スーリス師の評判も決して悪くはなかった。相変わらず書き物をつづけとるようで、黄昏どきになるとデュール谷の小川の畔の牧師館から蠟燭の明かりが洩れるのが見られた。以前と同じく、もっぱら自分のやりたいことに耽っているようすだったが、ただ体が妙に痩せ細っていくのがだれの目にも見てとれた。ジャネット婆さんはといえば、通いの家政婦として勤めつづけていた。もともと口数の少ないたちだったが、前よりもっと喋らなくなったのはいいことだった。人の迷惑にならなくて済むから。但し見た目が人をひどく怯えさせるのだけはどうしようもなくて、婆さんにかまう者はヴァルウェアリじゅうでもうだれもいなかった。

七月の終わりごろになると、このあたりにしては珍しい奇妙な天気がつづくようになった。空に雲がなくて、しかも厭になるほど暑いのさ。家畜の群れは〈黒ヶ丘〉を登れなくなるし、子供らは疲れやすくなって遊べず、しかもやけに熱い風が谷あいに逆巻いて、ちょっとぐらい雨が降ってもこれっぽっちも涼しくなりゃしない。つぎの朝が来ればきっと雷が鳴るだろうとみんないつも思ったが、つぎの朝が来てもそのつぎの朝が来ても、おんなじ奇妙な天気がつづくばかりだ。人も家畜もへとへとになった。だれにとってもそういうひどい時期だったが、なかんずくスーリス師ほど参ったご仁はいなかった。眠れないし食えないしと、村の長老たちにこぼすほどだった。そんなわけだから、あのご苦労な書き物の仕事をしていないときは、なにかにとり憑かれたみたいに教区じゅうをあてもなく歩きまわった。村の衆はだれでも家のなかに閉じこもって涼しくしているほうがいいってときにな。

〈小藪ヶ岨〉の上のほうの、〈黒ヶ丘〉に守られたあたりに、鉄柵に囲まれた小さな原っぱがある。大昔はヴァルウェアリの墓場だったらしい場所で、スコットランド王国に祝福の光が射すときよりも前の時代には、カトリックの連中が聖なる地としていたところだった。* とにかくスーリス師はその原っぱをよくうろつきまわった。地面に坐りこんで説教の文句を考えたりしていたが、たしかに妙に居心地のいい場所ではあった。で、ある日牧師が〈黒ヶ丘〉の西の端のあたりまで歩いていったとき、件の大昔の墓場の上を嘴細鴉の群れが、初めは一羽、間もなく四羽に増え、あとからには七羽も飛びまわっているのが見えた。鴉どもは高く飛んだり低く飛んだり、たがいに鳴きあったりしながらぐるぐるまわってた。なにかのせいで興奮しているんだと、牧師には見てとれた。なにごとにもたやすくは怖がらないたちだったから、すぐに鉄柵のそばまで寄っていった。そこで目に入ったのは一人の男で、というより人間の男に似た姿をしたなにかで、そいつがある墓石の上に坐りこんでいた。図体が大きくて、やけに真っ黒な服を着て、まっすぐ見ていられないほど怖い目つきをしてた。黒い男*というものについては牧師も話には聞いていたが、その男にはたしかに怖気づかせるようななにかがあった。ひどく暑いのに体が震えるほどの、骨の髄からの寒気(さむけ)を感じた。だがそれにもめげず、思いきって声をかけた。「もし、そこの人、このあたりには不案内かな?」黒い男はなにも応えず、ただスッと立ちあがると、奥のほうの鉄柵へ向かって歩きだし、と思うとたちまち木陰へと駆けこんだ。牧師はわけがわからないままあとを追った。だが暑く苛立たしい天気のなかを歩きまわったせいで、すぐ疲れちまう。それでもなんとか走って追いかけようとしたが、黒い男はほとんど木陰に紛れこんじまって、牧師はいつしか丘の麓までうねりくだっていた。するとそこでまた男の姿が見えた。デュール谷の小川の水面(みなも)を跳び撥ねるようにして、牧師館のほうへ向かっていくところだった。

この薄気味悪いやつがヴァルウェアリ牧師館をそれほどよく知っているらしいのが、スーリス師にはどうにも気に入らなかった。そこでいっそう速く走り、靴をびしょびしょにしながら小川をわたって、さらにその先まで追いかけていった。けどその黒い男だか悪魔だかってやつは、いつの間にか見えなくなってた。牧師は街道まであがってみたが、そこにもだれもいない。牧師館の庭でもそこらじゅうを見まわしたが、やっぱり黒い男はいない。それで牧師館の裏口に近寄り――いつになくちょっと

カトリックの連中が聖なる地と……　スコットランド国教会はプロテスタントであり、カトリックを軽蔑的に見ることがあった。
黒い男　悪魔は黒衣の男の姿をして現われると言われた。

ばかりビクつきながら――掛け金をあげて、牧師館のなかに入った。すると目の前にいたのは首のねじけたジャネット婆さんで、牧師と出会ったことがあんまり芳しくないようすだった。そのとき以来牧師は、そこで婆さんを目にしたときのことを思いだすと、いつも冷えびえとした厭な身震いをしちまう癖ができたそうだ――

「ジャネット」とスーリス師は問いかけた。「黒い男を見なかったか？」

「黒い男ですと？」と婆さんは言うた。「まあ、なんてことを！　どうかしなすったんじゃないかね、牧師さま。ヴァルウェアリにゃ黒い男なんぞいやしませんよ」

だがすぐ想像がつくとおり、ジャネット婆さんはちゃんと喋ったわけじゃない。口に轡（くつわ）を咬んだ駄馬みたいにモグモグブツブツつぶやいただけだったのさ。

「そうかな」と牧師は言い返した。「ジャネット、仮に黒い男なんてものがいないとしても、わたしが聖なるものの敵に声をかけたのはたしかなんだがね」

そう言って牧師は椅子に坐ったが、流行り病（はややまい）に罹（かか）ったみたいに歯がガチガチ鳴るのを止められなかった。

「これはまた！」とジャネット婆さんは吐き棄てた。「呆（あき）れちまいますよ、牧師さま」そう言っていつも持っているブランデーをひと口飲ませた。

やがてスーリス師は書物だらけの書斎に入った。天井が低くて細長く薄暗い部屋で、冬はひどく寒いし、おまけに牧師館が小川のそばに建っているせいで、真夏でも気持ちよく乾くことがない場所だ。とにかく牧師はそこで椅子に沈みこんで、ヴァルウェアリに来てからこの方のことや、故郷のことや、丘の上を楽しく駆け巡った子供のころのことなどを考えた。けどそのあいだもあの黒い男がずっと頭のなかで歌を唄いながら走りまわってた。考えれば考えるほど、黒い男のことまで考えちまう。そこで神さまに祈ろうとしたが、祈りの言葉が出てこない。書き物に励もうとしてもみたが、書く言葉も浮かんでこない。しかも黒い男がいつもすぐそばにいるような気がして、井戸水みたいに冷たい汗が滲(にじ)んだ。それでいて、ときどきふとわれに返ると、洗礼を受けたばかりの赤ん坊並みに、いつの間にかなんにも気にならなくなっていたりもした。

そのうちにスーリス師は窓辺に近寄っていき、そこに立ってデュール谷の小川を眺めた。木立は奇妙なぐらい濃く繁り、小川の水は牧師館の下で深く黒々と流れてた。川辺にはジャネット婆さんがいて、スカートをたくしあげた格好で洗濯をしていた。婆さんは背中を向けていたから、スーリス師からはよくは見えなかった。すると婆さんが振り向いて顔を見せた。そうしたら牧師は前の日の倍ほども冷えびえとした震えに襲われて、村の衆が言っていたことが正しいんじゃないかと急に思いはじめた。つまり婆さんはとうの昔に死んでいて、ここにいるのは冷たい土くれみたいな肉の塊になって歩きまわってる死霊なんじゃないかってことだ。牧師はちょっとだけあとずさりして、目を眇(すが)めてじっと見すえた。婆さんは洗濯物を踏んづけながら、低い声で鼻歌を唄ってた。おお！　神よ救いたまえ、世にも恐ろしい顔をしてた。やがて唄う声が大きくなってきたが、なんていう台詞(せりふ)を唄ってるのか、それがわかるのはこの世に生まれた者でだれもいまいと思われた。そのあいだ婆さんはずっと頭をかしげて斜め下を見ていたが、そこには見るようなもんはなにもありゃしない。胸の悪くなる厭な気分が、牧師の体を骨の髄までつらぬいた。これは天からの報(しら)せだという気がした。だが牧師は自分を責め、この世にわたし以外の親しい者がいなくて、いじめられているだけのこの年寄りを、むしろ哀れんでやらなきゃだめじゃないかと考えた。そして婆さんと自分のために秘かに祈り、小川の澄んだ水を少しだけ飲んだ——胸の痛みに敢えて苦しむつもりで——そして心地よく冷えているはずの黄昏どきの寝牀へと戻っていった。

その夜こそヴァルウェアリでいちばんの忘れられない夜、つまり一七一二年八月十七日の夜だ。前に言ったように暑い日がつづいていたが、その夜はことさらひどかった。お日さまは不自然に見える雲のなかへとくだっていき、妙に暗すぎる夕空だった。星がひとつも出なくて、風はそよとも吹かない。顔の前にかざした手が見えないほどだし、年寄り衆は寝牀の上掛けを撥ねあげてやっと息をしなきゃならないほどだった。スーリス師は厭な気分が胸にのしかかってきて、とてもぐっすりとは眠れなかった。横になってはいたが、始終寝返りを打った。いつもは冷えて上等な寝牀なのに、骨まで灼けるかと思うほど寝苦しかった。ごくたまに眠れても、またすぐ目が覚めちまう。真夜中にときどきなにかが聞こえ、湿原から犬の吠え声が響くこともあった、まるでだれかが死んだと知らせでもするみたいに。ときには耳もとで幽霊の群れが喋ってるような気がしてみたり、部屋のなかに怪しい光が見えたように思ったりもした。ひょっとしたら自分は病気なんじゃないかと考えたりもした。けど仮に病気だとしても、その原因は及びもつかない。

夜が終わりに近づくと意識もはっきりしてきたので、夜着のまま寝牀に坐りこむと、黒い男とジャネット婆さんのことをまたしても考えはじめた。なぜかわからないが——足が冷えているせいなのかとも思ったが——あの二人について急に頭のなかに湧きあがってきことがあった。つまり、どちらもほんとにこの世のもんじゃないのにちがいないってことだ。するとそう思ったまさにそのとき、すぐそばにあるジャネット婆さんの部屋から、なにやら人が取っ組み合いでもしてるようなドスンドスンという音が聞こえ、それからドオンッ、という大きな音まで響いてきた。さらには牧師館の四方から荒い風が吹き寄せ、と思うとすぐまたどこもかしこも墓地みたいな静けさに戻った。

スーリス師はもともとは人間だろうと悪魔だろうと恐れる男じゃない。火口箱(ほくちばこ)を手にとると蠟燭に火を点け、三歩ほど離れているだけのジャネット婆さんの部屋の戸口へ近づいていった。

鍵がかかっていないので、思いきって戸を開けてなかを覗いた。スーリス師の部屋と同じほど広くて、家具だけはしっかりした立派なのが揃ってるが、ほかにはさしたるもんもないところだ。古い帳(とばり)のかかった四柱式の寝牀があり、楢(なら)材造りの綺麗な戸棚もあって、そっちには神学の本がずらりと並び、全部牧師の本だが、邪魔にならないようにその部屋に置いておくのだった。床にはジャネット婆さんの衣類があちこちに散らかっていた。けど婆さんの姿はなく、なにかしら騒動があったような跡もなかった。そこで牧師は部屋のなかに踏み入り（こんなとき一緒に入りたいと思う者はとてもいなかろう）、あたりを見まわしたり耳を澄ましたりした。だが牧師館じゅうのどこからもなにも聞こえず、それどころかヴァルウェアリ教区じゅうでも物音ひとつしないと思えるほどで、しかも怪しいもんは見えず、ただ蠟燭のまわりで大きな影が揺らめくだけだ。と思ったとき、牧師は突然心臓を荒々しくぶたれたような思いに駆られて立ちすくみ、髪の毛のなかに冷たい風が吹きこんできたような気がした。そのとき目に入った景色の恐ろしさ！　なんたることか、古い楢材造りの戸棚のわきの釘で、ジャネット婆さんが首を吊っていた。いつもとおんなじように頭を片方の肩にかしげ、両目をギロリと剝(む)

いて、口からは舌を突きだし、両足は踵が床から二フィートばかりも離れてた。

「神よ、われらなべてを許したまえ！」とスーリス師は念じた。「哀れ、ジャネットが死んでいる」

死骸に一歩近づいてみた。すると胸のなかで心臓が揺らぐような気分に襲われた。つまり——いったいどうなってるのか、たしかなところをだれにもわからないだろうが——ジャネット婆さんはたった一本の釘に、靴下用の毛糸わずか一本だけで吊りさげられているんだとわかった。

真夜中にこれほどひどいありさまのものを独りきりで目にするのがどれだけ恐ろしいか。けどスーリス師は神に仕える強いご仁だ。背を向けると、すたすたと部屋を出て、戸口に鍵をかけた。そして鉛みたいに重い心持ちでゆっくりと階段をくだっていった。くだりきると、階段の下の卓に蠟燭を置いた。祈りをあげようとしてもあげられず、それどころか考えることすらできず、ただ冷たい汗がしたたるだけで、聞こえる音といえばドン、ドン、ドンという自分の心臓の響きだけだ。一時間かあるいは二時間ほども立ちっ放しでいたが、時間なんてもう気にならなかった。そんなとき、不意に二階から不自然に騒がしい低い物音がした。ジャネット婆さんの死骸がぶらさがるあの部屋で、人の足が行きつ戻りつするみたいな音だ。それから、鍵をかけたとよく承知してる部屋の戸が開く音が聞こえた。そのあとだれかが部屋のなかから階段の上あたりに踏みだしてきたらしい音がしたが、その気配からして、死骸が階段の手摺り越しに、牧師の立っているところを見おろしてるみたいだった。

スーリス師はまたも蠟燭をとりあげ（明かりなしではとてもいられなかったから）、できるかぎり物静かに歩き、ただまっすぐに牧師館の外に出ると、あの小径のいちばん先まで一目散に突き進んでいった。外はまだ真っ暗だ。蠟燭を地面に置くと、部屋のなかと同じように揺らぐこともなく勢いよく燃えた。動くものはなにもなくて、デュール谷をくだる小川の水音が泣き声みたいに響くだけだが、牧師館のなかからは、あの忌まわしい足音が階段をおりてくるのが聞こえてた。牧師にはよくわかっていた、ジャネット婆さんの足音だと。しかも一歩ごとに近づいてくるのまでわかって、血が凍る思いがした。自分をお造りになったうえに生かしてくださった神さまに、牧師は魂を委ねた。「おお、主よ」と口に出した。「邪悪なる力と闘う強さを、今宵われに与えたまえ」

そのころには、足音は牧師館の玄関口を抜けようとしていた。恐ろしいなにかが片手で壁をつたっているのまで聞こえ、外へとさぐりでようとしているようだ。柳の木立が揺らいで唸り声を洩らし、長い吐息じみた風が丘を昇ってきて、蠟燭の火が煽(あお)られ揺れる。そしてそこにねじけ首のジャネットの骸(むくろ)がいて、畝織(うねお)りの夜着と黒い寝牀帽(ナイトキャップ)のいでたちで、頭は相変わらず片側の肩にかしげ、顔にはあの笑いが貼りついたままで――生きてるように見えたとしてもおかしくないが――しかしスーリス師がじゅうじゅう承知のとおり――死人でいながらなお牧師館の玄関口に立っている。人の魂が脆(もろ)い骸のなかに閉じこめられたままでいるなんてことは、まったく奇妙な話だ――けど牧師はたしかにそのさまを見ていたし、それでも怖さに心を打ち負かされまいとしてた。

ジャネット婆さんはそこに長く立ちつくしたままじゃいなかった。また動きだしたと思うと、スーリス師がいる柳の木立の下めがけてゆっくりと歩きだした。牧師は自分の体に宿る命のかぎりで、心に宿る力のかぎりで、じっと睨(にら)みすえた。婆さんはなにか喋りだしそうに見えたが、言葉が出てこないようで、左手でなにやら合図した。すると、猫が息を吐いたような弱い風がフッと吹いて蠟燭が消え、柳が人間の叫び声みたいなうるさい音を立てた。そのとき牧師は悟った、生きているにしろ死んでいるにしろ、今こそ〈あれ〉を終わりにするときだと。

「魔女よ、鬼女よ、悪魔よ！」とスーリス師は叫んだ。「神の御力においておまえに命ずる。疾く往ね――死せる者ならば墓へ、呪われし者ならば地獄へ」

そのとたんに、神さま御自らの御手が天からのびてきて、恐ろしいものが立っているところを打ちすえた。とっくに死んでる老いぼれ魔女の穢れた骸は、墓から蘇って悪鬼どもに長く護られすぎた祟りか、鬼火が点いたみたいに燃えあがったと思うと、たちまち灰になって地面に落ちた。つづいて雷が鳴り、ゴロゴロと鳴り響き、そのあと雨がドッと降りだした。スーリス師は庭の生け垣を跳び越え、悲鳴をあげながら村へと走って逃げた。

明くる朝の六時になるちょっと前、黒い男が大石峠*を越えていくのをジョン・クリスティが見たという。黒い男は八時前にノックダウの旅籠のわきを通って、それからいくらも経たないころに、キルマッカリからの坂道を足速にくだっていくのをサンディー・マクレランが見たそうだ。長いことジャネット婆さんにとり憑いていたのがそいつだってことは、まずまちがいなかろう。だがとうとうどこかへ去った。それからというもの、バルウェアリ村が悪魔に悩まされることはとんとなくなった。けどスーリス師にとっちゃ苦い報いになった。長らく臥せって呻き苦しんだあげく、それからあとはずうっと、今だれもが知るとおりのご仁になっちまったというわけさ。

大石峠　古代の石塔が立つ峠道の意と推測される。（訳者）

魂を宿したヴァイオリン

ヘレナ・P・ブラヴァツキー

熊井ひろ美 訳

The Ensouled Violin

Helena P. Blavatsky

I

一八二八年のこと、年老いたドイツ人の音楽教師が教え子とともにパリに来て、この大都市の静かな郊外に質素な住まいを構えた。前者はザムエル・クラウスという散文的な名前だが、後者はフランツ・シュテーニオといういささか詩的な名前だった。若者のほうはヴァイオリニストで、噂によれば、並外れた、ほとんど奇跡的な才能に恵まれていた。それでも、貧しくてこれまで欧州で名をあげていなかったため、このフランスの首都——大陸の気まぐれな流行のまさに中心地——では無名で真価を認められぬまま数年間過ごした。フランツはシュタイアーマルク*の生まれで、ほどなく語られる出来事の当時、三十歳よりもかなり下の若者だった。生まれついての哲学者で夢想家の彼は、真の天才のもつあらゆる神秘的な奇癖を有し、ホフマン*の幻想小説（コント・ファンタスティク）の主人公の誰かを連想させた。それ以前の暮らしぶりは非常に変わっており、実はかなり常軌を逸したものだったので、その話は手短に説明しておかねばならない――本作の物語を、よりよく理解してもらうために。

シュタイアーマルク州のアルプスの静かな町で、田舎の非常に敬虔(けいけん)な家庭に生まれ、〝土着の妖精(ノーム)に揺り籠を見守られて〟育ち、南オーストリアのシュタイアーマルクおよびスロヴェニアのあらゆる家庭で重要な役割を担っている食屍鬼(グール)や吸血鬼(ヴァンパイア)の不気味な雰囲気の中で成長し、その後ドイツのライン地方の古城のすぐ近くで学生として教育を受けたフランツは、幼少期から、すべての段階の感情をいわゆる〝超自然〟の次元で経験してきた。さらに、一時期はパラケルスス*やクーンラート*の狂信的な信奉者のもとで〝秘術〟を学び、錬金術の理論で知らないことはほとんどなく、ハンガリーのロマの〝儀式用魔術〟や〝妖術〟に手を出したこともあった。それでも、彼がなによりも愛しているのは音楽で、音楽よりも――ヴァイオリンを愛しているのだった。

二十二歳のときに突然、秘術の実践の勉強と手を切り、その日からは、頭の中では相変わらず美しきギリシャの神々に熱い思いを捧げながらも、芸術にひたすら身を委(ゆだ)ねた。古典の勉強の中で、ムーサ*にかかわるものだけを続けて――とりわけエウテルペ*の祭壇を崇拝していた――さらにオルフェウ

シュタイアーマルク オーストリア南東部の州。
ホフマン ドイツの小説家E・T・A・ホフマン（一七七六―一八二二）。後出のE・T・W・ホフマンは本名。
パラケルスス スイスの医師・錬金術師（一四九三?―一五四一）。
クーンラート ドイツの医師・錬金術師ハインリヒ・クーンラート（一五六〇?―一六〇五）。パラケルススの信奉者でもあった。
ムーサ （ギリシャ神話）学芸をつかさどる九人の女神。

ス*の魔法のような竪琴の調べをヴァイオリンで真似ようとした。ニンフ*やセイレーン*の存在を夢見るように信じている点以外は――おそらく、後者はカリオペ*とオルフェウスを通じてムーサと二重の関係があるからだろう――この現世の事柄にはほんの少ししか興味がなかった。彼の願望はすべて、楽器から引き出した神々しいハーモニーの波に乗り、まるで香の煙のように、崇高な領域へとより高く上昇した。目覚めたまま夢を見て過ごし、うっとりしながらも現実の生活を送るのは、魔法の弓で奏でる音の波に乗って神々の住むオリンポスへ、エウテルペの足元へと運ばれていく間だけだった。魔法と呪術の物語が地面のいたるところから生えてくるような故郷で変わった子供だった彼は、よりいっそう変わった少年へと育ち、とうとう成人に達したとき、若者らしさは一つも備わっていなかった。美しい顔に心を惹かれたことは一度もなく、孤独な勉強を捨てて神秘主義のボヘミアンの暮らし以外の世界へ思いを馳せることなど、一瞬たりともなかった。一人でいることに満足し、それゆえに青年時代の最良の時期は、ヴァイオリンをおもな崇拝の対象として、古代ギリシャの神や女神を聴衆として過ごし、実生活のことはまったく知らなかった。彼にとっては長い夢の一日、美しい旋律と太陽の光の一日がすべてで、それ以外の願望を抱いたことは一度もなかった。

そんな夢はどれほど無益で、それでも、ああ、どれほど素晴らしかったことか！　どれほど鮮明だったことか！　それ以上の運命を、なぜ望む必要があるだろう？　まさになりたかった自分なのに。考えただけでたちまち憧れの対象に変身し、万物にかたずをのませるオルフェウスから、カリロエ*の水晶の泉に住むナーイアス*に向かってプラタナスの木の下で笛を吹くいたずら小僧にまでなれるというのに？　足の速いニンフたちが彼の指図のままに、アルカディア*の羊飼いの魔笛の音に合わせて浮かれ騒ぎ——そしてその羊飼いは、彼自身ではないのか？　見よ、愛と美の女神ご自身も、彼のヴァイオリンの甘美な調べに惹かれて天から降りてくる！　……それでも、彼がアフロディテよりもシュリンクス*を好むときが来た——牧神パンにつきまとわれる美しきニンフとしてではなく、慈悲深き神々によって彼女が葦に変えられたあとの話で、欲求不満のかの牧羊の神がそれで自分の魔笛を作ったからだ。さらに、時が経つにつれて野心は増すもので、満たされることはめったにない。彼が頭の中に鳴り響く魅惑的な音をヴァイオリンで真似ようとしたとき、パルナッソス山*全体が魅入られたように静まり返るか、妙なる声で合唱に加わってくれたのだが、彼が最終的に切望している聴衆はヘシオドス*が詩に歌った神々だけでなく、実は欧州各国の首都の最も耳の肥えた音楽狂（メロマン）たちだったのだ。彼は

エウテルペ（ギリシャ神話）ムーサの一人で、音楽と叙情詩をつかさどる女神。
オルフェウス（ギリシャ神話）太陽神アポロンの息子で竪琴の名手。
ニンフ（ギリシャ神話）山や川や森などに住む乙女の姿をした精霊。
セイレーン（ギリシャ神話）美声で船人を誘惑したという半人半鳥の海の精。
カリオペ（ギリシャ神話）ムーサの一人。叙事詩をつかさどる女神で、オルフェウスの母親。セイレーンの母親という説もある。
カリロエ（ギリシャ神話）河神アケローオスの娘。
ナーイアス（ギリシャ神話）川や泉に住む少女の姿をした水の精。
アルカディア（ギリシャ神話）山間の理想郷。
シュリンクス（ギリシャ神話）アルカディアのニンフ。
パルナッソス山（ギリシャ神話）アポロンとムーサがこもったと伝えられる霊地。
ヘシオドス　紀元前八世紀ごろのギリシャの叙事詩人。『神統記』『仕事と日々』の作者として知られる。

魔笛をねたましく思い、むしろそれを自由に操りたかった。

「ああ！　ぼくのヴァイオリンの中にニンフを誘い込むことができたら！」——彼は白昼夢から目覚めたあとでよく嘆いたものだった。「ああ、精霊となって悠久の時を飛び越えることさえできたなら！ああ、たった一日でいいから、神々と秘術を分かち合う者となり、自らが神として、人間たちの目に映り、耳に響いてうっとりさせ、オルフェウスの竪琴の秘儀を学ぶかヴァイオリンの中にセイレーンを閉じ込めるかしたあと、それによって人間たちに恩恵をもたらし栄誉を得ることができたらいいのに！」

かくして、長年にわたり空想上の神々とともに夢を見てきた彼は、いまやこの世における名声のはかない栄誉を夢見るようになった。ところがそのとき突然、未亡人である母親から呼び戻され、それまで一、二年ほど暮らしていたドイツの大学から実家に帰ることとなった。この出来事によって彼の計画は終わりを迎えた——少なくとも、近い将来に関する限りでは。なぜなら、これまでのわずかな収入は母親頼みで、彼の資力では生まれ故郷を出て自立して暮らすには不十分だったからだ。

彼の帰郷は、実に思いがけない結果を招いた。この世で彼だけに愛情を注いでいた母親は、愛しい息子を喜んで迎えてからほどなくして死んでしまい、村の主婦たちはその死の本当の原因を巡り、何カ月も噂話に花を咲かせたのだ。

シュテーニオ夫人（フラウ・シュテーニオ）は、フランツが帰ってくる前は健康で快活な中年女で、丈夫で頑健だった。その上に敬虔で神を恐れており、息子が不在の何年もの間、お祈りを唱えることを決して怠（おこた）らず、早朝のミサも一度も欠かさず出席していた。息子が実家に戻ってから最初の日曜日——彼女が待ち焦がれていた日で、丘の小さな教会で自分の隣にひざまずく息子の姿を、何カ月も前から嬉しそうに思い描いていた――彼女は階段の下から息子を呼んだ。敬虔な夢が実現するときがやってきたわけで、息子が少年時代に使っていた祈禱書の埃を丁寧に拭い取りながら、下りてくるのを待っていた。だが、フランツの代わりに彼のヴァイオリンが返事をして、朗々たる歌声が陽気な日曜の教会の鐘のいささか割れた音と混ざり合った。愛情深い母親は、祈りを呼び起こす音色が『魔女たちの踊り』*の不気味で風変わりな調べにかき消されるのを聞き、少々ショックを受けた。この世のものならぬ、あざけるような音に思えたのだ。さらに、最愛の息子が教会へ行くことをはっきり拒むのを聞いて、卒倒しそうになった。教会には絶対に行かない、と息子は冷ややかに言った。時間の無駄だし、それに加えて、古い教会のオルガンの鳴り響く音が神経に障る。どんなことがあろうと、あんなオルガンの割れた音を聞かされるような拷問を甘んじて受けたりなどしない。息子は断固とした態度で、決心を変えさせることは無理だった。哀願し忠告する母親に対し、彼は作曲したばかりの『太陽への讃歌』を演奏してあげようと申し出ることでけりをつけた。

その忘れられない日曜の朝以来、フラウ・シュテーニオはいつもの心の落ち着きを失ってしまった。急いで聴罪司祭のもとへ行き、悲しみを打ち明けて慰めを求めようとしたが、厳格な司祭の返答によって、彼女の優しく無邪気な魂は狼狽と絶望でほとんど満たされた。恐れの気持ち――深い恐怖感がその瞬間から彼女につきまとい、じきにそれが慢性状態になった。夜は心乱れて眠れなくなり、昼は祈

『魔女たちの踊り』 ニコロ・パガニーニの作品。一八一三年に発表された。(編)

りと嘆きの中で過ぎていった。最愛の息子の魂が救われることと死後の安寧を母として切望するあまり、向こう見ずな誓いを次々と重ねた。教会の助言者に書いてもらったラテン語の聖母マリアへの祈願も、天国に住んでいると信じるべき根拠のあるすべての聖人に彼女自身が呼びかけたドイツ語の慎ましやかな祈願も、望み通りの効果をもたらしてくれないと気づくと、遠方の聖堂への巡礼の旅に出かけるようになった。そうした旅で山中の高地に位置する礼拝堂を訪ねたとき、チロルの氷河の真ん中で風邪をひいてしまい、山を降りるとそのまま病の床につき、二度と起き上がることはなかった。フラウ・シュテーニオの誓いは、ある意味では望み通りの結果に導いてくれたことになる。この哀れな女はいまや、あれほど深く信じてきた聖人たちを本人自ら探し出し、背教者となった息子のために直接嘆願する機会を与えられたのだ。聖人と教会に忠誠を誓うことを拒み、修道士や聴罪司祭を嘲笑（あざわら）い、オルガンをあれほど嫌っている息子のために。

　フランツは母の死を心から悲しんだ。自分がその間接的な原因だとは知らないので、自責の念に駆られることはなかったが、ささやかな家財道具を売り払い、財布も心も軽くなった彼は、これから一年か二年ほど歩いて旅をして、それから定職に就いて落ち着こうと決心した。

　欧州の大都市を見て回り、フランスで運を試したいというぼんやりした願望がこの旅の計画の根底に潜んでいたのだが、彼のボヘミアンのような生活習慣は根強く、急に捨て去ることはできなかった。万一に備えてわずかな資産を銀行に預けてから、ドイツとオーストリアを経由して徒歩旅行に出発した。道中の宿屋や農場の賄い付き下宿代をヴァイオリンで稼ぎながら、緑の草原や厳かで静かな森の中で日々を過ごし、自然と向き合い、いつものように目を開けたまま常に夢を見ていた。あちらこちらへ楽しく旅をしていた三カ月の間、一瞬たりともパルナッソス山から下界へ降りることはなかったが、錬金術師が鉛を金に変えるように、彼は道すがらあらゆるものをヘシオドスかアナクレオン*の詩に変えていった。毎晩、夕食代と宿代の代わりにヴァイオリンを弾いている間、緑の芝生の上だろうと質素な宿屋の広間だろうと、彼の目に映る光景は空想によってすっかり変えられていた。村の若者と乙女はアルカディアの羊飼いとニンフに変身した。砂だらけの床はいまや緑の草地となり、飼いならされた熊のごとき野性的な優雅さでくるくるワルツを踊る無骨なカップルたちは、テルプシコレ*に仕える神官と巫女で、大柄でさくらんぼ色の頬と青い瞳をもつドイツの田舎娘たちは、黄金のりんごがたわわに実った木々の間を回るヘスペリデス*だ。そして、アルカディアの半神半人たちが牧神パンの笛で吹く美しい旋律も――魅入られたフランツ自身の耳にしか聞こえないのだが――夜明けとともに消え失せることはなかった。なぜなら、眠りのとばりが取り払われるや否や、白昼夢という名の新たな魔法の世界へ飛び出すのだから。どこかの暗く厳かな松林へ行く途中、自分自身とほかのあらゆるものに対して、絶え間なく演奏を続けた。緑の丘に向かってヴァイオリンを弾くと、たちどころに山と苔むした岩が、よく聴こうと近づいてきた――かつてオルフェウスの竪琴の調べにしたように。陽気なせせらぎの小川や流れの速い川に対して弾くと、どちらも速度を緩めて波を止め、静かになり、

アナクレオン 紀元前六世紀ごろのギリシャの抒情詩人。
テルプシコレ （ギリシャ神話）歌舞をつかさどるムーサ。
ヘスペリデス （ギリシャ神話）黄金のりんごの園を守る四姉妹。

うっとり聴き入っているように思えた。ひなびた水車小屋の草葺き屋根の上で瞑想するように一本脚で立つコウノトリでさえ、自分があまりにも長く存在し続けているという問題を真面目に解き明かしつつも、長く甲高い鳴き声を上げ、背後からこう叫んだ。「おおシュテーニオよ、汝(なんじ)オルフェウスなりや？」

それは完全なる至福の期間で、毎日、ほとんど毎時間、高揚を味わうことができた。瀕死の母親は最期に、永遠に罪の責めを負うこと*の恐怖についてささやいたのだが、彼は心を動かされることなく、母の警告を聞いて思い浮かんだのはプルートの幻だけだった。即座に連想したのは、この冥府の神が、かつてエウリュディケ*の夫を迎えたときのように自分を迎える姿だった。彼のヴァイオリンの魔法の音色に魅せられて、イクシオン*の火の車が再び止まり、したがってヘラを誘惑した悲惨な男に安堵がもたらされ、罪の責めを負った者の罰は永遠に続くと主張する人々の偽りが立証された。タンタロス*も絶え間ない喉の渇きを忘れ、天に生まれた美しき調べを存分に味わって舌鼓を打った。シシュポス*の岩も動かなくなり、復讐の女神たちさえ彼に微笑み、この陰鬱なる冥府の君主もおおいに喜び、オルフェウスの竪琴よりも彼のヴァイオリンのほうを好んでくれた。真面目(オー・セリュー)に解釈すると、かくして神話とは恐怖に対する決定的な解毒剤であるように思われ、神学上の脅威をものともせずに、とりわけ音楽への狂おしいほどの情熱的な愛で強化されたときに効力を発するのだ。フランツがいれば、エウテルペはあらゆる争いで常に勝者となった。そう、たとえ冥府そのものが相手であろうとも！

だが、すべてのものには終わりがあり、ほどなくしてフランツは間断なく続く夢想をやめざるを得なくなった。そのとき彼は、ヴァイオリンの恩師ザムエル・クラウスの住む大学町へたどり着いていた。秘蔵っ子フランツが財産に恵まれず、この世の愛情にはさらに恵まれぬ状態にあることを知った老音楽家は、教え子への強い愛情が以前の十倍の勢いで呼び起こされるのを感じた。彼はフランツを喜んで受け入れ、すぐさま養子として引き取った。

この老教師は、中世の板絵から抜け出たかのようなグロテスクな人物を人々に連想させた。それでもクラウスには、夜行性の小鬼(ゴブリン)のごとき奇想天外な魅力があり、この上なく愛に満ちた心は女心のように優しく、いにしえのキリスト教殉教者のような自己犠牲の性質をもっていた。フランツがここ数年間のいきさつを手短に述べたとき、教授は彼の手を取り、書斎の中へ案内しながら、こう言っただけだった。

「うちに泊まって、ボヘミアンのような暮らしは終わりにしなさい。有名になりたまえ。わたしは年老いて子供もないし、おまえの父親になろう。一緒に暮らして、名声を得ること以外すべて忘れるん

永遠に罪の責めを負うこと　『新約聖書』マルコによる福音書第三章第二十九節「聖霊を冒瀆する者は永遠に赦されず、永遠に罪の責めを負う」（新共同訳）
エウリュディケ　（ギリシャ神話）オルフェウスの妻。
イクシオン　（ギリシャ神話）ラピテス族の王で、主神ゼウスの妻ヘラを誘惑したためゼウスに罰せられ、永遠に回る火の車につながれた。
タンタロス　（ギリシャ神話）リュディア王。神々の怒りを買って冥府の池の中に立たされ、飢えと渇きに絶え間なく苦しむことになった。タンタルスとも。（編）
シシュポス　（ギリシャ神話）コリントスの王で、冥府で転がり落ちる岩を何度も山の上に押し上げる苦役に服した。

だ」

そしてただちに、彼はパリへ向かうことをフランツに提案し、ドイツの大都市をいくつか経由して、その各地で演奏会をおこなおうともちかけた。

数日後、クラウスはフランツに放浪生活とその芸術的独立性を忘れさせることに成功し、教え子の中で眠っていた現世の名声への野心と欲望を再び目覚めさせた。これまでは、母を亡くして以来、彼は鮮明な空想の中に住む神々と女神たちから喝采を受けるだけで満足していたのだが、いまや人間たちの賞賛を再び切望し始めていた。老教師クラウスの巧妙かつ入念な訓練のもとで、彼の非凡な才能は日に日に力と魅力を増していき、新たな市や町で演奏を聞かせるたびに評判は高まり、広まっていった。野心は急速に実現されつつあった。さまざまな音楽の拠点を主宰する有力者たちが彼の才能を引き立てて、ほどなくして彼こそは当代随一のヴァイオリニストだと宣言すると、一般大衆はいままで耳にしたどのヴァイオリニストも彼にはかなわないと声高に言い放った。このような賛辞を受けた師弟は、あっという間に二人ともすっかり冷静さを失ってしまった。

だが、パリではそういう高い評価はすぐには得られなかった。パリは自分の評判を自分で作る町で、何事も鵜呑みにしない。師弟がその町で三年近く暮らし、芸術家にとってのカルヴァリの丘*をまだ苦労して登っている最中のこと、ある出来事が起こり、彼らの最もささやかな期待さえ消えてしまった。ニコロ・パガニーニ*の初の来訪が突然告知され、ルテティア*は期待で沸き返った。かの比類なき芸術家が到着すると——パリ中がたちまち彼の足元にひれ伏したのだ。

いまではよく知られた事実だが、中世の迷信に満ちた暗黒時代に生まれて今世紀の半ば近くまで生き延びた迷信が原因で、パガニーニのような異常で突飛な才能はすべて〝超自然〟の力のせいにされていた。偉大な驚くべき芸術家は誰でも全盛期に、悪魔と取引をしたと非難されている。いくつか例を挙げれば、読者諸氏の記憶を呼び起こすのにじゅうぶんだろう。

十七世紀の偉大な作曲家でヴァイオリニストのタルティーニは、悪魔から素晴らしい霊感を得た者として非難され、悪魔とよく結託していると噂された。この非難はもちろん、彼がほとんど魔術的な印象を聴衆に与えていたせいだ。霊感を受けたように見事なヴァイオリンの演奏によって、母国では〝世界一のマエストロ〟という称号で呼ばれていた。『悪魔のソナタ（ソナト・デュ・ディアーブル）』、別名『タルティーニの夢』は——耳にしたことのある者なら誰でも喜んで証言してくれるだろうが——いままで誰も聞いたことも作ったこともない不可思議な旋律で、ゆえにこの驚くべき作品は無数の伝説を生み出してきた。そしてまた、まったく根拠がないというわけでもなく、なぜならその発端は彼自身にあるとわかっているからだ。タルティーニが告白したところによれば、それは夢から目覚めた直後に書いた曲で、夢の中

カルヴァリ　キリスト磔刑の地ゴルゴタのラテン語名。
ニコロ・パガニーニ　イタリアの弦楽器演奏家、作曲家（一七八二—一八四〇）。驚異的な演奏技術を持ち、それを身につけるために悪魔に魂を売った、という伝説が広まった。（編）
ルテティア　パリのラテン語古名。

で悪魔と契約を交わし、自分のためにソナタを演奏してもらったのだ。

　有名歌手でさえ、その非凡な歌声が迷信に基づく賞賛を引き起こした幾人かは、同様の非難を免(まぬか)れていない。パスタ*の素晴らしい歌声は、この歌姫(ディーヴァ)の生まれる三カ月前に母親がトランス状態で天国へ運ばれて熾天使(してんし)*の声楽演奏会でもてなされたからだと若いころ言われていた。マリブラン*は聖セシリア*のおかげでその歌声を得たのに、赤ん坊のころ揺り籠を見守り子守唄を歌ってくれた悪魔のおかげだと言う人々もいた。そして最後に——比類なき演奏家で、けちなイタリア人で、ドライデン*の詩でユバル*が〝弦を張った貝殻〟を鳴らしたときのように、ついてきた群衆に神聖な音色を崇拝させ、「彼のヴァイオリンの中におわすのは神にほかならない」と人々に言わしめた人物——パガニーニもまた、伝説を残している。

　歴史上最も偉大なこのヴァイオリン奏者の超自然的と言ってもいいような技巧について、たびたび憶測が飛び交ったが、理解されることはなかった。彼が聴衆にもたらす効果は文字通り驚くべきもので、圧倒的だった。かの偉大なロッシーニ*も、彼の演奏を初めて耳にしたときは多感なドイツ娘のように涙を流したと言われている。ルッカ公国*の大公妃エリザは偉大なるナポレオンの妹で、宮廷楽団の指揮者としてパガニーニを雇っていたが、いつまで経っても彼の演奏を聴くと失神してしまうのだった。彼は意のままに女たちの神経の発作やヒステリーを引き起こし、豪胆な男たちも熱狂させた。臆病者を英雄に変え、最も勇敢な兵士を、いくらでもいる気弱な女学生のような気分にさせた。それならば、この謎めいたジェノヴァ人、つまり現代の欧州によみがえったオルフェウスの周辺で長年にわたって何百もの不気味な話が広まっていても不思議ではなかろう。そのうちの一つは、とりわけ気味の悪い話だ。彼のヴァイオリンの弦は、黒魔術のすべての規則と要件に従い、人間の腸で作られているという噂があり、おそらく多くの人々が内心信じていたのだ。

それは誇張された考えだと思う人もいるかもしれないが、なにも不可能なことではないわけで、これから語ろうとしている異常な出来事がこの伝説によってもたらされたのは、まず確実だろう。人間の臓器はいわゆる〝東洋の黒魔術〟でたびたび用いられており、ベンガルのタントリカ（タントラ——ある聖職者の言葉を借りれば「悪魔の祈願」——を朗誦する人々）の一部が、人間の死体や、ある種の内臓および外部器官を、強力な魔法の道具として悪い目的で使っていることは、事実として申し立てられている。

パスタ　イタリアのオペラ歌手ジュディッタ・パスタ（一七九七—一八六五）。ソプラノからコントラルトまでの広い声域で知られた。

熾天使（してんし）　天使の九階級中最高位の天使。

マリブラン　スペインのオペラ歌手マリア・マリブラン（一八〇八—一八三六）。パスタの代役を務めたことを機に注目された。メゾソプラノだがソプラノ、コントラルトの声域もあり、ロッシーニの歌劇に多く出演した。

聖セシリア　三世紀ローマの殉教者で、音楽家の守護聖人。

ドライデン　英国の詩人・劇作家ジョン・ドライデン（一六三一—一七〇〇）。

ユバル　『旧約聖書』創世記に登場するカインの子孫で、音楽家の祖。

ロッシーニ　イタリアの作曲家ジョアキーノ・ロッシーニ（一七九二—一八六八）。代表作にオペラ『セビリアの理髪師』『ウィリアム・テル』。美食家としても知られた。（編）

ルッカ公国　一八一五年、ウィーン会議の制定によりイタリア中部に建国された国家。四七年にトスカーナ大公国に編入された。（編）

それがどうであろうと、催眠術に人を惹きつけて魅了する効力があるのは事実だと、いまや大多数の医者が認めているのだから、パガニーニのヴァイオリン演奏の並外れた効果はひょっとすると、すべて彼の能力や天分によるものではないのでは、とほのめかしても、以前よりは危ういことにはならないかもしれない。彼がいともたやすくかき立てた驚きと畏れは、その演奏ぶりと非凡な技量のえも言われぬ魅力と同程度に、何人かの伝記作家によれば「どこか不気味で悪魔的なところがある」という彼の外見によって引き起こされていた。前者の証拠となるのはフラジョレット*の音色を完璧に模倣したことと、G線のみで長い旋律を見事に演奏してみせたことだ。この演奏に関しては、多くの芸術家が真似ようとしたがうまくいかず、今日に至るまで彼に並ぶ者はいない。

彼はこの非凡な外見――友人からは風変わりだと言われ、臆病すぎる犠牲者たちからは悪魔のようだと言われた――のせいで、ある種の醜悪な噂を論破するのに非常に苦労した。彼の全盛期には、こうした噂は現代よりもはるかに簡単に信じられていたのだ。パガニーニは妻を殺し、その後に愛人も殺したという噂がイタリア中に――故郷の町にさえ――広まり、熱烈に愛していた二人の女を、悪魔のような野心のために躊躇なく犠牲にしたと言い触らされた。彼は魔術に熟達していると断言され、それで犠牲者二人の魂を自分のヴァイオリン――かの名器クレモナ――の中にうまく閉じ込めることができたのだそうだ。

『悪魔の霊薬』や『マルティン親方』などの魅力あふれる神秘的な物語を書いた名高い作家エルンスト・T・W・ホフマンの直接の友人たちの主張するところによれば、『クレモナのヴァイオリン』*に登場するクレスペル顧問官は、パガニーニに関する伝説から取られたものだという。読んだ人なら誰でも知っている通り、これはある有名なヴァイオリンの来歴で、高名なディーヴァ――クレスペルが愛して死なせてしまった女性――の声と魂がそのヴァイオリンの一部となっていて、そこに彼の愛娘アントーニエの声も加わるのだ。

この迷信はまったくの事実無根ではなくて、それを採用したホフマンが悪いわけでもない――パガニーニの演奏を聴いたのだから。自分の楽器から、この世のものとも思えぬ音色だけでなく、間違いなく人間の歌声をいともたやすく引き出す並外れた腕前は、まさに疑念を正当化するものだった。そういう効果が聴衆を仰天させて、多くの神経質な心に恐怖を吹き込んだとしても無理はない。これにパガニーニの青年時代の一時期にまつわる不可解な謎を加えれば、彼に関する最も突飛な話もある程度は正当と認められ、無理もないことだとすら思えるに違いない。とりわけ、この国の先祖は、黒魔術で有名なボルジア家やメディチ家を知っていたのだから。

Ⅲ

電信以前のこの時代、新聞には限界があり、名声の翼は現在のように軽々と飛び回ることができな

フラジョレット　十七～十九世紀の英仏で流行した小型の縦笛。
『クレモナのヴァイオリン』　ホフマンの短編小説。『クレスペル顧問官』の邦題で知られる。

かった。

　フランツはパガニーニについてほとんど聞いたことがなく、噂を聞いたとき、かのジェノヴァの魔術師を凌駕するとは言わないまでも、肩を並べてやるぞと誓った。そう、この世で最も有名なヴァイオリニストになれないのなら、楽器を壊すと同時に自ら命を絶つつもりだったのだ。

　老クラウスは、そのような決意を聞いて歓喜した。大喜びで両手をすり合わせて、足の萎えたサテュロス*のように不自由な足で跳ね回りながら、教え子をほめちぎってけしかけて、その間ずっと、自分は芸術という神聖かつ荘厳な大義のために尊い義務を果たしていると信じていた。

　その三年前、初めてパリに足を踏み入れた直後のフランツは、しくじったも同然だった。音楽評論家たちは彼のことを有望新人だと断言したものの、聴衆から嵐のような喝采を浴びたいと願うならさらに数年間の練習が必要だというのが一致した意見だった。それゆえ二年間にわたり必死で勉強して絶え間なく準備を重ねたのちに、このシュタイアーマルク生まれの芸術家はようやく、旧世界で最も厳しい批評家の前で公開演奏会が開かれるオペラ座で初めて本格的に演奏するための用意を整えたが、この重大なときにパガニーニが欧州の中心都市パリに到着し、彼の希望実現の妨げとなったので、ドイツ人老教授は賢明にも教え子のデビューを延期させた。最初のうちは、世間の熱狂と、かのジェノヴァ人ヴァイオリニストを賛美する声、そしてその名を口にする際のほとんど迷信的な畏怖に対し、彼はただ微笑むだけだった。だがすぐに、パガニーニの名前は焼けた鉄のように師弟二人の心をじりじりと焦がし、クラウスの精神を脅かす幻となった。さらに数日後には、二人は偉大なライバルの話が出ただけで身震いするようになり、パガニーニは夜ごとに前例のない成功を重ねていった。

最初の連続演奏会が終わったが、クラウスもフランツも、彼の音を聞いて自分で判断する機会はまだなかった。入場料があまりにも高すぎて彼らには手が届かず、金銭取引において誰よりもけちな男とみなされて当然のパガニーニが同業者のよしみで無料で入場させてくれる望みなどほとんどないため、ほかの多くの人々と同様に機会を待つしかなかった。だが、ある日とうとう師弟ともにこれ以上我慢ができなくなったので、二人は時計を質に入れて、その金で手頃な席の切符を二枚買った。

この素晴らしい、それと同時に致命的な一夜の熱狂と歓喜を言葉で言い表すことなど、誰にできるだろう！　聴衆は半狂乱で、男は涙を流し、女は金切り声を上げて気を失い、一方でクラウスとフランツは二人とも、幽霊よりも青ざめた顔で座っていた。パガニーニの魔法の弓が最初に弦に触れたとき、二人はまるで氷のように冷たい死の手に触れられたかのように感じた。抗しがたい熱狂に我を忘れ、やがてそれが暴力的で、この世のものならぬ精神的拷問に変わり、二人は演奏の間ずっと、お互いの顔をのぞき込むことも、言葉を交わすこともできなかった。

真夜中になり、音楽団体やパリ音楽院の選ばれた代表者たちが馬の綱を解き、かの偉大な芸術家を乗せた馬車が意気揚々と帰途についたころ、二人のドイツ人はささやかな下宿に戻り、その姿は見るも哀れなものだった。悲しみに沈み、絶望した様子で、彼らは暖炉の前のいつもの席に座り、しばらくの間どちらも口を開かなかった。

「ザムエル！」とうとうフランツが叫び、その顔は死そのもののように青ざめていた。「ザムエル――

サテュロス　（ギリシャ神話）酒の神バッカスに従う森の神で、半人半獣の姿をもつ。

ぼくらはもう死ぬよりほかないよ！……聞いているかい？……ぼくらにはなんの値打ちもない！　二人とも気が狂っていたのさ。この世の誰かが肩を並べられると思っていたなんて……あの彼と！」

パガニーニの名前が喉につかえたまま、完全に絶望したかのように、彼は肘掛け椅子にへたり込んだ。

老教授のしわが、いきなり紫色になった。緑がかった小さな目を燐光のようにきらめかせながら、彼は教え子のほうへ体をかがめて、しゃがれ声でとぎれとぎれにささやいた。

「いや、違うぞ！　フランツよ、おまえは間違っておる！　わたしが教えておまえが学び取ったのは、ごく普通の人間が、洗礼を受けたキリスト教徒が、別のごく普通の人間から学ぶことのできる偉大な芸術のすべてだ。あのような呪われたイタリア人が、芸術の分野において無比の存在として君臨するために、悪魔と黒魔術の邪悪な効果を頼みとしたからといって、わたしが責めを負うべきなのか？」

フランツは老教師に目を向けた。きらきら輝く目玉の奥には邪悪な光が燃え立っていて、その光は明白に、そんな力を確保できるなら自分もためらうことなく自らの肉体と魂を悪魔に売るだろうと告げていた。

だが、彼は一言も言わず、老教師の顔から目をそらすと、消えかけの燃えさしをぼんやりと眺めた。長らく忘れていたあのとりとめのない夢が、いまより若かったころあれほど現実的に思われたあと、完全に手を切り、頭の中から徐々に消えていったあの夢が、いまやかつてと同じ勢いと鮮明さで再び押し寄せてきた。イクシオンとシシュポスとタンタロスが顔をしかめながらよみがえり、彼の目の前に立ってこう言った。

「地獄がどうしたというのだ——汝はその存在を信じてなどおらぬのに。それに、たとえ地獄があったとて、いにしえのギリシャ人が描いたもので、現代の偏屈者の地獄ではない——その地は意識を有する亡霊に満ちており、汝は彼らを魅了してオルフェウスの再来となれるだろう」

フランツは気が狂ってしまうと感じ、本能的に振り向いて、再び老教師の顔をまともに見た。だがすぐに、彼の血走った目はクラウスの視線を避けた。

クラウスが教え子の悲惨な精神状態を理解していたのかどうか、彼の気持ちをほぐして話をさせて、そうすることで考えをそらしたかったのかどうか、それについては、筆者と同様に読者にとっても仮説のままにしておくしかない。なにを考えていたのであれ、このドイツの音楽狂は話を続け、冷静なふりをしてこう言った。

「フランツ、わが愛しき息子よ、あの呪われたイタリア人の芸術は不自然なのだよ。勉強のおかげでも天賦の才のおかげでもない。通常の、自然なやり方では絶対に身につかなかったものだ。そんな狂気じみた目つきでわたしをにらみつける必要はないよ。わたしの言うことは、何百万もの人々の口端に上っていることなのだからね。これから話すことを聞いて、理解しようとしてみてくれ。かの有名なタルティーニについてささやかれている奇妙な話は、聞いたことがあるだろう？　彼はある安息日の晴れた夜に死んだのだが、親しい仲の悪魔に絞め殺されていて、それはヴァイオリンに人間の声を与える方法を教えてくれた悪魔だった。呪文を唱えることによって、若き処女の魂をその中に閉じ込めるのだよ。パガニーニは、それ以上のことをした。人間のさまざまな声、たとえばむせび泣き、絶望の叫び、哀願、愛と怒りのうめき声——要するに、人間の声の最も悲痛な響き——を発する能力を楽器に与えるために、パガニーニは妻と愛人だけでなく、この世の誰よりも慕ってくれた優しい友人も殺した。それから彼は、最後の犠牲者の腸を材料にして、魔法のヴァイオリンの四本の弦を作った。これが彼の魅惑的な才能の秘密で、あの圧倒的な旋律、あのような音の組み合わせは、おまえには決して修得することなどできない。ただし……」

老人は最後まで言うことができなかった。教え子の悪魔のような顔つきを前にして、後ろによろめき、両手で顔を覆ってしまった。

フランツは苦しげに息をしており、その目に浮かぶ表情を見たクラウスはハイエナを連想した。顔色の蒼白さは死人のようだった。しばらくの間、フランツは話すことができず、息を切らしてあえぐばかりだった。そしてようやく、ゆっくりとつぶやいた。

「本気で言っているの?」

「本気だとも、おまえを救いたいのだから」

「それに……それに、弦を作るための人間の腸を手に入れる手段さえあれば、ぼくはパガニーニに肩を並べることができると、あなたは本当に信じているの?」一瞬の間のあとで、フランツは目を伏せながらそう尋ねた。

老ドイツ人は顔を覆っていた手を離すと、奇妙な決意の表情を浮かべ、穏やかに答えた。

「人間の腸だけでは、目的達成にはじゅうぶんではないのだよ。われわれのことを心から愛し、無私の神聖なる愛を与えてくれた誰かのものでなければならないのだ。タルティーニはヴァイオリンに処女の命を授けたが、それは彼への報われない愛ゆえに死んだ処女だった。あの悪魔のような芸術家は、あらかじめ一本の管を用意していて、彼女が愛する人の名を呼んで息絶えたときの最後の息をどうにかつかまえてから、その息をヴァイオリンに移し替えたのだよ。パガニーニに関しては、つい先ほど話した通りだ。だが、相手の同意を得た上で、腸を手に入れるために殺したのだ。

ああ、人間の声の力が欲しい！」クラウスは、わずかに間を置いてから話を続けた。「人間の声の雄弁さに、あの魔法の呪文に、なにが匹敵しうるだろう？　哀れなわが息子よ、この重大な、この最後の秘密が、あの……夜に名前を言うべきでない者の手中に人を陥れるものでなければ、それをおまえに教えずにいたと思うかね？」彼は若いころの迷信に急に立ち返り、そんな言い方をした。

フランツは返事をしなかった。だが、見るも恐ろしいほどの落ち着きをもって席を立ち、壁に掛けられていたヴァイオリンを下ろして、弦を一気に力強くつかむと、引きちぎって暖炉の中に投げ込んだ。

クラウスは、恐怖で叫びたくなるのをこらえた。弦は燃えている薪（たきぎ）の上でシューシューと音を立てていて、炎の中で何匹もの生きた蛇のようにのたくり、くるくると丸まった。

「テッサリア*の魔女とキルケ*の黒魔術にかけて誓う！」彼はそう叫び、口から泡を飛ばし、目は薪のように燃えていた。「地獄の復讐の女神たちと冥府の神プルートにかけて、ぼくはいま、ああ、わが師

テッサリア　ギリシャ中東部の一地方。
キルケ　ギリシャ神話およびホメロスの叙事詩『オデュッセイア』に登場する魔女。人を獣に変える魔術を用いる。

ザムエル、あなたの前で誓おう。人間の弦を四本張ることができるまで、ヴァイオリンに二度と触るまい。もしも触ったら、永遠に呪われんことを！」彼は床に卒倒し、低いむせび泣きが、最後には死者を弔う慟哭のようになった。老教師は子供を抱えるように彼を抱き上げて、ベッドへ運んだ。それから、勇んで医者を探しに出かけた。

Ⅳ

この痛ましい出来事から数日間、フランツはひどく具合が悪く、ほとんど回復の見込みがないような状況だった。医者は脳炎を宣告し、最悪の事態を恐れるべきだと言った。九日間もの長きにわたって譫妄(せんもう)状態のままで、クラウスは最も優しい母親のように気を遣いながら昼も夜も看病を続けたが、自分自身のしでかしたことに愕然としていた。二人が知り合ってから初めて、老教師は、教え子の激しいうわごとのおかげで、その不気味で、迷信的で、冷ややかであると同時に情熱的な資質の最も暗い隅々にまで入り込むことができた。そして――発見したものに対して身震いした。なぜなら、以前は気づいていなかったものが見えたからだ――フランツの実際の姿、表面的な観察者の目に映る彼とは違う姿が。音楽はこの若者の命であり、お世辞は彼が吸う空気で、それがなければその命は重荷となる。ヴァイオリンの弦だけがフランツの命と存在の源だが、命を支えるためには人々の、そして神々の賞賛さえ必要なのだ。クラウスの目の前に正体を現したのは、正真正銘の、芸術的で世俗的な魂で、神聖な魂はどこにもなく、このムーサの息子は空想と頭で考えた詩ばかりで、心がない。そのような譫妄状態の錯乱した空想のうわごとを聞いているうちに、クラウスは長い人生の中で初めて、まるで驚くべき未踏の領域を探検しているような、地球以外のどこかの不完全な惑星の人間の本質を探っているような気分になった。クラウスはこのすべてを悟り、おののき震えた。〝息子〟の意識が戻る前に死なせてやるのが親切なのではないかと、一度ならず自問した。

だが、彼は教え子のことを心から愛していたので、そんな考えに長くかかずらうことはなかった。彼のまさに芸術的な気質がフランツに魅了されてしまっていたわけで、老クラウスはいま、まるで二人の命が分かちがたく結びついているかのように感じた。そのように感じられるというのは、老人にとって思いがけないことだった。そこで彼は、フランツを救おうと決心した――たとえ、自分が思うところの役立たずの老いた命を犠牲にしても。

発病から七日目、非常に恐ろしい危機が訪れた。二十四時間にわたり、患者は一度も目を閉じることなく、一瞬たりとも黙らず、ずっと絶え間なくうわごとを言っていた。彼の見る幻は独特で、それを一つずつ詳細に説明していった。幻想的な気味の悪い人影が、小さな暗い部屋の薄暗がりから次々とゆっくり現れ、規則正しく列をなして進み、彼はそのそれぞれに、まるで古い知り合いのように名前を呼んで挨拶した。そして自分はプロメテウス*で、人間の腸でできた四本の紐で岩山に縛りつけら

プロメテウス（ギリシャ神話）主神ゼウスに逆らい人類に火をもたらした神。罰としてカウカソス山に縛られ鷲に肝臓をついばまれた。

れているのだと言った。カウカソスにある岩山のふもとには、ステュクス河*の黒い水が流れている。……その流れは遠きアルカディアを離れ、自分が磔(はりつけ)にされている岩山を、いまや七重に取り巻こうとしているのだ……。

「プロメテウスの岩山の名前を知りたくはないか、爺さん？」彼の怒鳴り声が養父の耳に飛び込んできた。……「聞きたまえ……その名は……なんと……ザムエル・クラウス……」

「そうだとも！……」老ドイツ人はやるせない声でつぶやいた。「わたしが彼を殺したのだ。慰めようとしている最中に。パガニーニの魔術の知らせが、あまりにも生々しい空想を引き起こしてしまったから……ああ、なんとかわいそうな、わが息子よ！」

「アッハッハッハ！」患者は突然、耳障りな大声で笑い出した。「おやおや、かわいそうな爺さん、あんたがそう言うのか？……とにかく、あんたこそかわいそうなのだから、立派に見えるのは、上等なクレモナのヴァイオリンの上にぴんと張られたときだけだろう！」

クラウスは身震いしたが、なにも言わなかった。ただ単に、哀れな狂人の上に身をかがめて、息子を溺愛する母親のように優しく愛情を込めて額に口づけをしてから、少しの間だけ病室を出て、息抜きのために自分の屋根裏部屋へ行った。病室に戻ったときには、うわごとは別の話題に変わっていた。フランツは歌を歌い、ヴァイオリンの音色を真似ようとしていた。

その日の夕方近くには、譫妄は完全におぞましい状態となった。火の精たちが自分のヴァイオリンをつかもうとするのが見えると言う。その骸骨の手の指の一本一本から炎の爪が生えていて、老クラウスを手招きしている……精霊たちは老教師に近づき、取り囲み、彼を引き裂く準備をしており……

その彼こそは、「この世でたった一人、無私の神聖なる愛でぼくを愛してくれる人で……とにかく、その腸が役に立ってくれるんだ！」とフランツはつぶやき続け、目をむいて悪魔のように笑った……。

けれども、翌朝までに熱は下がり、九日目の終わりにはもうベッドを離れていたが、病気の記憶はまったくなく、クラウスに心の内を読まれてしまったのではと疑うこともなかった。いや、それどころか、恩師を野心の犠牲にするなどという恐ろしい考えが頭に浮かんだことがあるのを、本人は知っているのだろうか？　まさか。命にかかわる病が即座にもたらした結果はただ一つ、あの誓いのせいで芸術的情熱のはけ口が見つからないので、別の情熱が目覚めただけだった――野心と飽くなき空想を満足させるのに役立つかもしれない情熱が。秘術と錬金術と魔術の勉強に、フランツは速やかに取りかかった。魔術を実践することで、この若き夢想家は、永遠に失われた――と思っている――ヴァイオリンへの激しい憧れの声を抑えつけようとしたのだ……。

それから何週間、何カ月と時が経ち、パガニーニに関する会話が師弟の間で再開されることは二度となかった。だが、フランツは深い憂鬱に取り憑かれてしまい、二人はほとんど言葉を交わすことがなくなり、ヴァイオリンも音を発することなく壁に掛けられ、弦のないまま、埃（ほこり）だらけで、いつもの場所にあった。それは、魂のない死体のように、二人の間に存在していた。

若者は陰気で皮肉っぽくなっていて、音楽のことを話に出すのを避けるほどだった。あるとき、老教授が長いことためらったのちに、埃をかぶったケースの中から自分のヴァイオリンを取り出して弾

ステュクス河　（ギリシャ神話）地下を流れ生死の境を分ける河。

く準備をすると、フランツは発作的に身震いをしたが、なにも言わなかった。ところが、弓が音を奏で始めたとたん、彼は狂人のように目をむき、家から飛び出して何時間も帰宅せず、通りをさまよった。すると今度は老クラウスが楽器を投げ捨てて、自分の部屋に閉じこもり、翌朝まで出てこなかった。

ある晩、フランツが一段と青白く陰気な顔をして座っていると、老クラウスが急に椅子からぱっと立ち上がり、カササギのような歩き方で部屋中を回ったあとで、教え子に近づき、若々しい額に優しく口づけをしてから、甲高い声を張り上げてこう言った。

「もう、このすべてを終わらせるときではないかな?」……

すると、いつもの無気力状態だったフランツははっとなったが、まだ夢の中にいるように、おうむ返しに繰り返した。

「ああ、このすべてを終わらせるときだ」

その後すぐ、二人はそれぞれベッドに入った。

翌朝、目を覚ましたフランツは、老教師がいつもおはようと言ってくれる場所にいないのを見て驚いた。だが、フランツはこの数カ月の間に大きく変わっていたので、師の不在は珍しいことでも、最初はまったく気に留めなかった。彼は身支度をして、隣の部屋へ行った。そこは小さな客間で、二人が食事をとり、二人の寝室を隔てる部屋でもあった。暖炉は前夜に残り火が消えてから火はつけられておらず、いつもの家事を忙しくおこなう教授の姿はどこにも見当たらない。フランツはおおいに当惑しつつも、少しもうろたえることはなく、いまは冷たい暖炉の前のいつもの席に座り、あてもなく物思いにふけり始めた。古い肘掛け椅子の上で伸びをして、両手を頭の後ろで組んでお気に入りの姿勢をとろうとしたとき、背後の棚の上のなにかに手が当たった。ケースに手がぶつかり、床の上に乱暴に落としてしまったのだ。

それは老クラウスのヴァイオリンケースで、いきなり床にガシャンと落ちたせいでケースが開き、ヴァイオリンが飛び出して、フランツの足元に転がってきた。そして弦が真鍮の炉格子に当たって音を発し、その長々と悲しげで沈痛な音は、安らぐことのない魂のため息のようだった。それは部屋全体を満たすように思え、若者の頭と心そのものの中にも響き渡った。その切れたヴァイオリンの弦の効果はてきめんだった。

「ザムエル！」とフランツは叫び、眼窩からは目玉が飛び出しそうになり、得体の知れない恐怖にいきなり取り憑かれた。「ザムエル！　なにがあったんだ……？　ぼくの大事な、愛しい先生！」彼は大声で呼びかけながら、急いで教授の小さな部屋へ行き、扉を乱暴に開け放った。返事をする者はなく、室内は静まり返っていた。

彼は後ろによろめいた。自分の声を聞いておびえたからで、この瞬間、まったく別の声のようにしわがれて聞こえたのだ。呼びかけに返事は戻ってこなかった。あとは完全な静寂が続くだけで……その静けさは、音の分野では通常は死を意味する。死体のあるところでは、墓のいかにも悲しげな静けさの中にいるときと同様に、そういう静寂は謎めいた力を得て、その力は敏感な魂を名状しがたい恐怖で襲うのだ。……小さな部屋は暗かったので、フランツは急いで鎧戸を開けた。

・・・・・・・・・・・・

クラウスはベッドに横たわっていたが、冷たくこわばり、息絶えていた。……自分を心から愛してくれて、父親以上の存在だった彼の亡骸を目にして、フランツは恐ろしいほどの感情の急変を経験し、ひどい衝撃を受けた。だが、熱狂的な芸術家の野心が人間の絶望に打ち勝ち、後者の感情は数秒後には押し殺された。

彼に宛てられた手紙が、亡骸のそばのテーブルの上に目につくように置かれていた。ヴァイオリニストは震える手で封筒を破り、手紙を読んだ。

最愛の息子フランツへ

おまえがこれを読んでいるころ、わたしはこの上ない犠牲を払ったあとだろう――唯一の親友であり師であるわたしが、おまえの名声のために成し遂げることのできた犠牲を。おまえを誰よりも愛していた男は、いまは単なる無生物の土くれにすぎない。おまえの恩師は、いまやただの冷たい有機物の塊と化した。それをどうすべきかについて、わたしが促す必要はない。愚かな偏見を恐れるな。おまえの将来の名声のために肉体を捧げたのだから、この犠牲を無駄にすれば、最も腹黒い恩知らずの罪を犯すこととなるだろう。ヴァイオリンの弦の交換が終わり、わたしの一部分が弦として張られたなら、おまえが弾けばあの呪われた魔術師の力が得られ、パガニーニの楽器の魔法の歌声がすべて得られるのだ。その中にわたしの声が、ため息とうめき声が、歓迎の歌声が、悲しみに満ちた果てしない同情の祈りを込めたすすり泣きが、おまえへのわたしの愛が聞こえるだろう。だから、フランツよ、誰も恐れるな！　おまえの楽器を持ち歩き、われわれの人生を苦々しさと絶望で満たした男のあとを追え！……あらゆる舞台に現れて、これまで彼が並ぶ者なく君臨してきたその舞台で、勇ましく挑戦状を叩きつけるのだ。ああ、フランツ！　そのとき初めて、無私の愛の完全なる調べがいかなる魔法の力でヴァイオリンから発せられるか、おまえは聞くこととなる。おそらくは、弦を愛撫するように曲を弾き終えたとき、それがかつて恩師の一部だったことを思い出すだろう。その恩師はいま、最後におまえを抱きしめて祝福するのだ。

ザムエルより

二粒の熱い涙がフランツの目に光ったものの、たちまち乾いてしまった。熱烈な希望と自尊心が激しく湧き上がり、将来の魔術師兼芸術家の二個の目玉は、死者の青ざめた顔に釘付けになったまま、悪魔の目のように輝いた。

その日、法律で定められた調査が終わったあとで起こったことをここに詳しく記すのは、どうしてもペンが進まない。別の手紙が当局を納得させる目的で書かれ、恩師の愛情深い配慮により抜け目なく用意されていたので、「死因不明の自殺」という判断が下された。その後、検死官と警察官が立ち去ると、相続人は死者の部屋に取り残され、かつて生きた人間だったものの残骸と一人で向き合った。

…………………

その日から二週間経つか経たないかで、ヴァイオリンは埃を払われて、四本の新しい頑丈な弦が張られていた。フランツにはその弦を見る勇気がなかった。弾いてみようとしたが、駆け出しの山賊が握りしめた短剣のように、弓が手の中で震えてしまう。そこでもう弾いてみるのはやめようと決心し、重大な夜が来るまで待つことにした。パガニーニに肩を並べる、いやそれどころか、彼をしのぐ機会が得られるその夜まで。

かの有名なヴァイオリニストはその間にパリを離れており、ベルギーのフラマン語圏の古い町で連続演奏会をおこない、大成功を収めている最中だった。

V

ある晩、パガニーニが滞在中のホテルの食堂で大勢の崇拝者に囲まれていると、狂気じみた目で見つめる若い男から、鉛筆で二言三言書き添えられた名刺を手渡された。

パガニーニはその乱入者を、ほとんど誰も耐えられないような目つきで見据えたが、自分と同じくらい冷静で決然とした目でちらっと見返されたので、かすかに会釈をし、そして素っ気なくこう言った。

「ご要望通りでどうぞ。どの晩か決めてください。なんなりと承りますよ」

翌朝、町中の人々は驚いた。あらゆる街角にビラが貼られ、奇妙な告知が書いてあったのだ。

……の晩、……の大劇場において初公演をおこなうドイツ人ヴァイオリニストのフランツ・シュテーニオは、世界的に有名なパガニーニに挑戦状を叩きつけ、決闘を——ヴァイオリンの決闘を申し込むことを目的に当地に到着した。偉大なる〝名手（ヴィルトゥオーソ）〟の最大の難曲の演奏を競う決意で、かの有名なパガニーニは挑戦を受け入れた。フランツ・シュテーニオは比類なきヴァイオリニストとの競演において、彼の作曲した名高き幻想奇想曲（ファンテジー・カプリス）、その名も『魔女たち』を演奏する。

この告知の効果はてきめんだった。パガニーニは過去最高の大成功のさなかにあっても儲けを考えることは決して忘れず、入場料を通常の二倍にしたが、それでもこの注目すべき公演の切符を手に入れようとして、劇場に入りきらないほどの群衆が押し寄せた。

・・・・・・・・・・・・

とうとう演奏会の日の夜明けが来て、〝決闘〟は世間の噂となっていた。フランツ・シュテーニオは前日、真夜中を過ぎてもずっと眠らず、檻の中の豹のように部屋を行ったり来たりして過ごし、明け方近くにベッドに倒れ込んだのは、ただ単に体が疲れきったからだった。徐々に死んだような眠りに落ちていき、夢は見なかった。薄暗い冬の夜明けに目が覚めたが、起きるには早すぎると気づき、再び眠り込んだ。すると今度は、鮮明な夢を見た——実際あまりにも鮮明で、あまりにも真に迫っていたので、その恐ろしいほどの現実感から、夢というよりも幻だと確信したほどだった。

ヴァイオリンはベッド脇のテーブルの上に置いてあり、ケースにしまって鍵をかけて、鍵は肌身離さず持っていた。あの恐るべき弦を張ってからは、一瞬たりとも目を離さなかった。自分の決意に従って、最初に弾いてみたあとは触っておらず、彼の弓が人間の弦に触れたのはあの一度だけで、あれ以来いつも別の楽器で練習していた。だがいま、眠りの中で、自分があの鍵のかかったケースを眺めている姿が見えた。その中のなにかに注意を引かれて、目を離せずにいるのがわかった。突然、ケースの蓋がゆっくりと持ち上がり、それでできた狭い隙間から、二つの小さな、燐光のようにきらめく緑色の目が——あまりにも見慣れた目が——彼の目をじっと見据えていた——愛情を込めて、ほとんど懇願するように。次に、か細く甲高い声が、まるでそのぞっとするような目玉から発せられたかのように——ザムエル・クラウスの声と目玉だ——フランツの恐怖におののいた耳の中で鳴り響き、こう告げるのが聞こえた。

「フランツ、わが最愛の息子よ……フランツ、できないのだよ、離れることができないのだ……あの四本から！」

そして〝あの四本〟が、ケースの中で哀れっぽくビーンと鳴った。

フランツは恐怖のあまり言葉を失い、立ち尽くしていた。血が実際に凍りつき、髪の毛が逆立つのが感じられた……。

「これはただの夢にすぎない、空虚な夢だ！」彼は系統立てて考えようとした。

「全力を尽くしたのだよ、フランツ坊や……この呪われた弦からわたしを切り離しても弦がずたずたに裂けてしまわぬよう、全力を尽くしたのだが……」先ほどと同じ、甲高い聞き慣れた声が訴えた。

「手伝ってくれないか?……」

ビーンという音がもう一度、よりいっそう長く陰気な音がケースの中に鳴り響き、ケースはいまや、内部のなんらかの力によってテーブルの上を引きずり回されており、まるで生き物がのたくっているようで、新たに動くたびに、ビーンという音はさらに鋭く、さらに痙攣的なものとなっていった。

フランツがこのような音を聞いたのは、これが初めてではなかった。以前にもしばしば気がついていて——実のところ、自らの野心の踏み台として師のはらわたを利用したとき以来ずっとだった。だが、そのたびに忍び寄る恐怖を感じたため、原因を調べることはなく、あの音はただの幻覚だと自分を納得させようとしてきた。

けれどもいまは、恐ろしい事実に直面していた。夢なのか現実なのかはわからないし、どうでもいいことだった。なぜならその幻覚は——もし幻覚だとすれば——どんな現実よりもはるかに現実的で、鮮明だったからだ。彼はなにか言おうとして、一歩前に出ようとした。だが、悪夢の中でよくあるように、一言も口がきけず、指一本動かせず……どうにもならないほど身動きができないと感じた。

例のケースの動きは刻一刻とすさまじくなっていき、とうとう内部のなにかがバチンという激しい音を立てた。魔法の弦のないストラディヴァリウスの幻が目の前にぱっと浮かび、フランツは無言のまま言語に絶する恐怖に襲われ、冷や汗が噴き出した。

彼は超人的な努力で、悪夢の呪縛から自由になろうとした。だが、目に見えないなにかが、最後にもう一度、嘆願するようにささやいた。

「頼む、ああ、頼む……切り離すのを手伝ってくれ――」

フランツは激怒した虎が獲物を守るように一跳びでケースに飛びつき、半狂乱の努力で呪縛を解いた。

「ヴァイオリンに手を出すな、地獄の老いぼれ悪魔め！」彼はしわがれた震える声で叫んだ。

そして、ひとりでに持ち上がった蓋を乱暴に閉めると、それを左手でしっかり押さえながら、テーブルの上の松脂(まつやに)を右手でつかみ、革張りの蓋の上に六芒星のしるしを描いた――ソロモン王が反抗的な精霊(ジン)を牢屋に閉じ込めるために用いた封印だ。

子の死を嘆く母狼の遠吠えのような悲しげな叫び声が、ヴァイオリンケースの中から聞こえてきた。

「おまえは恩知らずだ……あまりにも恩知らずだぞ、フランツよ！」〝霊の声〟が、泣きじゃくりながらそう言った。「だが許そう……まだ心から愛しているからだ。それでも、わたしを閉じ込めておくことはできんぞ……息子よ。見よ！」

するとたちまち、灰色がかった霞(かすみ)が広がってケースとテーブルを覆い、立ち上りながら最初ははっきりしない形になった。次にそれが大きくなり始めて、どんどん大きくなるにつれ、フランツは冷たく湿った渦の中に徐々に包まれるのを感じ、その渦はまるで大蛇のとぐろのようにぬるぬるしていた。彼はすさまじい悲鳴を上げ、そして――目を覚ました。だが、おかしなことに、そこはベッドの上ではなくてテーブルのそばで、ちょうど夢で見たように、両手でヴァイオリンケースを必死に押さえつけていた。

「あれはただの夢なんだ……結局は」彼はつぶやき、まだおびえていたものの、波打っている胸の重荷は軽くなった。

途方もない努力で心を落ち着かせて、ケースの鍵を開けてヴァイオリンを調べた。埃に覆われていたが、それ以外は無傷の使える状態で、彼は突然、自分はいつものように冷静で決然としていると感じた。楽器の埃を払ってから、慎重に弓に松脂を塗り、弦を締めて音程を合わせた。さらに、『魔女たち』の最初の一節を弾いてみようとさえした。初めは用心深くおずおずと、次いで弓を大胆に使って全力で。

その大きな、たった一つの音の響き——征服者の軍隊ラッパのように挑戦的で、忠実な信者の空想の中で熾天使（してんし）が金の竪琴をつまびく音のように甘美で荘厳——が、フランツの魂そのものに染み渡った。これまで思いもよらなかった弓の潜在力が明らかになり、その弓の奏でる旋律が室内をこの上なく豊かな調べで満たし、それはその晩まで聴いたことのないものだった。途切れないレガートで始まり、彼の弓は太陽のように明るい希望と美しさを、月明かりの夜を歌った。そんな夜は、柔らかく穏やかな静寂が、草の葉の一枚一枚などあらゆる生物と無生物に、歌声と愛の歌を授けるのだ。ほんのしばらくの間、旋律が激しくほとばしり、〝しめやかな悲哀に合わせて奏でられた＊〟そのハーモニーは、

しめやかな悲哀に合わせて奏でられた　スコットランドの医師・詩人ジョン・アームストロング（一七〇九—七九）の長編詩『健康維持法』（一七四四）で音楽の効能を説く箇所に、オルフェウスの竪琴が「しめやかな悲哀に合わせて奏でられ、山々に涙を流させ、地獄の容赦なき神々さえなだめた」という描写がある。

もし室内に山があったならば山々に涙を流させ、そして
……地獄の容赦なき神々さえなだめてくれそうなもので、
その神々の存在は、この質素なホテルの部屋の中に間違いなく感じられた。突然、厳かなレガートの歌が、あらゆるハーモニーの法則に背いて、震えてアルペッジオになり、ハイエナの笑い声のような甲高いスタッカートで終わった。前に感じたのと同じように、あの恐怖が忍び寄る感覚に襲われ、フランツは弓を投げ捨てた。聞き慣れた笑い声に気づいていたので、もう聞きたくなかったのだ。身支度をしてから、悪魔に取り憑かれたヴァイオリンをケースに入れてしっかり鍵をかけて、それを持って食堂へ向かいながら、試練のときが来るのを静かに待とうと決心した。

Ⅵ

恐るべき闘いの時間がやってきて、フランツはすでに持ち場についていた——落ち着いて、毅然として、ほとんど笑みに等しいものを浮かべていた。

劇場内は息が詰まるほど込み合っていて、現金をいくら払っても特別待遇があっても、立見席すら手に入らなかった。この並外れた挑戦は郵便の届くあらゆる場所に広まっていて、パガニーニの底なしのポケットには金があとからあとから流れ込み、彼の飽くことのない打算的な魂でさえほとんど満足させるほどだった。

パガニーニが先に演奏する手はずとなっていた。彼が舞台に登場すると、劇場の分厚い壁が土台から揺れるような拍手喝采で迎えられた。本人が作曲した有名な『魔女たち』の演奏は、歓声の嵐の中で始まり、歓声の嵐の中で終わった。聴衆の熱狂的な叫び声が延々と続いたので、フランツは自分の出番は永遠に来ないだろうと思い始めた。そしてようやく、パガニーニが半狂乱の聴衆の大喝采の中で舞台裏に下がることを許されたとき、ヴァイオリンを調弦しているフランツが彼の目に留まり、この無名のドイツ人芸術家の穏やかな落ち着きに、確信に満ちた雰囲気に、彼は驚きを覚えた。

フランツが舞台に立ったとき、氷のような冷ややかさで迎えられた。だがそれにもかかわらず、彼は少しも不安を感じなかった。顔は真っ青だったが、白く薄い唇には、この愚かな反応に対するさげすむような笑みが浮かんでいた。自分の勝利を確信していたのだ。

『魔女たち』の前奏曲の最初の一節が流れると、聴衆の間にぞくぞくするような驚愕が広がった。それはパガニーニのタッチで、しかも――それだけではなかった。一部の人々は――実はそれが大多数だったのだが――かのイタリア人芸術家が最も霊感に満ちた瞬間ですら、彼自身の手によるあの悪魔的な作品の演奏において、これほどまでに並外れた悪魔的な力を披露したことは一度もないと思った。フランツの鍛えられた長い指に押さえられた弦は、生体解剖のメスを入れられた犠牲者のおののく腸のように震えていた。弦は美しい旋律でうめき、まるで瀕死の子供のようだった。芸術家の大きな青い目は、悪魔のような表情で共鳴板を見据えていて、ヴァイオリンの奥から生まれ出るはずの音楽を呼び出すというより、オルフェウス自身を冥土から召喚しているように見えた。音が具象的な形に変身するように思われ、強力な魔術師に呼び起こされたかのごとくあわただしく密に集まり、彼のまわりに渦を巻くさまは、まるで奇怪な悪鬼のような人影の大群が、魔女の〝山羊の踊り〟を踊っているかのようだ。舞台奥のなにもない暗がりには、演奏の背景として、名状しがたい変幻自在の光景がこの世のものならぬ霊気の震動によって生み出され、破廉恥な狂宴の絵が、本物の魔女集会(サバト)の官能的な結婚の絵が描かれているように見える……。集団幻覚が聴衆を支配していた。息を切らしてあえぎ、死人のように青ざめて、言語に絶する恐怖で冷や汗をしたたらせながら、彼らはうっとりと聴き入り、わずかでも動いて音楽の呪縛を解くことはできなかった。イスラム教徒のアヘン吸飲者の混乱した幻覚に現れるマホメットの楽園で、気力を奪う禁制の快楽をすべて経験し、それと同時に屈辱的な恐怖を、振戦譫妄(しんせんせんもう)の発作と闘う者の苦悩を感じた……。多くの淑女は金切り声で叫び、残りの淑女は卒倒し、たくましい男たちはどうすることもできない状態に歯ぎしりしていた……。

そして、終楽章(フィナーレ)のときが来た。雷鳴のような喝采が途切れることなく続いたせいで開始が遅れ、つかの間の休止が十五分近くまで延びた。ブラボーの叫び声はすさまじく、ほとんどヒステリックなほどだった。ようやく、深々と最後のお辞儀をしたフランツが、得意満面かつあざけるような笑顔で弓を上げ、かの有名なフィナーレに取りかかろうとしたとき、彼の目がパガニーニに留まった。パガニーニは支配人席に悠然と腰かけて、先ほどまで誰よりも熱心に喝采していた。このジェノヴァ人芸術家の鋭い小さな黒い目はフランツが手に持つストラディヴァリウスに釘付けだったが、そのことを除けば、まったく冷静で平然とした様子だった。そんなライバルの顔に、彼はほんの一瞬だけ心を乱されたが、すぐに落ち着きを取り戻すと、再び弓を上げ、最初の音を弾いた。

するとと聴衆の熱狂は絶頂に達し、じきにとどまるところを知らなくなった。聴衆はたしかに耳にし、そして目にしたのだ。魔女たちの声が空中に響き渡り、ほかのすべての声を超越して、一つの声が聞こえてきた――

耳に障り、人の声とは異なり
それはまるで犬の吠え声、狼の遠吠え
真夜中の梟（ふくろう）の陰気な金切り声
蛇の鳴らすシューッという音、飢えた獅子の咆哮
岸に打ちつける波濤の音
青葉茂る森を吹き抜ける風の唸り声
雲を切り裂き轟く雷鳴
これらが、これらすべてが一つの声となった……*

魔法の弓が最後に音を震わせて――驚異的な演奏技巧として有名だ――夜明け前に魔女たちが大急ぎで飛び去る音を真似ていた。夜の乱痴気騒ぎでまだのぼせたままの、邪悪な女たちが去る音を。ところがそのとき――舞台の上で奇妙なことが起こった。あまりにも唐突に、音がいきなり変わったの

耳に障り、人の声とは異なり……　古代ローマの詩人ルカヌスの叙事詩『内乱　パルサリア』で魔女が降霊術をおこなう場面からの引用。

だ。上昇と下降を繰り返す空中飛行の中で、旋律が不意に違う性格のものとなった。音が混乱し、まき散らされ、ばらばらになり……そしてそこで――どうやらヴァイオリンの共鳴板から――甲高い耳障りな声がして、街頭で見るパンチ*のようなその老いぼれ声が、こう絶叫したのだ。

「満足したかね？　わが息子フランツよ……わたしは立派に約束を守っただろう？」

　呪縛が解けた。すべての状況はまだ理解できないながらも、その声とプンチネッロ*に似た口調を聞いた人々は、まるで魔法のように、いままで彼らを惹きつけていた恐るべき魅力から解放された。大爆笑と、怒りと苛立ちの入り交じったあざけるような叫び声が、いまや広い劇場のあちこちから聞こえた。オーケストラの演奏者たちも、妙な感情に襲われたせいでまだ青白い顔だが、いまでは身をよじって笑っており、聴衆全員が、一人の人間のように一斉に席から立ち上がった――謎はまだ解けていないのに。それでも彼らは、あまりにもうんざりして、あまりにも笑いたかったので、この劇場にこれ以上一瞬たりともとどまることができなかったのだ。

　だが突然、一階席の前方と後方の人の波の動きが再び止まり、人々は雷に打たれたかのようにその場に立ちすくんだ。誰もが目にしたのは、それほどまでに恐ろしい光景だった――若き芸術家の端正だが狂気じみた顔が突如として年老いて、優美にすっと伸びた背筋が年月の重みに耐えかねたかのように曲がってしまったのだ。だがこれは、とくに感受性の鋭い一部の人々がはっきり気づいたこととは比べものにならなかった。フランツ・シュテーニオの体はいまや半透明の霞に完全に包まれており、雲のような霞が蛇の動きでくねくねと絡みつき、徐々に締めつけて、いまにも飲み込もうとしているかのようだった。しかも、この高く不吉な霞の柱の中に、くっきりと浮かび上がる人影があるのを見抜いた人々もいて、それは間違いなく、グロテスクでにやりと笑っているがひどくおぞましい老人の輪郭で、はらわたがはみ出て、腸の先端がヴァイオリンの上に張られているのだ。

この震える霞のとばりの中に、そのときヴァイオリニストの姿が見えた。人間の弦の上で弓を猛烈な勢いで動かしていて、よじれた姿勢は、中世の大聖堂の絵画に描かれている悪魔に取り憑かれた人と同じだ！

言語に絶するパニックが聴衆を襲い、彼らを再び動けなくしていた呪縛が今度こそ完全に解けたので、劇場内の生きとし生けるものは一斉に扉に殺到した。それはまるでダムの決壊のようで、不協和音が降り注ぐ中を人の波が轟々と流れていき、ばかげた金切り声、長々と続く哀れっぽいうめき声、狂乱状態の耳障りな叫び声が重なって、そこへひときわ大きな音で、ピストルの銃声のように、魔法のヴァイオリンの共鳴板の上に張られた四本の弦が次々とはじける音が響いた。

・・・・・・・・・・・・

劇場から聴衆が一人残らず立ち去ると、支配人はおびえながらも舞台に駆け上がり、不幸な演奏家の姿を探した。彼はすでに硬直した死体として見つかり、舞台上でこの上なく不自然な姿勢にねじれ

パンチ　英国の滑稽な人形芝居の主人公。同様の芝居は欧州各地で見られる。
プンチネッロ　人形芝居のパンチの起源となったイタリアの芝居の主人公。

ており、不思議なことに〝腸線（ガット）〟が首に巻きついていて、ヴァイオリンは粉々に砕け、無数の破片が飛び散っていた……。

ニコロ・パガニーニのライバルを夢見た不幸な男が一文無しで死に、葬式代もホテル代も払えないということが公（おおやけ）になったとき、かのジェノヴァ人は、けちで有名であるにもかかわらずホテル代を支払い、哀れなフランツを自腹で埋葬してやった。

しかしながら、それと引き換えに、彼はあのストラディヴァリウスの破片を要求した――奇妙な出来事の思い出として。

＊註は主に訳者による。

五月祭前夜

アルジャーノン・ブラックウッド

渦巻栗 訳

May Day Eve

Algernon Blackwood

I

春になってようやく時間ができたので、病院の仕事を休み、友人を訪ねることにした。この友人というのは民俗学者の老人で、田舎に隠遁していた。私は内心でほくそ笑んでいた。なぜなら、かばんに入れている一冊の本が、魔術とか、魂の力とかいった、彼の退屈でくだらない理論を完膚なきまでに打ちのめすはずだからだ。

これらの理論は多岐にわたっていて、私もよく手を焼いた。そもそも、職業柄、それらをさげすんでいた。それに、意見をまとめられなかったせいで、ほんのささいな点でも、彼を納得させたり、信念を揺さぶったりすることができなかった。科学の知識を持ち出したところで、彼に確証を与えるだけだった。そんなわけで、こうした本を見つけた上に、それがかばんにきちんと入っており、茶色の包装紙にくるまれて、彼に献呈する旨も記されていると考えると、心の底から満ち足りて、愉快な気分になった。旅の間はあれこれと思いをめぐらして、彼が圧倒的な論拠に手こずるさまを想像した。本に記された、これらの証拠が、五感で認められる世界の外に重要な領域など存在しないと示してくれるはずだ。

ほかにも思いめぐらしていることがあった。彼は幻視にふけったり、心奪われる実験を行ったりするから、そもそも私が来ることを覚えていないかもしれない。だから、ひとりしかいないポーターから、「教授」が「くるま」をよこしてくれたと聞いたときはほっとした。つまり、遠慮なくかばんを預け、丘陵をわたって、屋敷までの四マイルの道のりを歩いていけるのだ。

穏やかで、風のない宵だった。日没からまだ間もない。空気は暖かくて香り高く、胸がすくほどしんとしている。列車は、とっくに遠ざかっていたが、群衆や都会のがやがやした音も、これまでのせわしない生活の痕跡も、すっかり運び去ってくれた。原野の小さな駅から一歩踏み出した先には、沈黙と、伸び育つものたちと、羊の鈴の澄んだ音色と、羊飼いと、手つかずのひっそりとした空間の世界が広がっていた。

私が取った道は、草むす丘陵を斜めに横切っている。一マイルほどのぼると、頂上に着く。そこから、のらりくらりと蛇行しながら進むこと二マイル、峰沿いにハリエニシダの茂みを抜け、松林のそばに建つトム・バセットの田舎家を過ぎると、今度は急な下り坂となって、反対側に出る。思いのほかまばらな林を通り抜けると、古びた屋敷が現れる。老民俗学者はそこで日々を送り、夢を見て、理論と空想の、実在しえない世界にのめりこんでいる。登り坂の前半で、彼のことを考えはじめ、いつものようにひとり合点した。彼が貧しい者に対して気前がよく、人柄も穏やかだからよかったものの、そうでなかったら、百姓たちは彼を魔法使いだとみなして、霊魂について考察したり、妖精の世界と怪しげなかかわりを持ったりしていると考えたにちがいない。

この小道には、なんとなく見覚えがあった。前にも一度、ここを歩いたことがあったし――数年前の冬の日だった――田舎家から先の道なら自信がある。だが、最初の一マイルほどは、牛の通り道としょっちゅう交差していたし、あたりも薄暗くなっていたので、もっと詳しい道筋を尋ねたほうが賢明だと思った。これについては、幸運にも、ある男に訊くことができた。彼は驚くほど唐突に草地から立ちあがった。茂みのうしろで寝そべっていたのだ。そして、私の数ヤード前方を横切り、早い足取りで坂をくだって、闇が募りゆく谷へ向かった。

彼はとても急いでいる様子だったので、私は大声で呼びかけたものの、遅すぎたのではないかと心配だった。だが、私の声を聞くと、彼はいきなり向きを変えた。そばに来るまではあっという間に思えた。ほんの一瞬だけ、彼はそこにいた。すぐ近くで、ほほえみながら、好奇心と思しきものを顔に浮かべて、私の顔を見つめた。いまでも覚えているが、この男の顔は、青白くて日に焼けていないし、田舎の男にしてはずいぶんと美形で、目は外国人のようだった。それに、あの機敏な動きからもただならぬ感じを覚えた――ぎょっとしたといってもいい――が、自分でもわかっていた通り、私の視覚は、調子がよくても誤りを犯すし、当然ながら、ひらけた斜面で、目を欺く薄暮に包まれていてはなおさらだった。

しかも――こうして道を教わるときにはよくあることだが――彼が発した言葉は、頭にはっきりと残らなかった。この男は、豹めいた俊敏な動きで、あっという間に丘をくだって姿を消したが、私が記憶していたのは、宙を薙ぐような身ぶりで、進むべき道筋を示されたことだけだった。彼がハリエニシダの茂みのうしろから不意に立ちあがり、奇妙なほどすばしこく動いて、あんな風に私の顔を覗きこみ、さらには肩にも触れたため、注意がそれて、彼が口にした言葉を聞き逃してしまったに違いない。それに、自分がまちがった方向に進んでいて、一マイルほど右にずれたところに出そうだったから、身ぶりで道を示してもらっただけでもこと足りると思った。

尾根の頂上に着くと、いつになく激しい運動をして息があがっていたため、草地に寝転がって、ひと休みした。そばには、黄色い花で燃え立つようなハリエニシダの茂みがあった。屋敷を訪ねる時刻までは、まだ一時間もある。草はとても柔らかく、安らかな静けさに心が和んだ。私は立ち去りがたくなって、巻きたばこに火をつけた。ちょうどそのときだったと思うが、識閾下(しきいきか)の記憶から言葉がもどってきた。まさしくあの男が語った言葉だ。人称代名詞がひどく意味ありげだったのは、彼が奇妙な聞きなれぬ声で強調したせいもあるが、どことなく愉快に感じられた。「いまのあなたには、いちばん安全な道だ」と言ったのだ。まるで、私は見るからに都会人なので、暗くなってからひと気のない丘陵にいるのは危ないといわんばかりだった。また、彼はそばにやってきたかと思うと、影のようにするりと離れて、急な坂をおりていったわけだが、そのときのすばしこい身のこなしが頭に浮かんで、きわ立った小景ができあがった。すると、ほかの考えや記憶も湧きあがり、ひとつづきの心像となった。ひとつ浮かぶと、すぐに次がつづき、一連の回想となったが、意思は働いておらず、目的も意味もなかった。いってみれば、心地よい空想にふけったのだ。

眼下では、無限の彼方とも思えるところに、谷間が静かに広がっていて、青い夕霞(ゆうがすみ)の帳(とばり)に覆われている。低いほうの谷口は、影に沈みゆく丘陵へと消えている。そうした丘の頂上が、そこかしこで巨大な羽飾りのようにそびえている。すっかり闇に閉ざされたら、その大いなる頂をうなずかせ、呼びかけあうにちがいない。村がある場所は、そこだけ霧がおりているようで、すでに灯がいくつもまたたいている。ミヤマガラスのかあかあという声がかすかに聞こえ、空の高みではカモメが鳴いている。ずっと遠方で犬の吠える声が、宵のざわめきを圧して響いた。農場や野原や広々とした戸外のにおいが鼻に忍びこんできた。すべてが合わさって、世界のてっぺんで寝転がっている気分になった。私と星々を隔てるものなどなにもない。地球上の、広漠とした自由なものたち――丘や、谷や、林や、斜面の野原は――まわりで深々と息づいている。

目に入る範囲でも、数羽のカモメが――昼間には、このあたりの空を埋め尽くしている――まだ輪を描いて舞い、ときおり、すねたようなかん高い声で鳴いている。遙か遠方におぼろげな線が見え、海が広がっているのがわかる。

寝そべったまま、足元の静まりかえった夕闇の深みを夢見ごこちで見つめていると、なにかが湧きあがってきた。一面に広がる、漠洋として見定めがたいなにかが、地図のように見える一帯の地表全体から現れて、信じられないほどすばやく谷を駆けた。私が横たわる丘を一瞬でのぼり、通りすぎていったが、急いでいる様子もなく、速度さえないかのようだった。こうして帳が次から次に湧きあがり、丘の間のくぼ地を満たした。畑も、村も、斜面も、みな包みこんで通りすぎると、背後の尾根の向こうに広がる薄闇に溶けこんだり、霞のように空へのぼって、姿を消した。

急速に冷えてゆく地表から実際に霧が立ちのぼったのか、地球が夜闇へ熱を譲りわたしただけだったのか、私には見きわめられなかった。闇の訪れは、いつも謎の連続だ。いまの私にわかることが、ひとつだけある。つまり、こうして風景そのものが、筆舌に尽くしがたい、漠洋たる動きで波立つさまは、あたかも地球が、途方もない漆黒の翼を斜面から広げたように見えたのだ。翼をふりあげると、静かに、とてつもない羽ばたきをくりかえし、太陽からいっそう軽やかに離れて、夜へ飛び去っていきそうだった。とにかく、闇がすべてに覆いかぶさったのは、それからすぐのことだった。私は慌てて立ちあがり、小道をたどった。ふしぎなほど新鮮な驚きを味わったのは、黄昏や、眼下の谷の蒼茫たる深みや、頭上でかすむ空の、淡い黄色に染まった高みの魔力に気がついたからだ。

私は足早に歩いた。あたりが冷えこんできて、じきに谷もすっかり見えなくなると、ひと気もなく、さびれた丘陵の尾根に着いた。

十五分以上も寝転がって空想していたはずはないのだが、間もなく見て取った通り、天気が唐突に様変わりしていた。霧があちこちで逆巻いているのだ。彼方の丘陵にある、もっと小さな谷から立ちのぼって、小道をぼかしている。頭上からは、吹きすさぶ風の音がはっきりと聞こえた。遙か上空で、かん高い叫びをあげている。ついさきほどまでは、暖かな春の夜の静寂が広がっていたのに、いまではすべてが一変していた。湿っぽい霧がからだにまとわりつき、細かい雨粒が勢いよく顔を刺し、激しい風が冷えきった高みからおりてきて、私を打ちのめしはじめた。私はコートのボタンをとめて、帽子を深々とかぶりなおした。

変化というのは、実際はこうだった——自分の身に起きたのは生まれてはじめてだったが、真の信念だけが持つ力を感じた——周囲のすべてが突然、生きいきしはじめたかに見えたのだ。

こんな経験をするのは妙だった——平凡で、想像力もない、物質主義の医師だというのに——まわりの世界がざわついて、生命に目覚めたことを悟ったのだ。妙だといったのは、昔から、私にとっての〈自然〉とは、寸法や重さや色などが、程度の差こそあれ、整然と組み合わさったものにすぎなかったからだ。この新しい見方は、自分の気質にはまったくもって似つかわしくなかった。私にとって、谷はいつも谷でしかなかった。丘はただの丘だった。畑は何エーカーもの平たい地面でしかなかった。草が生えていようが、耕されていようが、水はけがよかろうが悪かろうが、同じだった。それがいまや、胸を衝くほど鮮やかに、ふしぎな、退けようのない考えが浮かんできた。それらはやはり、ただの谷や丘や畑ではないのかもしれない。これまで、そうした名前で識別してきたのは、ただの帳でしかなく、その向こうには、生きいきとしたなにかが隠れている。つまり、いままでは他人の詩心を嘲ったり、薄っぺらな生理学用語で言い逃れたりしていたのに、その詩心が己のうちで不意に花開いたらしいのだが、これといった原因は見当たらなかった。

しかも、とまどえばとまどうほど理解されてきたのだが、詩心が生まれたのは、ハリエニシダの茂みの下に寝転がって夢想していた、あの数分間だった（夢想にふけるなど、これまでの人生では一度もなかった！）。いや、もっと正確に思い返してみると、かの爛々と燃える目をした、すばしこい動きの、影のような男にはじめて道を尋ね、言葉を束の間交わしたときか。

そこで思い出したのは、帳が丘や畑の面から次々に浮かびあがるという、あの風変わりな空想だった。記憶がよみがえると、興奮のかすかな震えが走った。これまでなら、そんなことを考えるなど、実際家の知性にはありえなかったので、私はいぶかしんだ――自分自身をいぶかしく思った。束の間、足を止めた――あたりを見まわして、深まりゆく霧に目をこらした。頭上では星が消えかけていて、眼下では谷が隠れている。それから、自分の全人格に緊急招集をかけ、昔からそうしてきたように、こうした望ましからぬ空想をとらえて、追い払うよう命じた。

だが、呼びかけてもむだだった。答えはない。気をもみ、泡を食ってわけがわからなくなり、いつもの自分を探してみたが、見つからなかった。こうして答えが返ってこなかったせいで、私は不安を覚えた。ほとんど怯えているといってもよかった。

さらに足を速めて、ハリエニシダの茂みに挟まれた、草むす小道を進んでいると、すっかり迷ってしまったのではないかと怖くなった。不意に、なるべく早く家に着きたいと思った。すると、なんの前触れもなく、いきなり空気が澄んでいる場所に出た。霞が突き進む壁となって通りすぎ、空へ舞いあがった。改めて目に入ったのは、背後の低地にある、村の灯だった。淡い黄色の空を背にして、そこかしこから煙の筋が立ちのぼっている。頭上では、薄くたなびく雲を透かして、星々が下界を覗いている。雲は夜空いっぱいに伸びて、風の標(しるべ)となっている。

やはり、はぐれた海霧が、海岸から吹きあげられてきただけだったのだ。そこで思い出したが、丘陵の反対側は、白亜の断崖をなして、まっすぐ海へ落ちこんでいるから、ふしぎな迷い風がよくやってきて、あたりをさまように違いない。そのせいで、日が沈むころあいに、気温が急激に変化するのだ。にもかかわらず、霧や嵐が、手を伸ばせば届くところに隠れているのを考えると、胸騒ぎがした。私はきびきびとした歩調を崩さず、トム・バセットの田舎家や、ほんの数マイル先の谷にある邸宅の灯が見えはしないかと探した。

ところが、空気が澄んでいたのは、ほんの短い間だけで、さきほどと同様に、霞があたりに立ちこめた。小道が隠れてしまい、茂みや石壁が走る影のように見える。霞を広げているのは、どうやらはぐれたそよ風らしく、斜面に多く刻まれた水流の溝から吹きあがってくるようだ。霞はとても冷たくて、私の肌には湿った敷布のように感じられた。すさまじい大きさで奇怪な姿を取っているのは、風が気ままに吹き抜けているからだ。そのかたちも人間だったり、動物だったりする。醜怪で、巨大な輪郭をなしている。常にうつろいながら、音を立てぬ足で地上を駆けたり、空へ跳びあがって、けたたましい叫びをあげたりした。突風が彼らの内側をねじり、声を与えているのだ。私はますます足を速めたが、暗闇と霞もどんどん風景を消し去っていった。道のりは、それを除けば、たいへんではなかった。そこかしこで、キバナノクリンザクラがかたまって生えており、黄色い花を揺らしてきらめいている。芝草は張りがあったので、早歩きも楽だった。だが、こうも薄暗いので、しょっちゅうつまづき、地面近くに生える、棘(とげ)だらけのハリエニシダに何度もつっこんだ。じきに、脛(すね)から膝までが、鋭い痛みでちくちくしはじめた。ときおり、小雨がふっと顔に吹きつけた。まったき静寂がつづいたかと思うと、必ず突風が小さな叫びをあげた。毎回、方角は異なっていた。悩まされたとまではいかないが、まごついたのはたしかだ。頭では、身のまわりが、慣れ親しんだ都会生活とかけ離れているせいだとわかっていたが、ふと気がつくと、心に忍びこんだ、理由なき不安を抑えこめなくなっていた。灯のともるバセットの田舎家がますます恋しくなって、あたりを見まわした。

　針で刺されるような、ちょっとした苦しみが積み重なって、いっそうわけがわからなくなり、自分がいるのは、街や、店の陳列窓や、分類したり対処したりできるものから遠く離れたところなのだという実感が深まった。それに、霧は、眺めだけでなく、音をもゆがめ、包み隠し、もてあそんだ。一度か二度、うずくまる羊かなにかにつまづいた。彼らは立ちあがったものの、羊ならではの慌てふためく様子は見せず、のろのろと離れて暗闇に消えた。だが、あまりに奇異な動きだったので、断言してもいいが、彼らはそもそも羊ではなく、四つ足で這いずりまわる人間のように思えた。肩越しにふりかえり、私のほうへ顔をしかめて行ってしまった。こうした場合には——一度ならずあったのだが——あまり近くまで寄れなかったため、湿ってもこもことした背には触れられなかった。できるなら、そうしたかったのだ。彼らの澄んだ鈴の音は、霧の向こうからかすかに聞こえた。あるときは一方向から、またあるときは別の方向から、ときにはあらゆる方向から聞こえてきて、あたかも群れ全体に囲まれているようだった。気がつくと、分析も説明もできない考えがひらめいた。あれは羊の鈴ではなく、まったく異なるものではないのか。

だが、霧と暗闇が広がった上、まったくなじみのない場所でうろたえたため、五感が混乱したと考えれば、ほとんどは説明できる。私は急ぎ足で歩きつづけた。にもかかわらず、道をそれているという確信は深まっていった。というのも、ときおり、カモメがまわりで大いに騒ぎ立てたからだ。あたかもねぐらに踏みこまれたかのようだった。彼らの哀愁を帯びた鳴き声があたりに響きわたった。多くの翼が空を切るのも聞こえたし、ときには頭をかすめることもあったが、霧のせいで姿は見えなかった。一度、湿った風がハリエニシダの茂みを吹き抜ける音を圧して、まちがいなく耳にしたと思ったのだが、かすかな海鳴りと、崖に口を開けた、急峻な小渓谷で波が砕ける音が響いた。それからは用心して進み、音がした方角から少し離れるように向きを変えた。

だが、ときが経つほどに、海鳥の鳴き声が笑い声のように思えてきた。決してやまぬ風がまわりで吹きすさぶさまには、意思が感じられる。低い茂みは、相変わらず、しゃがんだ人間のようなかたちを取っていて、こっそりと通りすぎていった。霧はますます、ひどく大きな変幻自在の人影に似てきた。私を連れて、荒涼たる丘陵へ行こうとしているかに見える。言葉も発さず、すさまじい足取りで歩いていく。これもすべて、生命を持たないはずの世界が、目覚めたばかりの詩心に触れたからだが、こんなことになるとは思いもよらなかった。この世界は、おぼろげに秘められた生命の意味深長な伝言で満ちみちていた。すんなりと理解できたのははじめてだったが、迷信深い農民が己の世界の住民をいともたやすく生み出し、教育を受けた頭脳でさえ伝説の雰囲気を愛好するのも無理はないと思った。つまづきながら進み、田舎家の灯を目にしたい一心であたりを探した。

突然、定かならぬ影のような霧が逆巻きながら通過すると、風の一撃をもろに受け、顔を打たれたように錯覚した。なにかがそばをすり抜け、かん高い叫びをあげて、暗闇へ消えた。思わず横へ飛びのき、片腕をあげて身を守ろうとした。かろうじて目でとらえられたのは、カモメが勢いよく飛びぬける姿だった。不意に向きを変え、力強い翼を羽ばたかせて、私の頭上を飛んでいったのだ。その白いからだがやけに大きく見えたのは、霧に飲みこまれたせいだろうか。それと同時に、突風が帽子を吹き飛ばし、コートの垂れをはためかせて私の目を覆った。もっとも、今回は備えができていたから、すぐに駆け出して、遠ざかっていく黒い物体を追いかけた。ところが、追いついてみると、私が手にしていたのは、ハリエニシダのちくちくする枝だった。風が私の髪を乱暴に梳(す)いた。そのとき、視界の端で、帽子がいまも転がっているのが目に入り、とっさに手を伸ばした。だが、ちょうどそれをつかんだのと同時に、本物の帽子が目の前を横切った。風にあおられて、ボールのように転がっている。

私は最初につかんだほうをただちに捨て、そちらを追った。まだ手が届かないうちに、別の帽子が足の間から飛び出したので、うっかり踏みつけてしまった。草地は転がる帽子で埋め尽くされていたが、どれもつかんでみると、木片だったり、ハリエニシダの小さな茂みだったり、兎の黒々とした巣穴だったりした。しまいには、両手が鋭い痛みでひりひりしてしまい、血まで出てきた。ふと思ったのだが、暗闇では、あらゆる物体がそっくり同じに見える。まるで、全体で示しあわせているかのように。

私はからだを起こして深呼吸すると、ハンカチで血をふいた。そのとき、なにかが足に当たった。下を見てみると、帽子がたやすく手の届くところにある。からだをかがめて帽子を拾い、再びかぶった。当然ながら、わけがわからなくなったり、ばかなことをしたりした理由はいくらでも挙げられる。私は歩きながら、どの説明を採るか考えた。視力もそのひとつだが——こんな目に遭っているのだから、深く考えなくてもよいではないか。やはり、なんでもなかったのだ。めまいを覚えたのは一瞬だったから、ひと苦労したあとでかがんだのが原因だったのだろう。

そう考えたにもかかわらず、私は大声で叫んだ。もしかすると、ぶらついている羊飼いの耳に届くかもしれない。もちろん、答えはなかった。あたかも、壁に詰め物をした部屋で叫んだかのようだった。霧は私の声を押し殺し、反響を奪った。

本当に気力をそがれた。寒い上にびしょ濡れで、空腹だった。脚も服もハリエニシダに切り裂かれていた。両手もすりむけて、血が流れている。風に絶え間なくなぶられて涙が出てきたし、肌は冷たい霧に触れているせいで、感覚がない。運よくマッチを持っていたので、しばらく手こずったのち、塀のそばにしゃがみ、腕時計にちらりと目をやった。見てみると、まだ八時を少し過ぎたころあいだ。夕食は九時だと知らされていたし、道のりが後半に入っているのはまちがいない。ところが、ここでまたしても、さきほどとは異なるかたちだが、なにもかもが示しあわせて、普段とは別の姿を見せているように思えた。というのも、マッチの光に照らされて、腕時計のガラスに映ったのは、小柄な青ざめた老人だったのだ。しかも、異様なほどかの民俗学者に似ている。私のほうを見つめて、いたずらっぽく笑っている。自分の顔が映っていたはずはない。私はいつもひげをきれいにそっているが、この見あげていた顔では、白いものが混じる毛が垂れたり絡みあったりしていた。もっとも、二本目と三本目のマッチを擦って現れたのは、白い文字盤と、そこを巡る、細くて黒い針だけだった。

Ⅱ

いまでもよく覚えているが、このとき、まさしく冒険の核心と思われるものに触れた。そこから真の体験のわずかな断片を学び取り、ロンドンにおける医師としての生活に持ち帰った。それはいまでも私のうちにとどまっているから、奇妙でこみいった精神病の症例に関しても、以前とは異なり、同じ視点に立って考察できる。これまでは、そうした病をいまひとつ理解していなかったのだ。

もはや疑うべくもなかったが、しばらく前から、なんらかの奇妙な変化が私のうちで進行していた。それがはじまったのは、考えをまとめて分析できたかぎり、斜面を急ぐ影の男と話したときだった。この変化がおもむろに現れはじめたのは、ふりかえってみると、想像力に欠ける私が「詩情の戦慄」に目覚めたときだったにちがいない。驚くべきことに、まわりの世界が息づいているという考えを突然受け入れたのだ。あの瞬間から、私の変化は、微妙に、だが急速に進んでいった。とはいえ、ごくあたりまえのようにはじまったので、自分の気質から大きく逸脱していたにもかかわらず、最初はなにが起きているのか、ほとんど意識していなかった。ここにいたってようやく、これほどさまざまな目に遭ったあとでついに、認めざるをえなくなったのだ。

それが余計に強烈だったのは、ごく月並みな発想だが、これまでずっと、美と聞いて思い浮かぶのが、陽光やありのままの趣(おもむき)だったからだ。ところが、ここにきて、新たな啓示が飛びこんできた。風や霧やひと気のない斜面の寂寥から、夜や暗闇や胸騒ぎから、啓示がひらめいた。これまでにないものの見方が、あらゆる方向から押し寄せてきた。なにもかもが変貌していた。この新しい見方がさりげなく現れたことからも、この変化というか、再適応が揺るぎないものだとわかった。証拠が表れていたのは、あまりにもささいなところだったため、私がようやくそれを意識したのは、何度もくりかえされて、注意を引かれてからだった。帳(とばり)が谷や丘から持ちあがった。山頂は個性を帯びて、闇へ叫んだりささやいたりした。海鳥や、生きいきとして意思を感じさせる風が声をあげた。そしてなによりも、まわりの〈自然〉が生命で息づいているのを感じた。その命は、程度こそ私の命と異なるが、種類は同じなのだ。ありとあらゆるものが、共謀するハリエニシダの茂みから、消えた帽子にいたるまで、私の考え方が根本から変わったことを示している――しかも、その変化は、私が知らぬ間に、同意もなく進んでいた。

それだけでなく、美しさゆえの深い悲しみがひらめいて、心に入りこんだ。というのも、そのとき胸が痛むほど実感したのだが、こうした謎めいた麗しさは、私とは、いや、私に関してはつながりがなく、なんの関心も持っていないのだ。私が移ろい、朽ち、歳を重ねていくのに、こうして現れるものたちは永遠に若く、いつまでも力であふれている。かくして、だんだんと全身を満たされていくように、これまで知らなかった領域への認識が深まっていった。これまでの私は、他人のそうした認識を軽んじていた。とりわけ友人たる老民俗学者の姿勢はないがしろにしていたと思いいたった。

　これは病のはじまりにすぎない、と思った。少し経てば発病するにちがいない。この変化が本物であり、深い意味を秘めていることに疑いの余地はない。意識が拡大しており、私はそのさなかを経験したのだ。もちろん、人格の変化については多くを読んでいた。急速な、めくるめく変化で――そうした症例を診たこともあった――かの民俗学者が、霊感を受けた男のように長広舌をふるったときも耳を傾けた。あの話は、人間の意識の隠された領域にたどり着く方法についてだった。その領域を開いて、魔術と呼ばれる多様な知識にさらせば、いっそう広大な宇宙へ解き放たれるのだと言っていた。だが、ここにいたり、不毛の丘陵で雨や風と触れあってはじめて、私は理解した。意識の境界は、あちらへこちらへ、あっさりと移ろうのだ。あるいは、まぎれもない畏怖を理解したというべきか。ときとして、ひとはそうした畏れを感じて確信を抱く。自分がいるのは境目であり、行く手に待つのは、人間に知られていない、おそらくは危険な経験なのだ、と。

　とにかく、そのとき頭にひらめいたのだが、私の意識は、その境界を大きく押しひろげたから、これからはなにが起こっても、異常に見えるどころか、ごくさりげなくて必然的な、まぎれもない真実と思えるにちがいない。ところが、このさりげなさは、私の命を脅かしたりはしなかったものの、恐れと不安を呼び起こした。未知の可能性があたりの夜闇に潜んでいることをおぼろげに意識すると、とまどいが深まり、心が騒いだ。それも、おそらくは自分でも認めたくないほどに。

Ⅲ

これらすべては、書くと長いが、私にはほんの数秒で明らかになった。昔からさげすんでいたものが、王座についたのだ。

だが、バセットの田舎家が見つかれば、屋敷の間近だという証（あかし）だから、もと通りに落ち着いて、鈍い人間にもどるはずだ。そんなわけで、ようやく、霧を透かしてかすかな光が現れたときは、かなりほっとした。霧を背にして浮かびあがったのは、煙突の角ばった黒い影で、上へ伸びている。やはり、それほど遠くまで迷いこんだわけではなかったのだ。いまなら、どこでまちがえたのかをしっかりつきとめられる。

足を速めて、崩れた石塀をよじのぼった。走り出しそうになりながら、狭い草地を突っ切って戸口を目指した。さきほどまでは、田舎家の黒い輪郭が目の前にあった。次の瞬間、その間近までやってきたが——なにもなかった！　私は笑い声をあげて、完璧に目を欺かれたのだと思った。いや、完璧ではない。手探りで塀までもどると、田舎家は少し左にそびえていたのだ。窓には灯がともっていて、暖かみがある。やはり近づく方向をまちがえていただけだ。ところが、改めて戸口へ急ぐと、霧がまたしても流れてきて、濃く立ちこめた——田舎家は、目にしたところになかった！

それからは、ますますわけがわからなくなった。あちらへこちらへ駆けずりまわった。自分でもばからしくなるほど慌てていた。無数の石塀を乗り越えたように思った。実際の方位については途方に暮れていた。そのとき、突然、打つ手がないと思いかけた瞬間、田舎家が眼前にしっかりと建っていた。戸口までは二フィートもない。霧がこんな錯視を起こすことなど、いままであっただろうか。家の裏手には、松の並木が見える。夜闇に砕ける黒々とした波のようだ。湿った松脂（まつやに）のにおいを吸いこむと、よろこびで満たされた。まぎれもない戦慄がからだを走り抜けたのは、窓にともる、本物の黄色い灯を目にしたからだ。ようやく家の近くまで来た。あれこれ悩まされるのも、じきに終わるだろう。

ステッキで扉をノックすると、鳥の群れがかん高い鳴き声をあげて屋根から飛び立ち、旋回して闇へ消えた。どこかに人間の声が混ざっていたのはたしかだと思ったが、田舎家の内なのか外なのかは判別できなかった。なにもかもが混ざりあって聞こえ、小さなつむじ風のように空気がほとばしった。自分のノックが大きく響き、思いのほか怖くなった。しかも、想像力が呼び覚まされたことのさらなる証拠として、扉をノックする重大さに思いいたり、心中のなにかが震えた。いまだかつて震えたためしがないなにかだ。私は不意に悟った。なんと謎めいて意味ありげな雰囲気が、ただのノックという行為——扉をノックするという行為——には漂っていることか。ノックをした者は、戸口になにが現れるのかと思いをめぐらせており、なかにいる者は、ノックした者に呼び出されるのを待っている。いま覚えているのは、かなり迷った挙句に、ようやく心を決めて、もう一度ノックしたことだけだ。

とにかく、そのあとに起きたことは、どこか霞がかっていた。言葉も記憶も逃れてしまうので、忠実に記そうとしても、顔さえ思い浮かべることができず、話にいたってはほとんど耳に残っていない。知らぬ間に扉が開いていた。最初の簡単な質問を口にのぼせる間もなく、私は戸口を越えていた。扉が閉まった。

予想では、田舎家につきものの、こぢんまりとした、暗くて狭い玄関があり、息詰まる空気とむさくるしいにおいに迎えられるはずだったが、私が飛びこんだ部屋は、光で満ちており――ひとも大勢いた。空気は山頂付近を思わせた。

結局、光の源は見ずじまいだった。いかにしてこれほど多くの男女が、すき間を見つけて楽々と動きまわり、行きかっているのかもわからなかった。広さが限られた室内だというのに、彼らはそれをやってのけていたのだ。いまにして思うと、内輪の集まりを邪魔してしまったというきまりの悪さを真っ先に覚えた。もっとも、赤貧にあえぐ田舎でこれほどひとを集められたことが信じられなかったので、面食らってもいた。それから感じたのは――そもそも私の心を浸した驚嘆の波に切れ目があればの話だが――これほど壮麗で生きいきとした、若々しい雰囲気が漂うところにいられて誇らしいという気持ちだった。まわりでは、なにもかもが振動したり、震えたり、揺れたりしている。それに比べると、自分は耄碌（もうろく）した老いぼれのように感じられた。

いまでも覚えているが、彼らを目にすると、心臓が激しく跳びはねた。私と相対している顔は、みな優美ではつらつとしており、整っている。見事に成熟した容姿を透かして、いたるところで燃え盛り、輝いているのは、若々しい情熱と、不滅の激情とでもいうべきものだった。古々しいが、永遠に若いのだ。ちょうど、川や山が数千年単位で歳を重ねても、ずっと若さで満ちあふれているのと同じだった。こうした目がいっせいに上向いて視線が合うと、真っ先に未知の戦慄が心臓のまわりで渦巻き、私は恐怖しながらも歓喜して、息をのんだ。死への恐れとともに、漠洋として永遠の、決して死なないなにかに触れたという思いが湧きあがり、全身に広がった。

私が入ると、深い沈黙がおり、みながこちらを向いた。男女ともに立っていて、テーブルのまわりに集まっている。彼らにはどこか――からだの大きさだけではなく――巨大だと思わせるところがあり、自由や、力や、人間を超えた存在やそれ未満の存在について、これまでになく奇抜な理解が得られた。

いまの私にできるのは、自分の考えや印象を、当時ひらめいた通りに、そしておぼろげながらも覚えている通りに記すことだけだ。私が目にすると思っていたのは、トム・バセット老が石炭の炉火の前にうずくまってうとうとしており、そばのテーブルには弱々しいランプが載っている光景だった。それが実際は、背の高い壮麗な男女に迎えられたのだ。しかも、みな無言だった。むりもないことだが、はじめは、用意していた質問が口にのぼせた途端に消えてしまい、単語さえもほとんど思い出せなかった。

「こちらはトム・バセットの田舎家だと思ったのですが」しばらくしてから、やっとのことで尋ねた。いちばん手近にいる、テーブルの向こうの男をまっすぐ見すえた。彼は、肩まで届く髪を奔放に垂らしていて、その顔は透き通るように美しい。目はやはり、ほかのものたちと同様、帳（とばり）のようなもので覆われており、最初に道を訊いた、影のような男を彷彿させた。その目は影を帯びていた――どういうわけか、私にはそれがありがたかった。

私の声は自分のものとは思えず、かぼそかったのだが、それが響くと、部屋中が動き出した。まるで、みなが場所を変え、互いに行きかっているようで、外で霧に遭ったときに見た、流れるような形体にも似ていた。だが、答えはない。気のせいか、霧は部屋にも入りこんで私を包んでおり、からだの内に広がって、思考を覆っているようだ。

「荘園屋敷へ行く道は、こちらで合っていますよね?」もう一度、声を高めて訊いた。とまどってくじけそうになる心と戦った。「どなたか教えてくれませんか」

すると、全員がいっせいに答えはじめたかに見えた。いや、むしろ、直接答えたというより、自分たちの会話が私にもはっきり聞こえるようにしゃべっていた。男の声は低く、女の声は妙なる楽の音を思わせた。どちらも、海や、外の松の並木を吹き抜ける風のような、ゆったりとした律動を帯びている。だが、彼らが口にしたことは答えになっておらず、私はいっそうわけがわからなくなり、うろたえた。

「ええ」ひとりが言った。「トム・バセットなら、しばらくの間、羊といっしょにここにいました。でも、ここが家だったわけではありません」

「彼は家への道筋を訊いているけど、自分自身の精神へいたる道筋さえわからないんだ」別の声が言った。頭上から聞こえたように思えた。

「しるしを教えても、見わけられるかしら?」うたうような調子の女の声が、すぐそばでした。

そのとき、流れる水か、鳥の翼をなでる風としかたとえようのない音がして、数人の声が同時に聞こえた。

「では、いかなる道を探しているのだろう？　壮麗な道か、ただの楽な道か？」

「あるいは、愚か者の近道か！」

「だが、なにかしらの資格があるのはたしかだ。そうでなければ、こんなところまでやってこられない」別の声がした。


　これに応えて部屋中から笑い声があがったが、なにを笑っているのか、私には想像もつかなかった。その声はまるで、風が丘陵に吹きすさんでいるようだった。やはり印象にすぎないが、屋根がどういうわけか空へ開いているような気がした。というのも、彼らの笑い声には広がりが感じられたし、空気は冷たくて新鮮であり、滔々と流れて波立っていたからだ。

「道を教えたのはわたしだ」そう言ったのは、テーブルの向かいから私の顔をまっすぐ見つめているなにものかだった。「彼にとっては、いちばん安全な道だった。ここまで来てしまったからには——」


　顔をあげると、彼と目が合ったので、その言葉は途中で切れてしまった。正面にいたのは、斜面を急いでいた、あの影のような男だった。いまではほかのものたちと同様、輪郭が移ろっており、目には影の帳がおりている。見ているうちに、心中で恐怖が湧きおこり、膨れあがった。ここを訪ねたのは助けを求めるためだったが、いまではただひたすらに、彼らのもとを辞して、雨がふる暗い荒野へ出ていきたかった。逃げることで頭がいっぱいになり、さきほど入ってきた扉を急いで探した。だが、どこにも見つからない。壁はむき出しだ。窓さえも見当たらない。部屋は、こうした人物でいっぱいになったり、からっぽになったりしているようで、海の波が洞窟を満たしたり、退いたりするところを思わせる。ひしめいていても、占めている空間は増えもせず、減りもしない。そんなわけで、こうした男女の出入りは、決して目にとまらなかった。

私の恐怖は、ただ別の恐怖となった。目の帳が取り払われたら、さえぎるものもなく露（あらわ）になったまなざしで見つめてくるのではないか。彼らの目を忌まわしいほど意識するようになった。邪悪だと感じたからではない。私が危惧していたのは、内なる新たな深みが、彼らの無慈悲で恐ろしい洞察力に刺激されて、命を得ることだった。私の意識は、一夜にしては充分すぎるほど拡張していた。なにがなんでも逃げ出して、自己を取りもどさねばならない。限りのある自己だとしてもだ。私は正気であらねばならない。たとえ制限があるとしてもだ。どんな犠牲を払ってでも、正気でいなくては。

だが、その間、躍起になって声を発しようとしていたが、出てきたのは、かぼそくてきんきんした声だけで、風が交わるところで葦が立てる、かん高い音のようだった。のどが絞まって、ごく小さな、ばかげた音しか出せなかった。動く力も、はじめに入ってきたときよりずっと衰えており、一瞬ごとに、筋肉を使うのが難しくなっていった。私はその場に立ち尽くし、からだをこわばらせて、落ち着かぬまま、こうして移ろう、驚くべき人々の集まりと相対していた。

「さて」言葉を継いだのは、最後にしゃべっていた男だった。「こうなると、彼にとっていちばん安全なのは、もう一方の扉を通って出ていくことだろう。そこで目にするもののほうがたやすく理解できるはずだ」

必死の思いで動く力を取りもどすと同時に、怒りが吹きあがり、決着をつけてやる、恐ろしい錯乱もはねつけてやると心を決め、私は前へ進んだ。

彼はもちろん、私がやってくるのを見ていた。それどころか、ほかのものたちは、左右にわかれて、道を空けた。私が近寄りすぎると、必ずどちらか一方に逃げて、触られないようにしていた。だが、ようやくあの男に近づいて相対し、口を開いて行動を起こそうとすると、彼はもはやそこにいなかった。実際に変化を目にしたわけではないが——男ではなく、女がいたのだ！　驚いてふりかえると、部屋にいたものたちは、いにしえの儀式の参列者のような足取りで、反対側へゆったりと移動している。ひとり、またひとりと列をなして通りすぎ、穏やかで、感情に乏しい顔をこちらに向けた。途方もなくはつらつとしていて、誇り高く、厳格な相貌だ。それから、言葉も発さず、身ぶりもせずに、私が見失っていた扉を開けると、ひとり、またひとりと外の夜闇へ消えていった。出ていくとともに霧に飲みこまれ、一陣の風に連れ去られたように見えた。灯もまた消えてしまい、あとには私と、最後に口を開いた人物だけが残された。

しかも、ここにいたって、ひどく心を騒がせる考えが、理由なき確信とともに脳裏をよぎった。私の人格は、いってみれば、根底から揺さぶられた。つまり、これまでの人生は、偽りの知識の探求に費やされていたのだ。反応を分類し、ラベルを貼っていただけだった。結果の分析こそは、科学と呼ばれるものの正体だからだ。ところが、例の民俗学者やその同類は、夢や祈りとともに、真の知識の道を、理(ことわり)の軌跡をずっとたどっていた。一方は、肉体面での負担を減らし、ぬくぬくと甘やかすだけであり、ひとの最も高級な部分をどこまでも堕落させ、種の進歩にはまったく貢献しない。もう一方は——いや、当時はまだ魂を信じていなかった——そのときは考えこんでいる場合ではなかった。恐怖か、恐怖から逃れるかのどちらかだ。明らかに、私の思考は道を外れていた。

Ⅳ

この瞬間、のどを鳴らす音がはじめて耳に届いた——低くて不愉快な音で——大きな動物が隠れているのかとっさに思った。これとそっくり同じ音を動物園で何度も耳にしていた。頭に浮かんだのは、牧草を反芻(はんすう)する牛や、田舎家の外の馬房で干し草を食む馬の姿だった。動物が立てる音なのはまちがいない。それも、よろこんで満足している。

薄闇が部屋を満たしていた。ほんのかすかな月光だけが、霧をどうにか貫いて、窓から差しこんでいる。私は思わず後ずさって、壁に寄りかかろうとした。どこかに穴でもあるのか、夜の音が屋根を吹きわたるのが聞こえて、はるかな高空を幻視した。決してやまぬ風が、大陸ほどもある大きな雲を翼に乗せて流れている。心のどこかがうたったり叫んだりしようとしていたが、別の部分は不可解な恐怖にとらわれて狂わんばかりだった。自分がとてつもなく大きく、だがちっぽけに思える。揺るぎない自信を感じるが、怯えている。途方もない、宇宙的な力の一部でありながら、ひどくちっぽけなひとりの人間という、ごく限られた存在でもあるのだ。

右手の部屋の隅に、あの女が立っていた。顔は、豊かに垂れる髪で隠されている。その髪は、六月の野原に生える草を思わせた。半ば顔を背けているが、月光がその輪郭を照らして、壁を背景に浮かびあがらせ、印象派の絵のように見せている。秘められたふしぎな記憶が、心の奥深くで身動きした。

束の間、彼女のすべてを知っているような気がした。とっさにあたりを見まわした。落ち着かなかった。なにもかもを一度にとらえようとした。すると、のどを鳴らす音がずっと大きくなって、近づいてきた。この女は見知らぬ他人などではないとか、自分と同様によく知っているといった考えは消し飛んだ。あののどを鳴らす生き物がいるのはこの室内、それもすぐそばだ。いや、それどころか、私たちふたりの間にいる。というのも、そのとき目にしたのだが、こちらに近いほうの彼女の腕があがって、正面の壁を指していたのだ。

手が示すほうに視線を向けると、壁が透明になっていた。その一部を通して、四角形の狭い空間が向こうに見えており、あたかも煉瓦ではなく、薄紗(はくさ)を透かして眺めているかのようだ。この奥まった狭い空間には灯がともっていた。しゃがんでみてわかったが、収納庫か独房のようなもので、壁にくりつけになっている。のどを鳴らすものは、その真ん中にいた。

私は目をこらした。そいつは生物で、外見からすると人間らしく、狭い檻でうずくまり、えさを食べている。しゃがんでいるからだの下に見えるのは、ざらざらした質感の、山と積まれた大量の物体で、これはどうやら食料らしい。まるで男が背を丸めているような格好だ。うずくまっているそいつは、なんの気苦労もなく、満ち足りていたが、空気も光も空間も最小限しかない。鉄格子の向こうの檻にとらわれたまま、欲求を満たされて呆けている。まわりの広漠たる世界など意に介さず、快楽にうなり、巨大な猫のようにのどを鳴らしている。愚昧(ぐまい)な上に、外にあるものについてはなにも知らない。しかも、そこで気がついたが、この独房は、創意工夫が生み出した、機械仕掛けの完璧な傑作だった——この上ないほど心地よく、安全で、科学の技能が惜しみなくつぎこまれている。私は必死の思いで、その構造や仕組みの細部を記憶に刻もうとしていたが、うっかり物音を立ててしまった。すると、たちまち心をかき乱される出来事が起きて、眼前に注意を払うどころではなくなった。というのも、物音に応えて、生物がふりむいたのだ。目の前にいたのは、まぎれもなく人間の——男だった。気がつくと、顔がにゅっとつき出して、私の顔のすぐそばに近寄ってきていた。だが、その顔立ちは原初的で、筆舌に尽くしがたく、胸がむかつく代物だった。目も、耳も、鼻も、肌も、かろうじて機能する程度にしか発達していないから、最低限の荒削りの感覚を脳に伝えるのがやっとだろう。ところが、口は大きくて、唇も分厚い。あごはまだ動いていて、のろのろと咀嚼している。

私は身を引いた。憐れみと嫌悪が混ざりあって、からだが震えた。それと同時に、そばにいる女が、私の名前を優しく呼んだ。少しだけ進み出ていたので、いまではすぐ近くにいた。床を照らす、ひと条の淡い月光をいっぱいに浴びている。瞬く間に地獄が天国へ変わったのを意識したのは、あの原初的な容貌から、とても洗練されて、堂々とした、神々しいほど繊細でありながら、独特の力強さを持つ顔立ちへ視線を移したときだった。まるで、悪魔の顔から目を背けて、女神の相貌を見たかのようだった。

その瞬間、気がついた。両方の存在が——生物と女が——すばやく迫ってくる。

鋭い剣のような痛みが奥深くまで突き刺さり、心臓を貫いてねじりあげた。彼らがやってくるのを目にすると、瞬く間に凄絶な直観がひらめいて、彼らが私の内で生きていることを悟った。彼らは私自身から生まれたもの、いや、それどころか私自身の投影なのだ。私の意識の一部が頭から出てきて、外界に投影されているわけだが、真に存在しているという意味では、私のほかの部分と変わらなかった。

彼らは、恐ろしい速さで駆けよってきて、一秒ののちには私と一体化していた。疑う余地のない、驚くべき理解がひらめいて、彼らは私の魂を象徴しているのだと確信した。呆けた動物の部分は、これまで、ささいな感覚の檻の外にあるものを認識していなかった。高位の部分は、ほとんど手が届かないところにいて、星々とつながっているのだが、丘を越えている間にはじめて、弱々しい産声をあげたのだ。

V

いまとなっては、どうやって逃げ出したのかまったく思い出せない。窓からか、扉からだったのかもわからない。ひとつだけ覚えているのは、一瞬後にわれに返ると、ものすごい速さで原野を駆けていたことだ。金切り声をあげる鳥や叫ぶ風に追われながら、坂をまっすぐくだって、荘園屋敷を目指していた。なにかに導かれていたのはまちがいない。というのも、走っていたときの私は、動物の本能を発揮していたからで、曲がり角で不安を覚えることもなかった。窓にともる、よろこばしい灯が目に入ったときは、まだ一マイルも進んでいなかった。道中でずっと感じていたことだが、まるで巨大な水門が開かれて、新たな知覚が海のようになだれこみ、私の深奥を飲みこんだかのようだった。それゆえ、私は恥じ入りながらも歓喜し、腹を立てながらも幸せだった。

使用人たちが玄関で迎えてくれたが、全員ではなかった。私はすぐに、屋敷の空気がざわついていることに気がついた。着いたときは息が切れていて、帽子もかぶっておらず、ずぶぬれだった。両手はひっかき傷だらけで、ブーツには泥がこびりついている。

「道に迷われたものと思っておりました」老執事がそう言うのが聞こえた。自分の返事も耳に届いた。力のない声で、別人のようだった。

「私もだよ」

一分後、私は書斎にいた。年老いた民俗学者は正面に立っている。手に持っている本は、私がかばんに入れて持ってきたもので、献呈する旨も記してある。彼の顔には奇妙なほほえみが浮かんでいた。

「わざわざ歩いてくるとは思いもしなかったよ――しかも、よりによって今夜にね」と言っていた。

私は言葉もなく見つめた。なにが起きたのかをわずかでもいいから話したい、できるだけ辛抱して彼の説明に耳を傾けたいという気持ちではちきれそうだったが、単語や文章を考えると、不意に、自分の話が単調で、要領を得ないものに思えてきた。体験の細かいところが蒸発して溶け去り、思い出せなくなったようだ。

「どきどきしながら歩いたよ」私はつかえながら言った。走ったせいで、まだ少し息が切れている。

「駅を出たときは、天気もよかったんだが」

「天気はいまでもいい」彼は言った。「丘のてっぺんで夕霧に遭ったのかもしれないが、わたしが言いたいのはそのことではない」

「じゃあ、なんなんだ」

「それはだね」彼は言った。まだ謎めいた笑い声をあげている。「きみがずいぶんと勇敢だってことだ。魔力を宿した丘を今夜歩くなんてね。だって、いまは五月祭*の前夜じゃないか。それに、五月祭の前夜となれば、きみも知っての通り、〈彼ら〉は人間の精神に力を及ぼして、想像力に魔法をかけ――」

「待て――『彼ら』ってだれだ？　なんの話をしている？」

彼は、そばにあるテーブルに本を置くと、束の間、私の目を静かに見つめた。すると、私の身に起きた出来事が細かいところまでよみがえった。ふと頭をよぎったのは、はじめて道を教えてくれた、あの影のような男だった。どうして老民俗学者の顔を見ていると、あの男を思い出すのだろう？　いろいろなことが、刺激を受けた頭を閃光のようによぎった。それらをとらえようとしている間も、老人の声はずっと聞こえていた。ひとりごとのようでもあり、私に話しているようでもあった。

「きみが昔から嘲ってきた四大の霊だよ。決まっているじゃないか。彼らは現象という幕の背後で絶え間なく力をふるっていて、情緒を生み出し、かたちづくる。で、きみのような極端な人間だが――極端な者は危険なほど弱いと相場が決まっているから――彼らにしてみれば、格好の餌食なのさ」

「やれやれ！」私は話をさえぎった。その言い方に本心がどうしようもなく表れていることも、彼に多くを見抜かれていることもわかっていた。「だれだって現実らしくない体験をしたことはあると思うが――」

そこで言葉が途切れた。彼の顔の変化を見て、ぎょっとした。一瞬だけ、斜面にいた男とそっくり同じように見えたのだ。私をまっすぐ見すえる目は、影を宿しているように思えた。

「魔法だよ」彼はそう言っていた。「すべて魔法のせいさ。彼らの仲間のひとりがすぐ近くまでやってきたか、触れるかしたに違いない」そして問いただすように尋ねた。「だれかと会ったか？　だれかとしゃべったかね？」

「トム・バセットの田舎家に立ち寄ったよ」と私は言った。「道がわからなかったから、なかに入って訊いたんだ」

「すべて魔法のせいだな」彼はひとりごとのようにくりかえしてから、声を高めて私に言った。「バセットの田舎家だが、あれは三年前に焼け落ちたよ。いま残っているのは、壊れた壁だけで、屋根もない――」

彼が話をやめたのは、私が腕をつかんだからだった。彼のうしろにわだかまる、ランプがともる部屋の暗がりで、おぼろげな形体がいくつも本棚をよぎるのを目にしたように思ったのだ。だが、目の焦点をあわせようとすると、それらは薄れてしまい、天井や壁に溶けこんでいった。もっとも、そのさまを見ると、丘の頂上の田舎家が細部までありありと思い出されたので、私は友人の腕をつかんで、話そうとした。ところが、話そうとした途端に、なにもかもが夢だったかのように、再びぼやけてしまった。

彼はこちらを見て、笑い声をあげた。

「彼らは、あとになって必ず記憶を拭い去るんだ」と優しく言った。「だから、あとに残るのは、情緒というか感情くらいだが、このことからも、彼らが深奥に触れるのがわかるだろう。とはいえ、とき

五月祭　ヨーロッパ各地にキリスト教伝播以前から行われてきた、豊穣を精霊に祈る祭。

には、変化の一部がその先もずっと残ったりする――きみの場合もそうだといいんだがね」

そして、私が答えたり、毒づいたり、反駁(はんばく)したりする間もなく、彼はそそくさとそばを通って、ホールに出る扉を閉めた。それから、私をわきへ引っ張って、部屋の奥へ向かった。理解できない変化が、いまだに顔や目で進行していた。

「わたしについてくる勇気が残っているなら」と彼は言った。真剣そのものの口調だ。「もう一度外に出て、さらに多くを見に行かないか。知っての通り、真夜中までは機会がある。わたしがいっしょなら、きみの印象も――たいして――」

なぜか断れなかった。なにもかもが結びついて、行かないわけにはいかなくなった。軽く食事をしてから、ホールに出た。彼は、広縁の中折れフェルト帽を白髪頭にひょいと乗せた。私はマントをつかみ、台に立てかけておいたステッキを手に取った。なにをしているのか、まったく自覚していなかった。目の前にひらけた新世界が、あたりでいまだに震えているかに思えた。

門へとつづく砂利道に出ると、ホールの窓から差す光が彼の顔を照らした。私の眼前で、ずっと注意を引いていた変化が完成に近づいていた。というのも、彼のまわりで息づいていたのは、あのさわやかですばらしい、永遠の若さの雰囲気だったのだ。それは、田舎家にいたものたちから感じたのと同じ気配だった。彼は四十歳も若返ったように見える。帳(とばり)がその目を覆っていった。誓ってもいいが、彼の背丈はどういうわけか高くなっていた。私の横を歩くさまは、はつらつとしていて、力にあふれていたが、こんな彼はいままで見たことがなかった。

黙ったまま、丘をいっしょにのぼりはじめてわかったが、星々は頭上で明るく輝いていて、霧も出ていなかった。無風なので、木々は身じろぎもしない。彼方にある丘陵の頂上では、光の群れがあちらへこちらへ踊っている。現れたり、また消えたり、あたかも水に映りこむ星々のように。

オール・ハロウズ大聖堂

ウォルター・デ・ラ・メア

和爾桃子 訳

All Hallows

Walter de la Mare

「時それ自体は……変えようがない。ゆえに聖性付与とは……われわれが同時代の事象にどんな形を与え、どんな表情を向けるかに他ならないのだ」

リチャード・フッカー*

オール・ハロウズを初めて一望したのは、八月の午後三時半ごろだったか。道中さんざんだったこともその眺めひとつでどこかへ行ってしまい、陳腐な言いようだが「ただ立ちつくした」――約束の地カナーンに遣わされたイスラエルの斥候二名のように。*想像を下回る現実なんか、どこにでもある。が、オール・ハロウズは絶対に違う。ここまでの道すがら――ハエやほこりっぽい暑熱まじりの強風にさらされたあげく――ようやくオール・ハロウズの外壁を見おろす海辺の緑の崖上にたどりついてみれば――実際に出くわしたのは、わたしなどの乏しい想像力では思いも及ばぬ絶景であった。

何より驚いたのは、歳月の重みがもたらす孤高の風格よりも、打ち捨てられた印象が勝っていたことだろうか。狭い入江にしゃがみこみ、ひそみ隠れるようなたたずまいだ。物音はひとつもなく、小塔を飛び回るカラスの羽音もない。他の屋根どころか煙突さえ見当たらず、群青の空のきわをかすかに彩るのは雪白の引き波ばかりだ。さびれた海岸の西に靄がわだかまり、早くも夕暮れ時が迫ってきている。

だから、わたしたちが出会うにふさわしい時刻と季節ではあったわけだが、迷いがないわけではない。わたしの心に鋭い爪痕を残したオール・ハロウズは、そんなふうに天の静謐にまどろむ姿では断じてなかったからだ。荒ぶる秋風が狭い湾内をえぐり、黒ずんだ尖塔に波しぶきを飛ばして壁という壁に海鳴りとどろく季節であれば、初印象はどんなふうだったろうか。ものみな凍てつく冬、浮き出し飾りにモールディングに、尖塔や屋根の飾りに、尖り部分のはしばしにまで、びっしりと氷霜のきらめきをまとった姿を思い描いてみたまえ!

まあ確かに、この人間社会には忘れられかけた遺物として、人が作ったものでありながら想像力をかきたてる不可解さをたたえた建築物が、中国からペルーまであまねく散らばっているではないか?不可解というのは、そうしたものを着想し作り上げた情熱のことで、現代からすれば、そうしたものは半神半人族の形見に見えなくもない。だが、われわれが臆病や愚行から解放されさえすれば、個人というより人類単位でのひたむきな創造力を示す天才の証として、自分たちの手で同じような形見を

リチャード・フッカー　一五五四―一六〇〇　神学者、英国国教会の司祭。
約束の地カナーンに……　『旧約聖書』ヨシュア記、第二章より。

後世に遺す義務を負っていると気づきそうなものだ。

それはさておき、最後まで四苦八苦した道中の果てにオール・ハロウズを初めて見たのが猛暑のさなかで幸いだった。あの大聖堂は午後のその時分になると、生きものだと信じてしまいそうなたたずまいとなる。さきに述べたように、暗い空の下で天然のくぼ地にうずくまって夕日を浴びる姿は石化しかけた怪物さながら、今にも魔法使いの杖の一振りで目覚めてしまいそうだ。そこから日没に向けて刻々と表情を変えていく。

うつろう表情こそがそうした建築の魅力だ。哲学者に言わせれば人とはうつろいやすく、命も営みも、果てしない時の流れに浮いたあぶくだという。ただし人といえど、理念にとりつかれて不可能をも可能にする熱を宿せば永続する夢を築き上げ、歳月がそこにさまざまな彩りや趣向をゆるやかに添えてゆくだろう。今は刈り入れ近い晩夏で、じきに麦畑は刈りとって束ねられる。コマドリが秋の挽歌をおさらいするよりも早く、ひそやかな季節を迎えてしまったのか。もっと前に来ればよかった。

大した距離ではないが、たったの七マイルに燧石質の丘が九つもあればきついのは当然だ。急勾配の坂をひとつ登ればお次の坂があらわれ、えっちらおっちら越せば三つめの坂がご登場、そこをさらに越せば、息もままならない炎熱にへばりかけた視界に（蜃気楼と見まごう無体さで）第四の坂がお出ましだ——道の両側はずっと切り立った岩壁で、夏枯れの草むらに花らしい花はなく、わずかに貧相なボロギクや白枯れしたヒメジョオンに陰鬱なイラクサ、アーモンド形の実をぶらさげた華奢でしぶといセイヨウヒルガオぐらいか。間断なくぎらつく陽ざしに目がくらみ——まあそんなざまでは、うんざりもしてくるだろう。その先は、どこぞの慎重居士の領主が緑豊かな地所を囲いこむために巡らした燧石(ひうちいし)の塀がどこまでも続くのだから！　ハエにたかられながら塀にさえぎられて歩く一マイルは——タンタルス*と二人三脚の地獄巡りに等しい苦行だ。そこへ空っぽの肥やし車が一台だけガタゴトと近づき、ゆらめく陽炎の路上にもうもうたる土ぼこりを上げてすれ違うのだ、もう泣きそうになってしまった。

いやあ、あの強行軍というか、その幕切れはなかなかに忘れがたかった——精魂尽きて足は痛み——全身ほこりまみれで頬も唇もまぶたも髪もざらつくわ、服のすきまから素肌にまでほこりが入りこむわで、最後の坂の上の崖地にまだ青々した枝をさしかけた木陰の草地で痛む足を休めたら、そこから望外にも大聖堂を一望できたのだ。人間の記憶とは——その仕分け方法とは実に風変わりではないか。いったい、どれだけへそ曲がりな構造をしているのやら。

そこでひょいと思い浮かんだのは何年も前の霧雨の夜、どこぞの街角で老いた救世軍*士官の辻説法にしばし足を止めた時のことだった。うらぶれて雨に叩かれた家並みをびりびり震わすほどの気迫に押され、「警世の太鼓」に首切り台を重ね合わせそうになったほどだ。老士官が一語ごとに山羊ひげを揺らし、「兄弟姉妹のみなさん」と語りかける。「われわれの肉体とは、生まれ落ちたその時から死に始めておる。時による解体は主なる神が作りたもうた瞬間に始まり、また跡形もなくなるのが定めなのです。そうら、ようく耳をすませば、今この時もこの虫けら同然のまだ生きた肉体の中を、腐蝕と

タンタルス　タンタロスとも。59ページの註を参照。
救世軍　キリスト教プロテスタントの一派。軍隊に倣った組織で慈善活動をしている。

いう蛾がバタバタ食い荒らして回るのが聞こえるでしょう。人間の大義名分やら信条やら制度もみな等しく——同じ末路をたどるのです。さあ、ですから、死を取り払って冷厳なまことの姿、神の真の似姿にしていただける、あの美しい御国を求めなされ！」

あの街角にあった画材屋の外灯が老士官の頬とひげを照らし出し、目をうつろに光らせた。身ぶり手ぶりの説法を、ずぶ濡れの人垣が身じろぎもせずに聞き入る——若い娘ら、執行猶予中の犯罪者ども、しけた顔の無職連中といった面々か。こっちは聞き飽きたから抜けたのに、やたら場違いな今になって、過去のひとこまが鮮明に出てくるなんて妙なものだ。さっき言った通り、人影はどこにもない。かろうじて数羽の海鳥が——たぶんミヤコドリか——遠くの浜で騒ぐばかりだ。

わたしの時計ではあと十五分で四時になり、じきにオール・ハロウズの鐘が荘重な響きで晩禱(ばんとう)の時刻を告げるはずだが、たとえ海原や岸にまで響きわたる三連打音で叩き起こされようとも指一本動かせなかっただろう。風に揺すられる木々には ろくに日をさえぎってもくれなかったとはいえ、そうやって寝そべっていると——なんともいえずホッとした。

時が滞(とどこお)ったようなそれからの三十分間、実を言うと鐘は一度も鳴らなかった。眼下の聖堂内にわたしみたいな飛びこみの先客が何人かいるのでなければ、誰もいないのだろう。参詣者抜きで常時開放の大聖堂か——それはそれで捨てがたい。だいぶ前に古いガイドブックで仕入れた情報では、司教館と職員棟は聖堂からたっぷり一マイルかそこら離れているそうだ。やがて、まずは聖堂の入口を確認し、喉の渇きをなんとかしてから海水浴でもと思い立った。

飢え、疲労、苦痛、欲——どんな理由だろうと極限まで追い詰められれば、人間はいくらでも浅ましくなる。暑さと渇きにやられたわたしの頭にはとにかく水のことしかなく、抜けるように青い海をちらりと見るたびに何度でも目でむさぼり、一滴残らず飲み干した。ただしそうしながらも、何百年もの歳月をまとって眼下にたたずむこの歴史的建造物に、同じその目でたえず探りを入れ、調べ続けたのだ。

聖堂が立つ岬はほぼ西を向いている。だから真下に聖母御堂の窓があり、十四世紀のトレーサリー*枠にはめこまれた、おしなべて黒っぽい窓ガラスが見えた。窓の上には、鉛加工のハの字形のリブ屋根が内陣から未完成の塔へと収束し、そこから十字形をした大聖堂の輪郭に合わせて直角に曲がる。古びて飾りけに乏しい外壁はいかにも殺風景だった。野ざらしの骨そっくりに白っぽくなった石材は、量感のない印象が炎か——白い熱灰を思わせる。だが実体はちゃんとあり、色こそ淡いが鮮やかさでは海に負けないほど澄んだ青い影を岩棚の芝草に落としていた。そして、目の前でたえずじりじりと影が動いていく。たとえ聖堂本体がそっくり消え失せても、その影絵の信じがたいほどの美しさは変わらなかったはずだ。極彩色の夕映えが荒磯を染め上げ、岩場までこの世ならぬ美のおこぼれにあずかっているようだった。

だからわたしは見晴らしのいい小高い特等席にとどまり、しばしオール・ハロウズを見張り続けた。黄昏にまぎれた不審者の接近を、自己の目を過信せずにぬかりなく警戒する歩哨（ほしょう）はだしだ。滑稽かもしれないが、孤独なたたずまいを目撃する人間が他にいない時にオール・ハロウズ聖堂がうっかり真

トレーサリー　ゴシック建築にみられる窓の装飾。狭間飾り（はざまかざり）とも。

の姿をさらせば、わたしでも不意打ちで押さえられるかなという魂胆があった。

たとえば向こうで未完成の塔の控え壁基壇をふちどる巨像群だが、日なたは青みがかったまっ白、日陰は青みの紫をしている——例のガイドブックによれば、天使や聖人の彫像だという。むろん、今のこの場所から見えるのはせいぜいで六体だけだが、まるで自分の数え方を疑うみたいにさんざん数え直した。最初に見た時は七つ見えたが、西側のいちばん奥の彫像はもしかしたら建物本体のでこぼこした石材を見誤っただけかもしれない。

そうはいっても光の加減によっては白昼でも見間違いはあろうし、想像をたくましくするあまり、あらぬものを見てしまう時だってある。それでも場数を踏めば、やがて肉眼では識別できない細かな点まで判別できるようになるだろう。想像力を利かせれば、いつかは夜中の地球上で、真昼の月のまっくらなクレーターを歩く姿を実際に視認できるかもしれない。ともあれ目を凝らすうちに、それまで見落としていた彫刻の細かい傷やごくわずかな風雨の名残のくぼみ、表面の修復跡の見分けがやっとつくようになった。大聖堂の外壁は人相と同じで、長い歴史を刻んだ地図や海図のようなものだ。

そんなふうにだらだらと物思いにふける途中で眠気をさそう風や暑さにやられたに違いない。貧弱なあの木陰でパタッと寝入ってしまい、壮大なパノラマの夢を見られるほど（睡眠中の体感基準では）長く寝ていた。それで目が覚めてみれば、記憶にはごく頼りないかけらがなんとか引っかかっているに過ぎず、時計の針の進みはたかだか数分だ。四時八分になっていた。

不安な寝覚めにありがちな、あの理不尽な恐怖に襲われつつ無理をして立ち上がる。目的地まであと一歩なのにわざわざ時間を無駄遣いするなんてバカげているじゃないか、じきに大聖堂が拝観客を締め出して夜もすがら秘めた思索にふけるのは間違いないのに。丘を一巡する急な坂をあわてふためいてくだり、いちめんに日を受けた塀をぐって南の扉にたどりついてみれば、いやな予感が的中してすでに桟と閂をかけたあとだった。目にしたとたんにどっと疲れに襲われた。本当にバカじゃないのか、ただの気まぐれに振り回されて！　人とは、なんと他愛ないものか！

頭上の美しい外廓をうかがうと、石の装飾や彫像がふんだんにある——この建物だけを見届け人にして、そのまま燃え尽きてしまった着想の形見たちだ——が、生きた鳥も蝶もいない。うまくいくかどうかはおぼつかないが、中に入る方法ならひとつだけある。さんさんと注ぐ陽だまりに、追うよりは追われるように急いで引き返し——また海の見える場所に出た。とうとう、迫力十分などどろきやざわめきが聞こえるほど海に近づいたのだ。その時まで全然気づかなかったが、聖堂西口の大扉は、出てすぐ海岸なのだ。

その聖堂に詣り慣れてしまった人々のためではなく、わざわざ海を渡ってくる巡礼たちをねぎらうために、わざとそうしたみたいな作りだった。投錨して帆をたたんだ大きな親船から、はしけに不器用に乗りこむ巡礼たちの姿が——目に見えるようだ。そうして陸を待ちかねて飛び降りると、危なっかしい足どりで砂浜を渡り、両手を広げて待ち受けるあの西口へ——「パルティア人、メディア人、エラム人。メソポタミアの地とキュレネ寄りのエジプト各地に住まう者。旅のローマ人、ユダヤ人、改宗者——みながそれぞれの国の言葉で神の大いなる御業を語るのをこの耳で確かに聞いた」*

パルティア人、メディア人……　『新約聖書』使徒言行録、第二章より。

そうしてとうとう大聖堂の入口を見つけた——ジグザグ文様つきのごく小さな丸型の脇扉だ。そこの雨受け石の持ち送りには奇怪な笑みを浮かべた顔がぶら下がり、先割れの舌を出して、ようこそと挨拶している。わたしのような者にはふさわしい出迎えだ！　巨大な棟石の下に入ってしまえば、そこからはもう我を忘れて茫然とする。その場の冷ややかな静寂、底知れぬ薄闇がちっぽけな人間の自意識を侵食するからだ。海そのものでも、ここまですっぽりと内懐に抱きかかえられた感覚は味わえないだろう。これだけ広い堂内には、頭上のステンドグラスを透かして入ってくる西日の最後の輝き以外に彩りがなく、飾りけも一切ない。石の迫持ち台も、威圧するような無表情で丸いアーチを支えている。

やはり意図的な設計かそれとも錯覚か、聖堂の床全体が東へ行くほどこころもち高いようで、多種多様な人物像で飾った暗色の木製内陣仕切りが身廊から聖歌隊席と祭壇を分けている。普遍の現実とひきかえに別の現実を手に入れたみたいだ。灼熱の自然界とひきかえに、静寂のオアシスを。ここならば、荒野から未知の世界へ飛び立たせる前に、想像力の翼を休める必要もない。

そうして一息入れるうちに、きっとまた寝入ってしまったのだ。わずかな眠りでもたちまち心に作用し、また目を開けるころには完全に途方に暮れてしまった。

ここはどこだ？　どんなロマンティックな奈落の悪魔が、眠りこんだわたしの体をこのとほうもない洞窟に押しこめたのだろう？　まだ耳の中でかすかに尾を引いていた恐ろしい夢の余韻が、ふと一掃された。とたんにこの世のこの場所が安らぎを失って、人を寄せつけない厳しい場所に変わり果ててしまったことで、まじりけなしの失望感に襲われながらも、自分以外に誰かいると気づいた。二、三十歩先の内陣仕切り手前に、老人がひとり立っている。

黒と紫のビロードにタッセルつきのガウンからすると聖堂番だろう。どうやら客がひとりだけいるとはまだ気づいていないらしいが、それでも耳をそばだて、さびついた肩の上で前や脇のほうへ首を巡らしている。こちらが目を離さずにいると、目を上げた老人が独特のすり足で北面翼廊(よくろう)の上部をすみずみまで見て回った。注意をひいたらしい音は、この席からはまるで聞こえない。おおかた破れ窓に飛び入った野鳥が騒いでわたしの目をさまし、老人の注意をひいたのだろう。それとも上にいる同僚などがおりてくるのを待っているだけかもしれない。

さらに目を離さずにいると、明かり取りの窓から銀色にさした黄昏の光のおかげで、これだけ離れた場所からでもぼんやりと老人の顔が見分けられる。なだらかな弧を描く高い鼻、肉のない頬骨、突き出たあご。ずっと不動の姿勢を続けていたので、とうとうわたしのほうで、夢からさましてやろうという気を起こした。

わたしの足音が聞こえた老人は、何やら考えこむように首を戻した。近づくわたしを眺めてじっとしている。レンブラントが好んで描いた老人たちのような風貌だ。ふしぶしの目立つ手、垂れた黒眉、肉の薄い浮世離れした大きな口、垂れたまぶたに埋もれた奥の洞窟めいた、真摯な黒い目。対するわたしは粉屋かというほどまっ白なほこりまみれに汗だくの汚れようで、体裁にこだわる聖堂番なら歓迎するたぐいの客とはお世辞にも呼べなかったのに、じつに礼儀正しく迎えてもらえた。

わたしは遅れて入った詫びかたがた、なるべく丁寧に事情を説明した。最後に心ならずも言った。

「あなたをお見かけするまではあまり奥へ行きませんでした。でないと、へたをすれば明日の朝まで閉じこめられてしまいますし。月がなければ暗い聖堂の中でね」

老人は笑みを浮かべた——苦笑いだが。「まあ、そうですなあ。ここの大聖堂は午後のミサがなければ四時かそこらで拝観を締め切りますので。ミサも昔ほどこまめじゃないとはいえ、拝観の方々もめっきり減りましてな。冬場はことに暗うございましょう——さっきおっしゃったように。ここでは寝泊まりしないんですよ、ふだんなら終われば帰ります。ただ、火の用心もありますし、それに……おそらくはあなたの気配に勘づいておったんでしょうな。長年のうちに勝手がわかっておりますから」

役人じみてもったいをつけてはいるが、それでも感じのいい声だし、出て行けという気もなさそうだ。いちおうこちらを見ているが、目がやや上の空で、他に気がかりがあるらしい。「どこかに一泊できる宿を探して、聖堂はあしたの朝にしようかなと思っていました。途中がもう大変で。B——から参りましてね」

「ああ、B——からおいででしたか、歩いてこられたんじゃさぞ大変でしたでしょう。あそこには病気の娘がおりましてね、よく歩いて見舞いに行きましたよ。馬車で来られる団体さんもちょくちょくありますが、昔ほどじゃないですなあ。町なかから押しかけてくるような近間じゃないのでね。なにも、ちゃんと信心に来られた方々を押しかけ呼ばわりするんじゃないんですよ。滅相もない。でも、たいがいは物見遊山がお目当てなのでね。そういう人出は少なければ少ないほどいいんですよ」

さっきのわたしの話しぶりや外見に、この老人を安心させるものがあったのだろう。「うーん、わたしもきちんと教会に通うほうではなくて。ただの物見遊山です。それでも——ほんの数分ここにいるだけで心満たされますねえ」

「なるほど、心満たされるですか」老人はおうむ返しにして顔をそらした。「こんな日にはるばるいらっしゃれば、そうなんでしょうな。ですがここに住んでおりますと、また違って参りますよ」

「わたしも、ちょうどそれを考えていました」と、なんとか失地回復すべく、間抜けな取り繕いを試みた。「おっしゃるように、きっと年の三分の二はずいぶんわびしい冬になるでしょう」

「嵐はありますな――まあ良し悪しですが」と、老人が相槌を打つ。「この敷地は俗に海霧というものが特に多く発生する場所です。海から連日連夜――強風と霧が押し寄せてきて、昼でも、開いた手を目の前にかざしても見えないほどですよ。それに音がね、あの羊毛のような霧越しに渡っていく音ときたら、まともに信じていただければですが、すこぶる奇怪なんですよ。よそからおいでの方はびっくりされます。いえいえ、鳥が飛ぶようないいお日和には、わたしどもだけで過ごすことが多いんですよ……ここの風は驚くほど強いんですが。つい二、三年前もね、石工がひとり――やはり地元の人間で――塔の下の屋根から吹き飛ばされまして――空袋のように手もなく宙を舞っておりましたよ。ですが」――と、ようやくまた目を向けるともなく屋根に向ける。「ですが、もうあまり起きなくなりましたな」考えこむ様子で、「わからんことずくめですよ」

「あまりお引きとめしてはいけませんね。ですがさっき、ミサもめっきり減ったとおっしゃいませんでしたか。なにかご事情でも？　そう言えば、あの方は」だが、そこで自制心がはたらいた。

「どういたしまして、これも仕事のうちですから。ですがちょっと洩らされたことからすると、たぶん何かごらんになってきたんですな。おおかた、ほんの数か月前の新聞記事ですかな。うちの大聖堂では首席司祭を――パンフリー首席司祭を――昨年の十一月になくしたので。亡くしたも同然という意味ですな、後任もまだ決まっておりません。ここだけのお話ですが、ちょっと支障がありまして——それ以上は申し上げたくありませんが。欲の皮のつっぱった人でなしですよ——あの新聞というやつらはね。わたしの見たところ、敬意もわきまえも常識もない手合いばかりです。しかもネコの鳴き合いみたいに、互いの記事を丸写しし合ってねえ。

「ここの評判が落ちるのは願い下げですよ。それなのに、このところずっとその調子です。自分たちで何とかするしかありませんな。物見遊山の客がどれほど無情か、びっくりなさいますよ。英国の問題なんか知ったこっちゃない外人客だけじゃありません。もっと酷いのは——わたしやあなたと同じ英国人です。文明国の者とは思えないような非常識な質問をするんですから。こちらがどうなろうが——そんなの知るかといわんばかりでねえ。

「仮面をつけた昔の異端審問官のことをとやかく申しますがね、今の世だって他人が拷問にかけられる折があれば、面白がる野次馬は掃いて捨てるほどおりますよ。まったく世知辛い世の中です」

ずいぶん妙な風向きになってきた。かくいうわたしも物見遊山客の端くれだというのに。逆らわずにいると、そのうち老人の気がすんだらしくて、埋め合わせのようにこう訊いてきた。この大聖堂で、どこか特にごらんになりたい場所はありますかな。「だいぶ暗くなりましたが」と意図を説明する。「二階でしたら数分かそこらはまだ間がありますよ。静かに回れば邪魔が入ることもありますまい」

わたしはしばらくその発言の意味が読めず、その申し出に感謝し、どうかくれぐれもお気遣いなくと繰り返すにとどめた。それに、パンフリー神学博士とはご面識がないけれども、ご不例のよしは新聞で存じていますとも。「たしか」少々あやふやに述べた。「『教会と民衆』という本をお書きになった方でしたか？　その方でしたら、さだめし教養深く楽しい方でしょうね」

「そうなんですよ」老聖堂番はわたしに手をさしだした。「言い得て妙です。聖人がいるとしたら、まさにああいう方ですな。ですが、〝ご不例〟どころか――実は心神喪失でね。新聞に載ったのがほんのさわりで助かりましたよ」

　老人は声をひそめ、「よろしければこちらへどうぞ」と、静かに座席の通路を案内してゆき、あの塔の真下あたりでまた足を止めた。「わたしが申し上げたいのはね、聖なるものが確かにいると多少なりとわかっている――崇敬するのではなく――人は、この世にほとんどおりません。信仰のない人々は、オール・ハロウズとそれが象徴する世界が、明日にも一掃されて塵になってしまえばいいとでも思っておるんでしょうよ。だからこそ、お話しする相手は極力用心して選んでおります。ですが、悩みを聞いてもらうと救いになる場合がございますのでね。そうでなければ、カトリックがその用途で木箱じみた小部屋を作らせるのはどういうわけです？　それこそ、斎戒断食（さいかいだんじき）だの苦行だのに、それ以外の意味なんかあるんですか？」

「わたしはね、首席司祭の下で聖堂番をつとめて十二年以上になります。貴賤の別なしという観点から――職業や地位を度外視すれば、わたしだって聖堂では年長者です。しかも首席司祭は誰にでも分けへだてのない方でね、ご自分の地位を鼻にかけていばったりせず、人の役職や身分や権力のあるなしにこだわらないというお人でした。それが、あんなことに！　しかも何の前触れもなしにですぞ、少なくとも前触れになりそうなものは皆無でしたよ」老人の視線のゆくえを追い、上にある石の窓辺が翳（かげ）りゆくのに気づいた。静まりかえったアーチ天井にいぶし銀の光がさしこむ。だがもちろん、古い石造建築なら薄明のころは夜明けだろうが夕方だろうがそんなふうだ。動くものはひとつもない。

「よろしいですかな」老人が話し続けて、「ミサでの聖職者入場行進は、向こうの聖具室を出てあの鉄門をくぐり、さらに内陣仕切りの下を抜けて、そこの内陣までが順路です。拝観客は当直の聖堂番に拝観カードを提示するか予約をすればミサにあずかれますが、それ以外の人はだめです。もう一、二歩右に寄ってくだされば十四世紀の内陣仕切りが少し見えますが、ロバート・ド・ボーフォート司教時代のふたつとない作例です。ところでさっき申しましたように、聖職者の行列はこっちからあっちへ進むさい、これまでいつも人と人の間があきすぎないようにする慣わしでした。羊の大群もどきに押し合いへし合いするより、そのほうがよほど見栄えがいいですからな。

「さらにね、そんな時のわたしどもは、いうなれば整列して〝行軍〟するんですよ。実地指導ですな。行列の先導役は三席聖堂番がつとめます。続いて聖歌隊、少年と成人男性ですが先細りしていて寂しいですよ。次に参事会員、そのときどきに出席していればそれ以外の高位聖職者、常任参事を含めてね。あとはわたしと、最後に首席司祭の順です。

「それまではさしたることもなかったのに、問題はその日の午後でした。誓ってもいいですよ――嫌になるほどそう繰り返しましたが――この先に知らない顔はひとりもいませんでした――身廊(しんろう)にも翼廊にもです。そう、目の届く範囲にはいなかったですね。まさか厚み四フィートのノルマン様式の石壁を見通せるはずはありませんが。まあそうやって進んでいって、いつものように首席司祭の着席時に一礼しようといざ振り向いてみれば、こはいかに、お姿がないんですからな！　いやあ、たまげました。その場の状況をつぶさにご存じならば、今の言い分をもっともだと思っていただけたでしょうよ。

「茫然自失はしておりませんでした。すべてをとどこおりなく進め、事前に醜態を防ぐのがわたしの第一のつとめです。私情とはまた別ですから。行列が祭具室を出る時に老先生もご一緒だったのはよく存じています。いつものようにわたしの手で祭服をお召しいただく途中で、いつものにこやかなお顔でお約束のセリフをおっしゃいましてね。『いやあ、ジョーンズ君、また一日過ぎた。また一日過ぎたねえ』いつも時間を気にかけ、時間の活用を心がけていたお方でしたよ。

「でね、申しましたように、行列が鉄門を通る時には最後尾についていらしたんです。わたしの目の隅に歩くお姿が見えてましたからね——慣れておりますから、視界のどこでも見えるんですよ。するとー聖具室にはいらっしゃらない。わたしのほうはね——まあ、ご想像のように途方に暮れましたよ。オッカム参事に目で合図して、普段通りにミサを進めてもらっておいて、自分は大急ぎで聖具室に戻りました。あの方がお気の毒に、急に具合を悪くされたかと思ってねえ。ところがね、そっちが無人なのはいいとして、あの方もおいでにならん。てっきり、そこさえ押さえれば大丈夫だと思っておりましたからな。

「せいぜい口をつぐむに越したことはなかったのと、さいわいその時の常任参事はオッカム参事でしたからな、こう申し上げてはなんですがリー・シュガー参事ではなく。みなに慕われた首席司祭は——キリスト教始まって以来の純真な信仰心をお持ちの人格者は——二度と戻りませんでした。もう二度と、わたしたちの前に出てきてはくださりますまい。あの方は」——と、老人は眉を逆立て、大きな薄い口をわたしの耳に寄せてこうささやいた。——「失踪した——さらわれたのですから」

「さらわれたとは！」わたしが口ごもる。

老人は、まぶたが震えるほど力をこめて目をつぶった。「あの方はその晩遅くに、二階の狩猟陳列室と呼ばれる部屋の片隅で泣いておられたのを発見されました。子ども返りしてね。いったいどんなふうに言いくるめられ、あるいはうまくだまされてそこへ行ったのやら、悲しかった寂しかったすら聞けないいんですからね、まったく。わたしたちの顔も、わたしの顔もわからんのです。ただの無邪気なおバカさんですな。記憶がきれいさっぱり抜けたまっさらの状態になってしまって」

これだけ広い空間があり、生きものは蛾すら見当たらないのにひそひそ声などばかげている。それでもさらに声を落として、「前駆症状は何も？　だいぶ前から衰えがきていたのでは？」

どんな人でも哀しみの表情は心揺すぶられるものだが、この老人のように歳月と諦めが刻まれた顔では――あんな質問を口に出してしまった瞬間を悔やみながら、わたしは目をそむけた。感情が人と人をなじませる役目を果たし、わたしたちの間にある種の親しいつながりを生んでいた。

「ご一緒にお越しくだされば」老人が小声で、「わたしがミサ当直に当たりそうになると沐浴に使っている小部屋がございまして、そちらのほうが落ち着いてお話しできそうです。伝道の書の、あの一節をたまに思い出すんですよ。『空の鳥はあなたの声を伝え、翼のあるものは事を告げる』*とね。あの執筆者はよほど世情に通じた方だったんでしょうな」

スクエアトウで底が薄い聖職者向けのブーツで驚くほどすばやくなめらかに先導していき、飾り鋲つきの扉の前で足を止めた。巨大な鍵で扉を開け、中央塔の下の一隅に招き入れる。石の螺旋階段をのぼり、かろうじて幅二フィートちょっとの通路沿いに進む。もうまっくらになっていたので、わたしはときどき指先だけで老人の黒ビロードのガウンに触れて位置を確かめた。

この通路をかなりたどっていくと、つきあたりに小部屋があった。聖堂を退いて衰えゆく黄昏(たそがれ)の光だけが唯一のあかりだ。老人はリューマチ気味の震える指で蠟燭をつけるとオークの古テーブルの中央にのせ、さらに奥の厚いオーク材の扉を開けた。「そちらに洗面器とタオルがございますので、ご自由にお使いください」

わたしが入っていくと、パネル壁にキリスト磔刑(たっけい)像の印刷画が画鋲留めしてある真下に、ブリキの洗面器と水差しの台が置いてあった。こんなうまい水は飲んだことがない。わたしは顔と手をゆすぐと、あとは心ゆくまで渇いたのどをうるおした。旱魃(かんばつ)で干上がった川床もかくやだったのだ。部屋の隅には錆びついた吊り香炉らしきもの、壁のくぼみには七枝燭台がネズミ捕りや本といっしょにおさまっていた。わたしは手を拭きながら、こういった無言のがらくたに疲れた目を次から次へと遊ばせた。

そうして戻ってみれば、あの老人は不動の立ち姿で、忍び返しつきの格子窓から下をうかがっていた。

「さっきのお尋ねですが」やせこけた蠟人形のような顔を頼りない蠟燭の灯に向けて、「こうおっしゃっていましたね、わたしの聞き違いでなければ、これといった前駆症状は何もなかったのかと。そうですなあ、話せば長くなりますし、しんから悪意のない方限定でお伝えするに越したことはなさそうで

『空の鳥はあなたの声を伝え……　『旧約聖書』伝道の書、第十章より。

す。オール・ハロウズはいわば、わたしの第二の家ですからな。ほんの子どものころから五十五年もここで働いてきて司教さまの帰天による代替わりを四回見届け、お仕えした主任司祭さまは五人にのぼりますし、お気の毒なパンフリー首席司祭は最後の五人めに当たります。

「ごめんをこうむって申し上げますと、あの方に比べたらリー・シュガー参事などは青二才でも過言じゃありません。みんな言うようにオッカム参事としっくりいっとらんのも、ひとつにはそのせいでしょうな。なにしろトラフォード助祭長さえ手を焼くほどですからねえ、あれはあれでなかなかの人格者なのに。助祭長はいま海外におられましてね、なんでもご健康を損ねたとかで。

「ここからはほんの私見ですが、知識や見識に加えて、素朴な常識こそが大事だったんじゃないですかね。これからお話しするような事情では、誰の口数が多すぎても百害あって一利なしですよ。密室でだらだら席について牽制し合いながら、おおかたは証拠とも呼べないような意図やもくろみを審議したところで仕方がないでしょう。ささいな件で押し問答し、角突き合い、屁理屈をこねていったい何になるのやら、事態はどんどんまずくなる一方ですよ。失礼を承知で申し上げますとね、自分に無関係な話に首を突っ込むつもりはありませんので。パンフリー先生だって、みなが一丸となってぬかりなく用心していれば、いまだに正気でわたしどもとご一緒していたかもしれないんです。

「ですがもう、あのお気の毒な方はどうにもなりません。なんであれ打つ手が見つかる見込みも、意見が一致する見込みもありませんよ。みんなで集まっては、ロンドンやはるばる欧州大陸からこの人あの人と専門家を呼び寄せてねえ。なにも、そうした専門家が見識不足だとか、職業意識が低いなどという気は毛頭ございません。ですが、腹を割って話してくれないのはどうしてです？　こちらが知っている話をずっと内緒にしておく意味なんかありますか？　わたしが訊ねたのはそこですよ。そしたら、その答えは？　あの人たちは信じたくないこと、この世で自分たちの希望や願望や信用――と気休め――に反すること一切を、良識の許すぎりぎりまで視界から締め出しているだけでね。

「わたしにわかっている内容はリー参事もご承知です。しかも断片的証拠がことごとく指し示していることを、かたくなに認めないつもりなら、この期に及んで何をどう把握するつもりなんでしょうか。早い話が、悪いのは無関心な外の世間でなくわたしどもなんですよ。ここであれ下の世界であれ、〝あれら〟を締めだせる信仰心が内にあれば、どんな力や権力をもってしても――サタンがじきじきに乗りこんできたって――乗っ取れやしないんです」やせた顔が蠟の仮面のようにこわばる。重いまぶたの下の黒い目は、もっと不可解な要素をたたえながらも不退転の覚悟でこちらの目を食い入るように見ていた。周囲には石壁自体をさらに固めそうな密度の重苦しい静寂がわだかまっている。たかがブリキの洗面器一杯の水だけで、ここまで気力が蘇るとは不思議ではないか。わたしはテーブルの端にもたれて立っていたため、蠟燭の光が当たっていたのはずっと老人だけだった。

「ここの異状はどういうものですか？」わたしはずばりと切りこんだ。

そこまでむきつけに尋ねられるとは予想外だったらしい。「異状、ですか？　まあ、そこまではっきり言ってよろしければ」突っ放したような苦笑いで応じ、ガウンの片側の襟をそっとなぞった。「はっきり言ってよろしければ、あなたさまは祈りに応えて遣わされたのだと思っておりますよ」声がかすれた。「もうこの齢(とし)ですし、余命いくばくもありますまい。わたしの頭で理解が追いつくような助け舟はないという点は、どうかぜひご了承ください。さっき申し上げたお歴々の方たちが、大聖堂の救済を心から真剣に考えているのは疑いありませんが、事態はもっと深刻なんです。それでいて、わたしたちがどれほど追い詰められているか、どこへ流されていこうとしているのかはこんりんざい解ってくれないんです。

「状況だけでもお聞きください。わたしの知る限り、英国広しといえど――オール・ハロウズに比肩するほどの聖所は大きさ古さばかりか、神聖さや由緒でも存在しませんし――このように特殊で恐ろしい攻撃にさらされていながら無防備な場所も存在しません」

「恐ろしい、ですって?」

「恐ろしいですよ、神が与えたもうた理性に懸命にしがみついておりますけれども。はたしてこの狭い谷の他に、悪魔の軍勢が大っぴらに城攻めをかけてくる場所があるでしょうか? まず、すぐ外は海でしょう。お気づきかどうか、人の知る限り、上げ潮はここの入り江を年に三、四フィートずつ侵食しているのです。ちまちまと削っていくんですよ、そのたびごとに四十インチ、四十インチ、また四十インチというふうにね。わたしは子どもの時分から六十年このかたずっと見てきて、百年後にどうなるかも見当がつきます。言うまでもなく、どこまで入りこんでくるかも。

「さて、そこで、この谷が秋から冬ばかりか、若い人の目からすれば他のどこより楽園に近い絶景に恵まれる春にさえ洪水や強風に見舞われるという土地柄であるということをしばしご考慮ください。おかげで近隣の町への道はほぼ不通になり、つまり年のうち七ヶ月は陸の孤島状態でシンデル諸島と同じぐらい本土と切り離されています。さらにお気づきでしょうか、手近な民家からでもたっぷり一マイルは離れていますし、だって民家とは名ばかりで、古農場の焼け跡に過ぎないんですぞ? 請け合いますが、もしもあなたが今晩ここに閉じこめられていたら（くわばらくわばら）、一歩手前で危うく免れましたが——手近な窓に手が届けば、そこから声を限りに叫んだかもしれません——ですが、聞きつけて助けてくれる人は誰もいなかったでしょうな」

わたしはテーブルに置いた手をもじもじさせた。雲をつかむような答えしか返ってこないのでそろそろ飽きてきたし、見知らぬ老人からこんな立ち入った打ち明け話をされて、少々身の置きどころに困ってきたのだ。

「そうですねえ」と愛想よく、「そこまでの極限状態で醜態をさらしたくはありませんね。うんと小さいころは、説教壇で寝泊まりしてみたいなんて想像したものですよ。クッションがありますからね！」

老人の表情はそよぎもせず、真顔で見つめ続けている。「そうはおっしゃいますがね、あそこで夜中に説教するほどの度胸がおありだとして、いくらお若くて快活なあなたでも、どんなものが聴きにきても大丈夫ですかな？」

「つまり」心なしか詰問口調になってしまった。「ここには〝なにか出る〟とおっしゃる？」とっさに頭をかすめたのはなんとも他愛ない考えで、ジプシーのような流れ者の一族が、こういった孤立した広い場所に偶然たどりついて住みつくというものだった。こんな古い教会なら、さっき通ってきたような通路や部屋が蜂の巣のようにいくつも入りくんでいるに違いない。そもそもカトリックとは、制限内で無限の寛容を匂わせる言葉ではなかっただろうか？　ただ、老人はわたしの「なにか出る」を額面通りに取ったらしかった。

「そうなんです」目をつぶって言い切った。「ここでは悪霊どもが活動しています」片手で制して、「後生ですから、今から申し上げる話を老人の愚にもつかぬ世迷言と片づけないでいただけますか」ほんの少しわたしに近づいて、「やつらをこの耳で聞き、この目で見たのです。あの者どもに実体があるかどうかは、わたしごときの知識でははっきりとは申し上げられませんが。ですが、あいつらの実体とはいったいどんなものでしょうか？　第一に、聖書には『いかなる者であれ学識で悪霊の実体を見極め、知恵で探ることはできない』とあります。そうでしょう？　ですから聖書に則って話しますと、第二に同じ章ないしすぐ次の章で（外典のね）やつらの目的を説明していますね？　それによると――違っておりましたら遠慮なくおっしゃってください――『悪魔どもは神の被造物で、報復のために造られた』。

「ここまではよろしいですか。進めるところまで進めてみましょう。報復のためです。ただし、やつらの力や、何がどれだけできるかでしたら確たる証拠をお見せできます。噂が外に広まれば、いろいろ取りざたされるんでしょうな。そうでないとすれば、なぜここに来る専門家たちは、みな落胆してあたふた逃げ帰るのでしょうか？　犬のようにしっぽを巻いてこそこそと。その目で見て探ったのに信じないからですよ。まあ、あれこれ理由をでっち上げはします。あげくにわたしらを置いて逃げだすんですから！」その言葉を裏づけるようにかぶりを振ってみせる。「なぜかって？　そりゃあ、自分の知識を超えたものを実地に見聞きしたからですよ」いたく動揺のおももちで身を引き、呼吸もままならないようだ。

「ですが」と、わたし。「古い建物はいずれ必ずいろんなガタがきますから。英国の大聖堂や教会の半数はどんな時代のものでも〝修復〟されてはいますが――それでも惨状をさらすものが少なくありません。新しい漆喰が合わないとかでね。つい先日も……まあつまり、超常現象のせいというよりは、ただの老朽化とお考えになるほうが筋が通りませ――」

老人はそっぽを向いた。「まことに申し訳ない」と、謙遜と威厳をないまぜにした独特の物言いでこちらをさえぎった。「われながらどうにも説明が不得手でしてな。老朽化――ひずみ――沈下――崩落ね。そんな言葉なら、けん玉をほいほいやるように口から口へと受け渡されてきましたよ。もういいかげん吐き気がします。今申し上げたのは解体ではなく、修繕や修復のお話です。老朽箇所を補強したのとも違います。腐敗による欠落でなく、恐ろしい事態の進行です。お見せできる箇所もありますが、たいてい目立ちにくくて詳しい調査が難しいのです。つい最近では、軽石状に朽ちて孔だらけになった石が切りだされたばかりの石と入れかえられていました――この二十マイル四方では手に入らない石材でね。

「他にも何か所かで一ヤード四方を超える巨石が、すさまじい力で押しこまれて元通りにされていました。ここ三百年で、オール・ハロウズが今ほどしっかり直ったためしはないぐらいです。調査に訪れ、きれいごとを並べたあげくにしっぽを巻いて帰った人たちに悪気はなかった。それは認めますしした。許容はします。みな、ふーんとかほほうとか洩らし、こっちで満面の笑みを浮かべたかと思えばあっちで肩をすくめながら、内心では怖気づいていたんですよ――恐れをなしていたんです。まったくもって途方に暮れてね。顔にそう書いてありました。ですが、どんな目的でそんなことが現に行われているのかとお尋ねなら――わたしには皆目お手上げです。

「ですが、ためしにこう考えてみてください。他ならぬあなたがあの専門家たちのお仲間で、ご自分の専門家としての評判にかかわる調査で、ある建物を調べに呼ばれたとしましょう。未知のある力で勝手に改築修理されてしまうものだから、そこの所有者も管理人たちも不安がっているとします。考えてもみてくださいよ！」こぶしでテーブルを叩いた。「よそのお人のあなたが、自分の立場を損ねるような話をされたくなくて、口をつぐんでどこかへ行ってしまわないわけがないでしょう？　あげく、こんなへんぴな土地にいると外界から切り離され、頭に虫がわいて腐ってしまうと信じこんで、すべて愚にもつかない妄想さと切って捨てるんじゃありませんか？

「そこは請け合いますよ。みんな――他でもないオッカム参事さえ、わたしの言うことであっても一部しか信じてくれないんです。それなのにあの人たちときたら、部会で寄り合っては他愛もない話をしたり、言い争ったり。別の〝やつら〟のことなら文句も申しません。神が遣わされたからには、人間がそれ相応のことをしでかしたんです。自業自得ですな。ですが、見る目のなさや邪悪さを愚行で上塗りしようというのなら、それこそ、たまに自分の理性がもつかどうか心配になってきますよ」

そう言うと老軀の許す限り肩を怒らせ、喉のあたりでローブの襟をつかんで立ったまま、内開きの狭い窓から闇をにらんでいた。

「まあねえ」と、また口がきけるようになると、「こんな寂しい場所に六十年もいますとね、ささやかながら自分なりにいろんな物思いや気づきがなかったわけじゃありません。新聞を読んでごらんなさい。世界大戦とやらは終わりましたが、よほどの心臓なら、この戦争はただ人間がやったことで、神意とは関係ないと天に誓って言い切れるんでしょうな――ですが、周囲を見れば何が目に入ります？　争いやペテンや憎しみや軽蔑や対立ばかりが目につきませんか。わたしに学はありませんが、自分なりの経験と知識に照らせば、現代人は生きていくのがやっとの暮らしぶりです。昨日すべきことを今日学び、明日すべきことはわからないというありさまでね。

「教会だってそうですよ。みだりに無関係な話にでしゃばるのもどうかと思いますし、三十分ほど前にあなたの口からこまめに教会に詣でる方だと伺っていれば、今のはこんりんざい口外しなかったでしょうな。外聞が悪いですから。ですが、そうじゃないと伺ったので内々にお話ししたのですよ。ただ聞いていただくだけでもわたしは救われますからね、実際にわたしたちの助けになっていただけなくてもね。愚考しますと、何百年も前のあれは正しかったですな――われわれが親株から切り離され、独自の宗派としてこの土壌に根づいたのは。ただ、是非はどうあれ、その行為自体が、えじきを求めて飽かずこの世を往来するものたちからの攻撃に、自分たちをいっそう無防備にさらしてしまったのではありませんか？

「どちらかの肩を持ってくれとお願いする気はありません。ですが、まっとうな方は自分にわからないことで他人を嘲笑しませんからね。ご自分の考えを胸にしまっておかれるでしょう。わたしがリー・シュガー参事を眉唾物だとみるのはまさにその点でね。なにしろ度量がないんですよ、ロンドンの見方とは違うかもしれませんが。ロンドンなら、あの方とうまのあう方がたくさんいますからね。いうなれば万華鏡みたいに世界観が一変しそうですな」

老人はほんの束の間、そういうおまえも仲間外れにされた者じゃないのかと内心問いかけるように探り見てきた。「ですからね」どこか元気をなくして続けた。「これから起きるはずの事態には耐えられます。どうしてもと言うなら、残されたわずかな年月を生き抜くぐらいはできますよ。ただし、自己の内なる感覚にだまされたり、惑わされたりしていないと確信できる場合に限りますが。わたしがいちばん恐れている状態になっていると教えてくだされば、老いの身には決して返せないほどの恩恵を施してくださったことになりますよ。ところが、悪魔じみた妄想の網にかかって手探りしているまでだとおっしゃるなら——その場合は一刻も早くパンフリー先生のお仲間になりたいと思うばかりです。みんな昔は子どもだったんですから。ある意味、あの方だって今よりひどいことにはなりませんからね。

「そうそう、たまに思うんですがね。子供から大人への成長とは、父祖がたどった運命の縮図ではないでしょうか。世の始まりには堕天使がいたそうですな。たとえ聖書に書いてなくても、人間は自身の恐怖と不安から悪魔の存在を知ったのではないかな。わたしも幼児の心に大人のうかがい知れない安らぎと楽園が宿っていると悟って、畏れに近い思いで幼な子を見ていることがままあります。夢の中の幕屋のように、歳をとるにしたがって色あせてしまいますけどね」

老人の話し方には、その表現から想像されるような不遜さはみじんもなく、こちらを安心させるように笑いかけた。「まあね——もしもこの件で本音を申し上げるなら、こうですな。天のお計らいはパンフリー先生によくしてくださっていると。もう帰ってしまわれて、おそらく魂はどこかほかで休息しておられるでしょうから」

さらに一歩か二歩近づいており、蠟燭の灯がくぼんだ額や頬や、白くなりかけた残り少ない長髪を不気味に彩っている。かすむ老眼をこらし、無言の哀願をこめてわたしの目に訴えかける。なんと答えていいかわからない。

両手を体の脇に垂らして、こう言った。「実を申しますと」慎重に周囲に目を配りながら、「これから僭越にお誘いする企てはわたしにはおなじみですが、あなたの身を危険にさらしかねません。まあそれでも仕事のうちではありますし、見知らぬ人同士の善意とはきちんと分けて考えませんと。こう申してよければ、あなたはぎりぎり間に合う時間においでになったようです。それでもそのほうがいいとおっしゃるなら、今すぐふたりでこの聖堂を出て行ってもかまいません。いずれにせよ、完全に暗くなるまでにここから出て行って、十分に離れないといけません。ただの人間ごときが、やつらの夜の仕事を邪魔しないに越したことはありません。闇のせいで無鉄砲になり、良心もはっきりしなくなりますから。前に、帰りが遅くなったことがありまして。今でもほとんど日が残っていませんが、暦では今夜は三日月のはずです——雲さえなければ。わたしが言いたいのはね、わたしたちが当てにできるのは、いわば五感による冷静ではっきりした証拠だけなんですよ。それが時には——その、それさえ当てにしていいのか迷うというわけです」

前になにかで読んだのだが、まぶたの形やしわやひだや角度などだけで——人間の目の含蓄に富む繊細な陰影が決まってしまうという。こんなかぼそく辛気臭い灯りでさえ、老人の目をのぞきこめば灰色の潮だまりに見入っているようで——海のすぐそばに広がる、平たく危ない岩浜でたまに見かけるあれだ。

わたしがもう少し疑り深いか、そこまで疲れていなければ、そろそろこの老いぼれの正気を疑い始めていたかもしれない。しかし、ごくかすかにでも狂気と接触すれば、頭の中の歩哨が閃光と警告を発して景色までが一変する。感覚による内的セキュリティ機能というやつだ。年輪によってその顔に刻みこまれた性格が善良と純朴の証拠になるとすれば、この同伴者はたしかに安全だった。ただし、だからといって賢明とは言えない。

ただし、オール・ハロウズ自体も考慮すべきだ。あの緑の岬から、陰鬱ながら美しい外壁を最初に見かけた時から妙に心を揺さぶられていた。まるで人の心に埋もれかけた原型がそっくり複製されて出てきたように、特異な想像力をかきたてる建築物というのは存在する。こうして厚い石壁にさえぎられた蠟燭のあかりだけの小部屋にいてさえ、巨大な聖堂の全容がひそかにわたしの心に忍び入ってくるようだった。

またあの老人の様子をうかがうと、あなたの自由なご判断に任せますといわんばかりに、あらぬほうを向いている。もしも自分がこの陰鬱な壁に囲まれて生涯を過ごせば、いったい人柄にどんな影を落とすだろう？　このくたびれた隠者の願いを聞いてやるのも、ただの思いやりのうちではないか。向こうが頼んできたのだ。ついていくのが今の十倍は気乗りしなくても、とうてい断れない。どのみち、話に出てきたあの建築専門家たちのように、しっぽを巻いてこそこそ退散するなんて体裁の悪いまねができるものか。

「そんなことで、本当にお役に立てばいいんですが」

老人がこっちを向く。まるで、一筋の光明を見出したといわんばかりの顔つきになって。「じゃあ、すぐ参りましょう。ご一緒してくださるとは願ってもない。そうと決まれば一刻もぐずぐずしてはいられません」

小首をかしげて一瞬だけ耳をすます——歳月だけが作り出せそうな、平たい貝殻そっくりの大きな耳だ。「マッチと蠟燭です」ささやきにまで声を落として、「ただし——お互い絶対にはぐれないようにしないといけませんが、わたしとあなたがね——たぶん、はだか蠟燭をつけてはだめです。お嫌でなければ、わたしのガウンにつかまってください。ここに紐がありますので——あつらえたようですな。さんざんのぼりくだりしますが、わたしなら勝手がわかっていて目隠しでもいけますし、あなたは寸刻みでじりじり進んでください。それもこれも鐘撞番（かねつきばん）が辞めてしまって仕事が増えたおかげですよ」

　姿勢を戻して両手を組むと、老いた顔を子どもじみた気まぐれな笑みにほころばせてこっちを見た。

「たまにウィリアム・シェイクスピアの劇に出てくる歩哨みたいな気分になりますよ。* 何年も前に一度だけロンドンへ行きましてね——子供の時分です。口先だけの悪党なんてものがいるとすれば、絶対にあの幽霊ですな。今でも目に見えるようです」

　ひそひそ声なのに虫のすだくような響きがあって、パン屋のコオロギを思わせた。わたしがビロードの紐を握りしめると、老人は扉を開けてからマッチを箱ごと手に押しこむようによこし、蠟燭立ては自分が持って灯を吹き消した。たちまち、鼻をつままれてもわからない闇になる。「さて、お手数ですが靴を脱いでいただけますか」すぐ耳元でぼそりと言われた。「音を立てずに歩かないといけないので。お急ぎにならなくてもいいですよ。何かあったら紐を引いてくださいね。あと数分もすれば目が慣れてきますから」

「たまにウィリアム・シェイクスピアの劇に……　『ハムレット』第一章第一場を指す。

かがんで靴紐をほどくうちに、心臓が楽しそうにはずみだした。心臓も今のやりとりを聞いていたのだろう！　子供のころに川の浅瀬を渡った時と同じ要領で首に靴をかけ——ともに冒険に出発した。見知らぬ巨大な石造建築の地下迷宮に軽い気持ちで踏みこんで迷子になり、見捨てられるという悪夢なら、これまで何度も見てきた。白状すると、わたしは紐に命がけでしがみつきながらじりじりと進んで行き——案内役の老人はたびたび向いて、耳打ちで注意をうながしたり励ましたりしてくれた。

今度は昇りにさしかかり、しばらく行くとすり減ってくぼんだ降り階段になり、ほどなく柱廊か手すり柱つきの昇り階段をすり抜けていったが、ずいぶん狭くて両肩のどちらかが絶えず壁に触れないと通れなかった。大聖堂のはらわたともいうべきここは、墳墓を思わせるほど底冷えするのに、じきに蒸し暑くて息ができなくなり、ずっと目を凝らし続けるのが耐えがたいほどつらくなってきた。分厚い石壁にうがった狭間の前で一度だけ止まって息を整え、生ぬるいが新鮮な外気を堪能する。ほのかな野の花の香りに切れのいい潮の匂い。そこから少し先で、はるか頭上の格子窓から宵の明星が垣間見えた。

やがて、大聖堂の内部へ向かってまた螺旋階段を昇ってゆく。今度は濃い闇がわずかに薄らぎ、アーチ形支骨つき天井がぼうっと見える。そっと頬をなでる風が前より涼しくなり、震える指がわたしの胸板をなぞってから、骨ばった冷たい手でわたしの手をつかんだ。

「後生ですからじっとしていてくださいよ」ささやき声の音節は、わたしの良心から出たのかというほど身近で聞こえた。「ここで絶対にじっとしていて。数歩先で足を踏み外せば、それっきり六、七十フィート下に落ちてしまいますよ」

そう言われたわたしは、品のいい雷文模様を描き出す屋根の見るからにとほうもない重みを頭のすぐ上に感じながら、奈落の底をのぞいた。この石の絶壁の端に行くほど暗さが少し和らぐことからみて、わたしたちがいま立っているここは南聖堂の翼廊だろう。右へ行けば行くほど、夕空の光が明るくなっている。反対に、真向かいの北に並んだ窓のおおかたは板でふさぐか、何かに光をさえぎられたように暗い。眼をこらせば、足場が見分けられた——壁面から突き出した編み棒そっくりの木組みに、風船のようにふんわりと作業用カンヴァス布をかけてある。ふと耳にしたのは大きな昆虫の羽音のようだった。だが、じきにやんでしまう。空耳だろうか。

「おわかりでしょう」老人がわたしのすぐそばでささやく——ふたりとも手をつないで、まだ変な体勢で立っていた——「あの足場はもう何ヶ月もあのままなんです。教会の構造を調べる人がロンドンからおいでになった時に組まれまして。以来ずっとああなんです。そら！——ですが、くれぐれもご用心ください」

言うにや及ぶだ。マッチ箱を持っていないほうの手を連れの手に絡ませ、全身の五感を張りつめた。それでも広い天井の下には、ごく小さなつぶやきの気配すらしない。クフ王のピラミッド内にある王の間と同じ圧倒的な静寂が、かすかな耳鳴りを耳の奥底でたてている。

どれほどの間、そこにそうしていただろうか。わずか数分が数時間に思える時があるものだ。そこへだしぬけに、なんの前触れもなく異様な振動がひっきりなしに伝わってきた。なんとも呼びようのない音だ。遠くで巨大な石臼を回しているのか、それとも——はっきりした振動なしでプロペラが回っているか、巨大独楽がうなりを上げて回っているのかというような音だった。

あんな齢でも、連れはわたしに負けず劣らず耳がいいらしい。わたしが振動を聞きつけるより十秒は早く、握った手に力をこめてきた。いっそう身を寄せてきて、「あれが見えますか？」

いくら目を凝らしても、何も見えない。そもそもさっき聞いたと思った音からして幻聴だったのかもしれない。ある種の状況では――おそらく目もだが――耳ほど当てにならないものはない。実際より音を大きくしたりゆがめたり、ないはずの音まででっち上げかねないのだ。わたしが気づいたとたんにあの低いうなりはやんだ。そこで、足場にかかった薄汚れた大判のカンヴァス布が――まるで用心深い巨人の手でそうっと引っぱられたようにさざ波だったようだったが、定かではない。はっきりと確かめる暇がなかったのだ。老人はあわてて、さっき入ってきた壁の入口にわたしを引き入れ、時を置かずにしりぞいて、前に一休みしたと話したあの細い狭間のところまで戻ってきて、よどみがやや少ない空気のおかげで元気を取り戻した。しばらくそこに立って一息入れる。

「それで、いかがでした？」さっきと変わらないいくぐもった一本調子で、とうとうそう尋ねてきた。

「おひとりで、ここを通られることは？」わたしがささやき返す。

「ええ、そりゃあ、ありますとも。帰りがけにはいつも、最後に寄ることにしてますから――最初に来るのもたいていわたしですが、いつもならこの時間にはもう帰っておりますから」

長方形の窓の闇を背にした薄暗い横顔を、わたしは間近で眺めた。「なかなか自分の感覚を信じきれないですが、これまで実際に何かに出くわしたことはありますか――すぐ間近で？」

「わたしのほうはずっと気を張っていますよ。向こうのほうで、わざわざ手を出すほどの大物じゃないと思っているんじゃないでしょうか――あちらに言わせれば、後回しにしていい小物ですよ」

「ですが、会ったことはある？」――くぐもった声でやりとりしていると、まるで他ならぬ自分が、オール・ハロウズの地霊の幻と話しているみたいだった。こんなふうに盗み聞きしているみたいに五感を張りつめ、わずかに息を詰めて、今にも心臓が止まりそうだった。「ですが、会ったことはあるんですね？」

「まあね、まさにこの回廊でしたよ。危うく捕まるところでした。でも、運よくこの少し先に壁龕がありまして――六世紀創建という改築前の聖堂から持ってきた彫像の破片とか柱頭石や石像の頭部や手などの収蔵庫でしてね。嫌な予感がしたので、なんとか飛びこんで隠れました。でも危機一髪でしたよ。白状しますとね、もう怖くて怖くてずっと背を向けていました」

「つまり、気配だけで姿を見たわけではないと？――何が来たんです？」

「そうなんですよ、子どもも同然にあの壁龕の隅っこにうずくまってね。そうぞうしい金属のような音がして――でも、たぶん金属なんかじゃないと思います。猛烈な勢いで近づくと、臭い突風もろとも通り過ぎましてね。しばらくは息もできませんでした。空気がなくなってしまって」

「ほかに音は？」

「しませんでしたが、そういえば遠くで、奇妙きてれつな早口のおしゃべりみたいな音がしましたね。呼びかけとかそういった感じで――人間のたてた音ではありませんでした。大気を震わす音だったんですから。まあ、わたしなんかは取るに足りない小物で、通行の邪魔になるだけですから。ですが聞いた話では、悪霊でも善霊でも、人界で顕現すると恐ろしく不快なのだそうです。めったにあらわれないのは、だからだそうですよ。又聞きの受け売りですから、このへんにしておきますが。

「いまの話は冬の初め——十一月でした。海からの濃霧が谷全体にかかっていましたね。あそこの入口からまったりと入ってくる霧が、蠟燭の灯でミルクの流れのように見えました。今は蠟燭なしで回るんですよ。自慢たらしい話で、できればお目こぼし願いたいんですが、怖いとはどんなふうだったかもあらかた忘れてしまいまして。とどのつまり、人それぞれの境遇で精一杯がんばるしかありませんし、あとはここのお歴々陣が角突き合わずにうまくやってくれたら、もう言うことないんですが。どんな人生だってね（楽しみ多き若い盛りを過ぎてしまえば）、ただ過ぎていくだけでしょう……じゃあ、あなたも何か聞こえたとおっしゃるんですね？」

訥々と穏やかな一本調子がそこでとぎれ、ふたりとも耳をすましました。だが、古い教会はもれなく独自の声や気配を備えている。これと特定できるような物音は聞こえなかったかわりに、何かが絶えずこすれ合うような気配がかすかに伝わってきた。まるで（過敏になった神経には）この上なくどっしりと鎮座した石が、重さや圧を微妙に変えながら積んであるのを、この世の物質として知覚できそうな感じだった。言ってしまえば想像を絶する速さで自転し、時という暴君に翻弄されるこの世の物質として。

「いいえ、何も」わたしは答えた。「ですが、あなたの言い分を疑うわけではないので、どうぞ悪しからず。もちろん信じますとも。そら、わたしはよそ者でしょう。だから〝場〟の影響をいくぶん受けづらいんでしょうね。あなたもここでは援助がないんでしたっけ？」

「ないですね、今のところは。ですが、このあたりは最盛期でも人が少なくて金のない土地柄でね。何によらず多額の出費は出せません。いくら図々しい人でも、広く喜捨を乞えとは言いだせないぐらいですよ。不思議なんですがね、新聞というのは、手に入れたものを何でもお笑いぐさや見かけ倒しのハリボテに変えてしまうでしょう。それにしても、どうしてあんなに好き勝手にふるまえるんでしょうか？ 指針となる信念もなく、人としての良識があれば口にしてはいけないこと以外は口をぬぐって知らん顔でしょう。まあでも、わたしがとやかく言う筋合いでもないですしね。さてと」と、やれやれというように溜息をもらして続けた。「ご休息が十分おすみでしたら、そろそろ屋上に出てみませんか？ そこが巡回の終点です――職務上はいちおう塔の見回りもあるのですが、もうこの齢ですから――むきだしの梁（はり）の上を昇っていくのはちょっとね。はしごも前ほどは頼りになりませんし」

いくらも行かないうちに木の階段を上がりきり、老人が頑丈な低い鉄扉を開けてくれた。かけがねはかけてあったが閂は外してあり、出てすぐが鉛葺（なまりぶ）きの屋根になっていて、壮大な夜景が広がっていた。夕映えの名残が西のかたをうっすらと染め上げ、白銀のスピカ*が三日月とともに夜空の静かな入江から海原を見おろしている。低くつぶやく海の子守歌が、こんな高みの空気までを震わせていた。

そこからさらに階段があり、高さ七フィートほどの平たい屋上に出た。ふたりでそろそろと進んでゆき、また立ち止まる。今のこの位置のほぼ目の前に、未完の塔の控え壁基壇の守りを固めるあの巨大な彫像群がずらりと並んでいた。

塔はいちおう未完成で、傷みようがひどくて廃墟に近い。火災にでも遭ったような傷やしみが随所に目立ち、たまたま数年前に読んだ伝説を思い出した。何百年も昔のこと、このあたりの海岸はノル

スピカ　おとめ座のα星。秋分点の近くにある一等星。

ウェーのヴァイキングにたびたび襲われたらしい。

　どこまでも澄んで静かな夜だ。左手には、その午後に苛烈な陽ざしを避けた緑茂る円錐形の崖が見える。かそけき月を白くはじいているのはあの草地だ。右手のはるか彼方に、巨大な黒い鏡となった大西洋が冷たく敷き延べられている。うんと沖合いの燈台船だけが燐光を放つ細い指を立てて、ひそやかな合図を送っていた。

　手を伸ばせば、宇宙の深淵にふりまかれた銀河の星屑に触れるようだ。われわれ人間ふたりをこうして背に乗せた石の怪物(レヴィアタン)を身近に感じ、ここで思い思いの姿をした巨像群に比べてわが身が小人のように思え、そうしたものたちに想像力をいたくかきたてられた。それに事実か純然たる妄想かはさておき、大聖堂が未知の危険な存在に脅かされているというあの聖堂番の話には神経をとがらせていた。疲れた足はすぐ下の鉛と区別がつかないほど重いのに、強い電流が全身を通ったように手先までびりびりしている。

　用心深く左右を確かめながら数歩先を行く老人のあとを埋めるように、そっと移動する。老人はたった一度だけあわててわたしを引き留めると——二歩離れた——ある彫像をたっぷり一分ほどにらみつけた。その時点では星空を背にした黒い影絵と化しており、わたしがじっと見ていると、風にさらされた台座の上でおぼろな光を頼りにうごめくように見え、十分に恐ろしかった。

　だが、そんなことは起きなかった。「異状なし!」と老人が無言の手ぶりで知らせてくれ、一緒に進んで行った。ゆっくりと、用心しながら。あの彫像のそばを通りがけに見ると、右手を伸ばして弓を引きしぼっており、頭には風雨ですり減った石の高い宝冠をかぶっていると気づけるぐらい、ゆっくりした歩みだった。どれもこれも一様に凍りついたような姿だ。ようやく塔を一巡し終えて出発点に戻り、冴えた夕闇の中で共犯者同士のように見合っていた。もしかしたら、わたしの顔にかすかな不信の表情が出ていたのかもしれない。

「今夜は」老人がぼそぼそと、「何もないだろうと思っておりました。いつになく静かな晩です。それにはさっきから気づいておりましたので。こんな静かな晩には、向こうもこちらをそっとしておいてくれるようです。いったんまた中に入って、引き揚げにかかりましょうか」

その時になるまで、わたしはその晩の宿や食事の算段をまるっきりしておらず、腹ぺこで死にそうだという自覚すらなかった。だからといって、暗く狭い聖堂の迷路にまた手探りで逆戻りするのはいかにもゾッとしない。そこへいくと、ここの広い屋上には逃げ場ぐらいあるし、隠れがになりそうな壁龕もいくつかある。ちょっとした時間稼ぎにこう尋ねてみた。この村に泊めてくれそうな家を探すのはかなり難しいでしょうか。すると老人は期待通りに、自分のうちへお泊まりなさいと言ってくれた。

いちおう礼は述べたものの、ついていく踏ん切りはまだつかなかった。まさにその時になって、黄昏と闇の妙な作用で、つい一瞬前に自分の目が欺(あざむ)かれたのかを突き止めにかかっていたからだ——スパニエル犬とおぼしき小動物か何かが、手近な控え壁の陰にするっと隠れた。でも、どうやら目の迷いに過ぎなかったらしい。そいつの正体がなんであれ、吠えたりは全然しなかった。動く気配ももうないし、老人はなにごともなかったような顔をしていた。

「さっきおっしゃったじゃないですか」と、老人に詰め寄る。「ここの修繕——修復——調査で、専門家たちさえも判明した調査結果に首をひねっていたと。実際にはなんと言ったのですか？」

「言った、ですか！」こんな高い場所では、わたしたちの声など、真昼の牧場でバッタが鳴く声さながらにちっぽけで取るに足らない。「今、そうしてもたれていらっしゃる手すりをよくごらんなさい。ほら、そこが腐蝕して——鉛に溝状の痕がついておりましょう。どれもこれも自然な風化と損傷ですよ——雨風や雪霜といった自然が休みなく働いたというだけです。それこそ種もしかけもない自然の摂理ですよ。ところが、恐縮ですが今度はそちらと、この聖マルコ像を見比べていただけますかな。よろしいですか、ここの彫像はいわば教会の一部として作られ、お城でいうと歩哨の役割を果たしていますーーまあ、そういったものの象徴としてね」

大きな灰色の石像のすぐ足下にかがみこんだわたしは、台座から六インチのあたりに目を近づけた。すると月の光のいたずらか、風蝕の痕はきれいに消えていた。それどころか。石の台座には口を開けたワニの醜怪な浮き彫りで飾られていた——しかも双頭のワニだ。ナイフでチーズを切るようにやすやすと鋭く、でこぼこしたワニの体つきやうねり具合が鮮やかに彫られている。わたしは後ずさった。

「今度は見上げてごらんなさい。あれが聖人らしいたたずまいでしょうか？」

彫像がかかげた手に、鷲とおぼしき鳥が止まっているが——やけにハゲワシそっくりだ。その鳥より低い位置で、彫像がさも不服そうに頭をそびやかし——不自然にとがった耳が目立つ。骨ばった右腕の人さし指を立てて嘲笑うように前に突き出し、石の目で星空をにらみつけていた。全身で陰険な敵意と脅しを放っている。脇によけたわたしの頬を、ほんのりと温かいミルクのような海風がなでていった。

「そうなんですよ。他にも似たような像が二、三体ありましてね」わたしの様子を見守りながら、老人が述べた。「神とは違うものの意図でしょうな」

ここでわたしの昂（たかぶ）った神経は限界に達した。こんな持って回った嫌味な話し方をしやがって！ 危うくぶち切れる寸前だった。「何をおっしゃりたいのか全然わかりませんよ」そこまで張りつめた静寂の中で、自分でも驚くほど甲高い声になってしまった。「壊すためにわざわざ修繕するわけないじゃないですか」

老人は動じなかった。「ほほう、そうですか？ そうおっしゃる？ なぜでしょうか？ この世の変化には二通りありませんかな？ 創造と破壊というね？ 悪に力としぶとさを与えるか悪しき目的をめざすなら、そういうやり方もむだではありませんよ、それが狙いならね。人間の心や魂だってそうではありませんか？ なるほどここは人里離れた片田舎ですが、敵は辺境の要塞にこそ出没するのではありませんか？ 大聖堂のような不滅のものを、さらにひどく破壊するために修復しても不思議はありません。内なる信仰と生命が崩れ落ちようかという時に、百人の声で騒ぎたてたところで何にもなりませんよ」

その混乱したたとえを聞くうちに、なぜだかまた落ち着いてきた。どうやら、このご老体のおつむはちょっとイカれているらしい。無理からぬこととはいえ、とんでもない幻覚にやられてしまったものだ。

「なのに、あなたは当然のことだと思っているんですね」わたしは反論した。「あなたの言い分が本当だとすれば、よそ者はなんの助けにもならないでしょう。はばかりながら――大昔の名残を訪ねていく以外は何年も教会に出入りしないような、ただのお客さんではものの役に立ちませんよ」

老人は震える手でわたしの袖にすがった。バカバカしいにもほどがある――罪人用の臼の間抜け版といった格好で、靴を自分の首にかけていたなんて！

「後生ですから、どうか」と懇願する。「もう少しだけ辛抱してやってください。なにも説教しようというんじゃないんです。教会に通わなければ信者じゃないなどと、あてこする気も毛頭ございません。いずれは神のお裁きがあるんです。たぶん――公平を期するなら――いちばん恐ろしいのは教会内部の人々ではないでしょうか。ですから、そこはこの年寄りを信じてください。おかげさまで、なんとお礼を申し上げていいのか。こうして積もる話を聞いていただけて、気がせいせいしました。オール・ハロウズはこの世のわたしの故郷ですし――ですが、この辺でやめておきましょう。ここにおいでくださるだけで――これ以上ないほど助けになってくださいましたよ。他にそんな方はおられません！」

まさにそのとたん、建物の中から鈍い音がごろごろと大きく鳴り響いた――まるで大岩か特大の石材が、建物からズレるか落ちるかしたみたいだ。石同士がこすれ合い、神経をぶった切るような独特の音だった。その刹那に足元の板石まで揺れたようだ。

老人が腕をつかむ手に力をこめた。「さ、離れずについておいでなさい」老いた声をわななかせてささやく。「すぐ出なければ。長居しすぎました」

それでも、なんとかつつがなく夜の戸外へ抜け出せた。行きにニタリと笑って出迎えてくれた頭部のある西側の小扉をくぐってまた地に足をつけ、キンミズヒキやフェンネルやドクニンジンの花々に縁取られ、すぐ足もとの薄闇にシャゼンムラサキやツノゲシが咲く砂地の坂を上がっていく。砂地の坂のいただきで振り向くと、おぼろにかすむオール・ハロウズの偉容が下のくぼ地に広がり、岩がちな荒磯に突き出た太古の自然石碑そっくりでありながら、人間味と人嫌いを併せ持つ不思議な印象をまとっていた。

戸外の空気は、ほのかに香るハリエニシダやシダやヒースを浸したミルク風呂のようにまろやかだった。静けさをみだりに破るものはなく、潮騒が深い吐息をもらすばかりだ。ただし、はるかな水平線では夏の稲妻がものうくひらめき――惑星間の信号のように夜空にまたたいては――消えうせる。はるか下の北側翼廊の窓に何度も何度もかすかな光が奔ったように見えたのは、その稲妻のせいと、もしかしたら古ぼけたガラス窓に反射するはかない月光のせいかもしれない。だが、想像力は欺かれやすい。この老人の話が耳に残っていたおかげで、わたしにはただのガラス反射ではなく、大聖堂の内から発する閃光に見えた。

一緒に足を止めたのは、小ぢんまりした正方形のひなびた庭の門だった。門のかたわらに茂ったフューシャが花を咲かせている。「あらかじめお断わりしておいても構いませんか。わたしは職場の悩みや苦労を家に持ち込まないようにしております。うちの娘はつい先ごろに連れ合いを亡くしましてね、ですからなるべく朗らかな顔で娘の気を引き立てるようにしております。ですが、たまに思う時もありますよ。その――個人的犠牲を課されない人がいるとすれば、そうした犠牲をいちばん心がけている人たちではないかとね。わたしだって、オール・ハロウズのお役に立つという確信があれば、進んで身を捧げますよ。なんともありませんよ、そんな――」そのあとは尻切れとんぼになってしまった。

その晩の寝る前に、老人は忍び足でわたしを連れていって孫息子を見せてくれた。ベビーベッドにかがみこむわたしを、老人の娘がじっと見守る——母というものが未知の人間を迎えた時にもれなく見せる、小鳥にも似た不安感を顔に浮かべて。

幼子は、ありえないほど色白で可愛い子だった。上掛けをはねのけて寝ている——この世の罪なき身に覆いや防御は無用といわんばかりに——寝汗の露を口もとや頬や額に浮かべてすやすや寝ていた。呼吸はとても静かで、肩や細い胸の動きなど少しも感じられなかった。

「可愛いですねえ!」わたしはそっと言うと、飽かず赤子に見入った。「この子は今、どんな世界にいるのかな?」子どもの母は眠い顔を幸せそうにほころばせ、そっと息をついた。

はるか遠くから、海風の長いささやきが初めて届いた。わたしの時計では十一時だ。長く暑い一日のあとで、嵐が内陸に流れ込んでいるようだ。だが、どうやらオール・ハロウズは時計を巻き忘れたらしかった。

〝彼のもの来りてのち去るべし〟

H・R・ウェイクフィールド

渦巻栗 訳

"He Cometh and He Passeth By!"

H.R. Wakefield

エドワード・ベラミーは、自分の席につき、恐ろしい量の書類を束ねる平ひもをほどくと、あくびをして窓の外を見た。

まばゆい夕日が差していて、リンカーン法曹院にある、ストーン・ビルディングからの眺めは、実に心休まる、和やかなものだった。真下では、芝刈り機が「ぽっぽっ」という穏やかな音を立てながら、ロンドンでも随一の芝草を刈っていた。キングスウェイ*やホルボーン*のくぐもったつぶやきが、これまた穏やかに漂っている。眠たげな鳩が一羽、正面の木で頭を掻いたり、羽の毛づくろいをしている。ほかにも二羽いて、一羽は貞淑なふりをして逃げており、もう片方は粘り強く追いかけながら、緑の芝生を気取って歩いていた。「おかしな求愛の儀式だな」とベラミーは思った。「まあ、見たところは楽しんでいるようだが。少なくとも、仕事で摘要書を読まされている私よりは楽しいだろうよ！」

このぼせあがった鳥たちがベラミー氏に視線を返したとしたら、意志が固くて信頼できそうな目が、特徴はなくとも意志が固そうな顔のなかできわだっているのを見ただろう――その顔は、思いやりがあり、誠実で、明敏な精神を持っているという覆しようのない印象を抱かせる。女性のことで小じわが刻まれたこともなければ、想像力を酷使してできる、深くなる一方のしわも見られない。

三十九歳の誕生日を迎えるころには、刑事裁判の業界で、最も気鋭の下級法廷弁護士という、押しも押されもされぬ地位にのぼりつめていたが、これはいささか派手にすぎる表現だろう。揺るぎない品格、一点の曇りもない良識、完璧な健康と疲れを知らぬ勤勉さが合わさった人物こそ、エドワード・ベラミーだったからだ。謙虚な人柄なので、自分が出世できたのは、すべて「完璧な健康」のおかげだとしていたが、その見解に挑むのは、王立裁判所という、議論が渦巻く暗い窖（あなぐら）で多くの時間を過ごしている者でも、おいそれとはできなかった。しかも、彼はここ十四日のうち、八日をそこで過ごしていた。だが、その結果は目覚ましい勝利だった。刑事控訴院は、ジェイムズ・ストックの動機に関して彼の見解をとり、縛り首ではなく、十年の懲役刑を宣告した。彼は疲れきっていたが——今度はとんでもない量の書類の束ときた！　どうにか心を決めて、膠着点に取り組もうとした途端、電話のベルが鳴った。

大儀そうに受話器を取りあげると、彼の顔が明るくなった。

「懐かしい声だな。元気かね、フィリップ？　なにかあったのか？　うん、いまは手すきだよ。そりゃあ最高だ。八時にブルックスの店か。了解した」

では、フィリップには忘れられていなかったのか。彼は疑問を抱きはじめていたところだった。と

キングスウェイ　ロンドン中心部を南北に走る道路。
ホルボーン　またはホーバン。キングスウェイが通る街区。王立裁判所があり、法律事務所が集まっている。

りとめもなく過去をふりかえり、フラントンとの奇妙な友情を回想した。それがはじまったのは、大学での最初の学期の最初の朝で、ふたりとも中庭を落ち着きなく歩きまわっていた。つきあいがはじまったこと自体、予想だにせぬ出来事だった。うわべだけみると、ふたりに共通するところはなにもなかったからだ。フィリップは、イートン校で最強の打者であり、華やかすぎるくらいだった。その魅力たっぷりの人柄に抗える者などほとんどおらず、莫大な財産の相続人でもあった。片や彼は、無名のグラマースクール出身の野暮ったい男であり、将来は己の学識だけを頼って、危なっかしい人生を送るしかなかった。気が利かず、内気で、愛想も悪かった。ふつうなら、卒業したのちに、別々の世界に入っただろう。経済面の事情だけでも、オックスフォードにおけるふたりの学生生活は、容赦なく分かたれていたはずだ。ふたりの共通点といったら、用務員よりも少ないほどだった。にもかかわらず、学期の間はほぼ毎日、ほとんどの時間をともに過ごした。休みになると必ず、彼はフラントン館にしばらく滞在した。ここではじめて目の当たりにしたのが、暮らしのそこかしこに覗く、細やかな優雅さだった。莫大な富に加えて、伝統を愛する心がなければ手にできないものだ。どうしてこんな仲になったのだろう？　しまいにはフィリップにそう訊いた。

「どうしてって」と彼は答えた。「きみが一級の頭脳を持っているからさ。ぼくのは二等か三等だ。昔からずっと手加減されてきたからね。きみは手加減されたことなんてほとんどない。したがって、一級の人格を備えているというわけだ。ぼくにはないものだね。きみには敬意を感じるがゆえに、恥ずかしくなってしまうんだよ、テディー。だからこそ、いつも後塵を拝しているのさ。きみへの信頼感は唯一無二だ。ぼくより優れている上に、ぼくにないものを持っているのだからね。とにかく、済んだことなんだから、気にしなくていいじゃないか。こういうのは、分析するとだいたいだめになる。リハーサルをやりすぎるようなものだよ」

その後、第一次世界大戦が起きた――そして、文明の防衛にあたっても、社会における地位の微妙な違いが表れた。

フィリップは、騎兵連隊に配属された（どれほど頭をしぼってもベラミーには理解できなかったが、イングランドの上流階級は、馬に特別な役割を与えるのだ）。彼自身は戦列歩兵連隊に入隊した。生まれもっての良識と、仕事を完遂する、疲れ知らずの能力のおかげで、少佐まで昇進し、殊功勲章と階級章、戦傷章という名の添え木を授与された。フィリップはメソポタミアへ向かったが、毒ガス弾のせいで傷病兵として送還された。右の肺がひどく侵されていたため、一九一七年から一九二四年まで、アリゾナの農場で過ごした。

ふたりはたまに手紙をやり取りしていた――その時代らしく、慌てて書きなぐった、ふまじめで、死の影の差す手紙だったが、友情はどこか薄れてかすんでいき、しまいには戦前とほとんど変わらなくなった。そのため、フィリップがイングランドに帰国したという思いがけぬ知らせが入ってきたときに、おざなりで元気がない手紙しか届かなくても、ベラミーはかすかにがっかりしただけだった。

だが、電話越しの声には、昔と変わらぬ真心と優しさがこもっていた――いや、それだけではない――あまり耳にしたくないなにかも感じられた。

約束の時間に、彼はセント・ジェイムズ・ストリートに到着した。少し遅れて、フィリップもやってきた。

「やあ、テディー」と言った。「なにを考えているかはわかるよ。ぼくだって、自分が愚か者で、腐りきったやつだったのは自覚している。あんなことをしたんだからな。ただ、ちょっと事情があるんだ」

ベラミーはたちまち、フィリップといっしょにいられてうれしいという、あの突拍子もない感情に圧倒された。ちっぽけな憤怒は引き裂かれて、散りぢりになった。にもかかわらず、彼は気取られぬように、しげしげと友人を眺めた。疲れていて、老けたように見える——無理をして取り繕っているのか——どうやら深刻な話らしい。

「なあ、フィリップ」と言った。「事情を話す必要なんてないよ。会うのは八年ぶりじゃないか」

「とりあえず、なにか注文しよう」フィリップが言った。「きみはお好きなものをどうぞ。ぼくはあまり食べたくないから、飲み物だけでいい」ベラミーには手ごろな軽食を選び、自分は蟹とアスパラガスのソース和えを頼んだ。だが、十秒で二杯のマティーニを飲み干した上に、この二杯は——ベラミーにはわかった——五時半を過ぎてからはじめて注文した酒ではなかった（どうもおかしい）。

しばらくは落ち着かなさげに、手あかのついた思い出話を蒸し返していた。突然、フィリップが本心を漏らした。「これ以上はがまんできない。きみは昔から、ぼくにとってただひとりの、絶対に頼りにできる友人だ。だから、助けてくれるだろう？」

「おいおい、フィリップ」ベラミーは言った。心を動かされていた。「私はこれまでも、そしてこれからも、きみの頼みとあらば、いつでもなんでもやるつもりだよ——当たり前じゃないか」

「そうか、それならわけを話そう。そもそもだが、オスカー・クリントンという男を聞いたことはあるか」

「なんとなく知っているような名前だね。九十年代と関係があるんじゃないか。よろこびと薔薇、アブサンと気取り屋、そしてもうひとりのオスカー*の時代。おそらく、担当した裁判で、彼の名前にひょっこり出くわしたんだな。私見だが、彼はクロだった」

「まさにその男だ」フィリップが言った。「三か月の間、フラントン館に滞在していたんだよ」

「ほう」ベラミーはすかさず言った。「どうだった?」

「そうだな、テディー。肺を病むと、精神にも影響が出てくる――いや、必ずしも悪化するわけではないし、それが真実なのもわかっているが、ぼくの精神には影響が出た。いよいよ発たねばならなくなった。アリゾナは月光にかすむ土地でね。独特の美しさがあるし、荒涼として古々しいのだが、いいくらいだと思う。とにかく、あのいくが昔から懐疑的なのは知っての通りだ。堅物といってもいいくらいだと思う。とにかく、あのいしえのさびれた土地のせいで、肺に侵された精神がはたらきだした。いつも空ばかり見つめていたよ。片方の肺がふたつ分の役目をこなそうとしていて、しかもうまくいっていないとなると、時空や永遠といった広漠たる謎に直面せざるをえないんだ」

エドワードにも、フィリップが極限の緊張にさらされて暮らしていたのだと理解できたが、ある程度は静めてやれると感じた。この場では自分が優位に立っていると思ったので、このまま優位を保とうと心を決めた。

「まあ、そんなわけで」フィリップは話をつづけて、グラスを満たした。「イングランドに帰国したと

もうひとりのオスカー 詩人、作家オスカー・ワイルド(一八五四―一九〇〇)のことか。

きは、気が狂いそうなほどびくびくしていて、しゃべったり考えたりできなかった。自分がどうかしていて、不潔に思えたんだ——精神的な意味でね。頭がおかしくなりかけているのを感じたし、知り合いに見られるのは耐えがたかった——だからこそ、愚かなことだが、きみに会いに行かなかったんだ。これで恨みが晴れただろう。とても口では言えないがね、テディー、すさまじい憂鬱が荒れ狂っていたんだよ。ぼくは死のうと決心したが、そうしたらどんなところに行くのか、知りたくてたまらなくなった。そこでクリントンに出会ったんだ。ある日、ほんの思いつきでロンドンに向かい、騒音と雑踏というばかげた鎮静剤を服用しようとした。いまにして思うと、程度はともかく、気分が張り詰めていたんだな。なにしろ、ソーホーにある、『コラジン』とかいうクラブに入っていったんだから。守衛に追い出されかけたが、ぼくはそいつを押しやった。すると、だれかが近づいてきて、テーブルに連れていってくれた。それがクリントンだった。

いまなら断言できるが、あの男の催眠能力はきわめて強い。彼が話しはじめた途端に、ぼくは気分が落ち着いて、自分のことをすっかりしゃべった。一時間ほどめちゃくちゃな話をしていたが、彼の対応は実に巧みだったし、細やかに気を遣ってくれたから、もう離れられないような気がした。彼には驚くべき洞察力があって、異常な精神を——いや、気魄というべきか——まあ、なんとでも呼べばいいが——そうしたものを把握できるんだ。あとで、彼の外見も話して聞かせるよ——あんな人間は、この世にふたりといないだろうね。

で、その結果、彼は翌日フラントン館にやってきて、そのまま滞在した。いまなら、彼の目当てが金銭だったとわかるが、そうはいっても、彼のおかげで自殺せずに済み、精神の落ち着きもかなり取りもどせた。

あれほどひとを虜にする、頭の冴えた話し相手がいようとは想像もできなかった。正体がなんであれ、彼は詩人であり、思慮深い哲学者であり、驚くほど多才で碩学だった。しかも、その気になれば、魅力あふれる物腰で、心を奪うことだってできる。少なくとも、ぼくの場合はそうだった——しばらくの間はね——もっとも、彼は週に二十ポンド以上もぼくから借金していたのだが。

そんなある日、執事がやってきた。この手の打ち明け話につきものの、押し殺した激しいささやき声で告げたところによると、ふたりのメイドが身ごもっており、別のひとりからは、要領を得ない話を——涙に暮れながら——聞かされたという。なんでも、クリントンが何度か、部屋に押し入ろうとしたらしいんだ。

まあ、なんだな、テディー、事情が事情なんだが、そうした行動は正当化できないと思った。もてなしてくれている一家の田舎娘を三人も手玉に取るなんて、卑劣で許しがたい暴挙じゃないか。

他人の道徳はだいたい他人の問題だが、こうした健気な犠牲者たちに対して、ぼくにはひとりの人間として責任があった——まあ、どう感じていたかはわかってもらえるだろう。

クリントンとは話をしなければならなかったから、夜になってからそうした。あの男が恥じ入るところは、だれも見たことがない。見下すように、横柄なほほえみを浮かべて、立場はよくわかると言った。ぼくを縛っている考えは、封建時代じみているし、社会的にみても原始的だというんだ。要するに、ぼくがこの一件で気にかけているのは、初夜権を侵害されたことだと言っていたのさ。彼の考えによれば、特異な才能をできるかぎり広く播種することは義務だから、そうした人間の子を産めるのはこの上ない栄誉とみなすべきだという。あの男が知っているかぎり、七十四人の子どもが生きているが、おそらくもっとたくさんいるのだろう——多ければ多いほど、人類の未来にとっては望ましいというんだ。とはいえ、もちろん、今後については理解の上で約束してもらったよ——ぼくの権利と偏見を受け入れて——桃色と純白の牧草地を耕すとかなんとか——そういったことは、こちらにゆだねるようにしてもらった。

まだ彼の支配下にあったが、こうしたもっともらしい話からは、論理よりも情欲を感じた。そんなわけで、翌日、ぼくは用事をつくって、ロンドンへ向かった。屋敷を出るついでに手紙を受け取ったので、行きの車中で目を通した。一通は、いつもの仕立て屋から届いた、三ページの類別目録だった。ぼくにはめかしこむ趣味などないし、やたらと大げさに思えたから、仕立て屋を訪ねてみた。いや、参ったことに、クリントンはぼくになりすまして手紙を書き、ぼくの金で服を注文していたんだ。おかげで、豪勢な衣装ができあがっていたよ。

そこでふとひらめいて銀行に行ったら、ここ三か月で、クリントンにどれくらい貸していたのか、正確な金額がわかった。四百二十ポンドだ。こうしていろいろなことが判明し——積もり積もって——クリントンとの関係を見直さざるをえなくなった。突然、縁を切ったほうがいいと感じた。ぼくはたしかに中世じみていて、頭が鈍く、不当でけしからぬ出生があった家の主かもしれないが、深遠な謎を探求し、考察しているからといって、一個人として考えうるかぎり最低の節度しか持ち合わせていないことにはならないと思った。つまり、目が覚めたんだ。

それでもなお、クリントンほど驚くべき人物には会ったことがないと感じていた。いまでもそうだが――こうした魔術の大立者を相手にするのは、手に余ると思った。

　屋敷にもどると、彼にそう告げた。彼は実にもの柔らかで優しく、思いやりをもって、憐れみ深く接してくれた。翌朝には出ていったが、その前に、呪文かなにかを唱えながら、ぼくの額に触れた。彼がいなくなったら、すごく寂しくなった。あの男は悪魔だと思うが、そういう人間なんだよ。

　彼の子どもを産む母親たちを安心させようと思って、くびにしたりはしないし、人口の増加に寄与したとしても、責任はぼくが持つと請け合うと――遺言補足書にそういう記載があるんだ――かなり元気を出してくれた。彼女たちが仕事に励んでいると、いささかしつこいくらいに、フロス・ブロワーズ[*]賛歌の一節が聞こえてきたよ。いや、それどころか、恥ずべき印象だが、かの汚れなき三人目にしても、身を任せた結果が事前にわかっていたら、あんな風に涙を流して貞淑なところを見せたりはしなかっただろう。やがて、ふたりの男児が生まれ、ファルセットの声で哀歌に加わった――近所の者たちは敬意を表して、赤ん坊がこの世に現れた原因をぼくに帰した。この悪童どもは、邪(よこしま)で射抜くような目をしているんだ。連中が思春期を迎えて、サリー東部の出生数が目覚ましいほど――それも魔法のように――増えたとしても、意外には思わないね。

　ああ、きみに聞いてもらえて本当にうれしいよ、テディー。胸の内をすっかり吐き出せるなんてね。なんだか心が軽くなってきた。みじめな老いぼれの脳みそを掻き出したような気分だ。いまなら正面

フロス・ブロワーズ　一九二〇年代後半に設立された慈善団体。会員が楽しみながら社会貢献することを目指す。団体名の由来は「ビールの泡（フロス）を噴き飛ばす者（ブロワー）」。

切って対決できるかもしれない。

　それはそうと、その翌月、まどろんでは本を読み、またまどろんでは本を読んでいるうちに、やっと両肺運転にもどったのが感じられた。何度かきみに手紙を書きかけたんだが、ひどくけだるいくせに、よくなっているのはまちがいなかったから、なにもかも先延ばしにしてしまったんだ。ぼくはあおむけになって、よろこばしい治癒作用が、優しく静かにはたらくのに任せていれば満足だった。

　そんなある日、友人のメルローズから手紙が届いた。ぼくらが卒業したときに、学部にいたやつだよ。彼は『いにしえの謎』という晩餐クラブの幹事でね、ぼくは戦前に加わった。月に一度集まって、過去の有名な謎について議論するんだ――〈メアリー・セレスト〉号*とか、マクラクラン事件*とかね――みんな真剣ではないけど、学者並みに熱心だよ。いや、重要なのはそこじゃない。なんでも、メルローズの話では、クリントンが会員になりたいそうで、ぼくの友人だといって圧力をかけてきたらしい。メルローズはいささか動揺した。クリントンについて、うっすらとうわさを聞いていたからだ。クラブの会員として受け入れられるだろうか？

　さて、なんと言ってやればいいのか。メダルの一面には、彼がわが家を種馬飼育場として使い、ぼくの名前を騙(かた)った上に、厚かましくもたかってきたという事実がある。その反面、彼は天才であり、いにしえの謎に関する知識では、世界中が束になっても勝てない。だが、ぼくはすぐに心を決めた。彼を推薦するわけにはいかない。一週間後、一通の手紙が届いた。もの柔らかな、思いやりのこもった手紙で、差出人はクリントンだった。きみの立場は理解している、と彼は書いていた。義務があるゆえ、〈いにしえの謎〉の幹事に、あのような助言をしなければならなかったのだろう――それも友人に会わせるにはふさわしくないと判断したからだ。当然ながら失望しているがね、などなど。

悪魔じゃあるまいし、どうやって知ったのかと、ぼくは首を傾げた――拒んだことだけでなく、拒んだ理由そのものまで知っているとは！

そこでメルローズに尋ねてみた。彼の話によると、この問題はだれにも話していないが、クリントンの名前は入会候補者のリストからこっそり削除したという。この上なく賢明な措置だが、クリントンのほうが遥かに上手(うわて)だったのだ！

一週間後、彼からまた手紙が届いて、一か月間、イングランドを離れると言ってきた。手紙には、おかしなちっちゃい型紙のようなものが同封されていた。はさみで切りぬいた紙細工らしく、なにかの絵が描きこんであった。これがまたいやな代物(しろもの)でね、こんな風だった」

彼はテーブルクロスに手早くスケッチを描いた。

たしかに不愉快だな、とベラミーは思った。見たところは、身をかがめている人物のようで、追いかける姿勢を取っている。まとっているローブは、頭の上で跳ねあげられて、膨れあがっているかの

〈メアリー・セレスト〉号　一八七二年、ポルトガル沖で無人のまま漂流しているのが発見された帆船。乗客乗員の失踪の謎はいまだ解決されていない。

マクラクラン事件　一八六二年七月にスコットランド、グラスゴーのサンディーフォード・プレイスで起きた殺人事件。小間使いジェシー・マクファーソンが殺害され、容疑は友人のジェシー・マクラクランにかけられた。マクラクランは無罪を主張したが死刑の判決が下された（のちに終身刑に減刑）。真相はいまだ解明されていない。

ように見える。腕は長く——あまりに長く——湾曲して尖った爪が地面をこすっている。頭部は人間らしくない。表情は、悪魔めいて禍々しい。忌まわしい、狩り立てる怪物であり、その目は血のように赤く、果てしなく邪悪だ。ぎらつく動物めいた目が、いやらしく黒ずんだ顔から覗いている。それに、この長くて気色悪い腕だ——つかまれたら、いい気分はしないだろう。フィリップがこれほど絵がうまいとは知らなかった。彼は姿勢を正し、紙巻きたばこに火をつけ、戦う気力をかき集めた。ここではじめて実感できた。そうだ、フィリップは深刻な苦境に立たされているのだ！　テーブルクロスに描かれた、思いのほかいやなスケッチだけでも充分だ。いまやすべてが自分にかかっている！

「クリントンの手紙によると」フィリップは話を再開した。「これはとても強力な図像であり、神秘を研究する上で、大いに役立つはずだという。これを額にあてながら、とある一文を読みあげなければならないのだとか。そこで突然気がついたんだがね、テディー、ぼくはその通りにしていたんだ。いまでも覚えているけど、ひどく意外だったし、すごく腹が立った。なにしろ、気がついたら、この代物を頭に貼りつけて、例の一文を読みあげていたんだからね」

「どういう一文だったんだ？」ベラミーが訊いた。

「うん、それがどうもおかしくてね」フィリップが言った。「思い出せないんだ。その一文が記された紙も、型紙も、翌朝には消えていた。どちらも手帳に挟んだことは覚えているんだが、跡形もなかった。それからだよ、テディー、いままで通りにいかなくなったのは」グラスを満たしてから飲み干し、紙巻きたばこに火をつけたかと思うと、すぐ灰皿に押しつけて消し、別の一本に火をつけた。

「ありていにいうと、つきまとわれているんだ。取りつかれているとまではいかない——それだと大げさすぎる。つまり、こういうことなんだ。同じ日の夜、書斎で読書をしているうちにくたびれてしまった。十二時ごろ、寝ぼけまなこであたりを見やって気がついたんだが、書棚のひとつから、説明のつかない奇妙な影が伸びていた。まるで、なにかが書棚のうしろに隠れていて、これはそいつの影のようだった。立ちあがって、そこへ歩いていってみると、単なる書棚の影になった。角ばっている、心安らぐかたちだ。ぼくは寝ることにした。

廊下の明かりをつけると、同じ類(たぐい)の影が柱時計から伸びているのに気がついた。ぐっすり眠れたが、突然、われに返ると、ぼくは窓の外を覗いていた。門へとつづく道の並木から、あの影が伸びていた。はじめのうちは、それが何度も現れた」そう言うと、テーブルクロスのスケッチに線を引いた。「六回くらいかな。まあ、それからの話は簡単だ。夜が来るたびに、影は少しずつはっきりしていった。いまではすっかり見えるといってもいい。だしぬけに違う場所から飛び出すんだ。ゆうべは、オランダ風庭園に出入りする扉のそばの塀にいた。次はどこで目にするのか、ぼくには見当もつかない」

「どれくらいの間つづいているんだね？」ベラミーが尋ねた。

「あしたで一か月だ。きみの口調からすると、ぼくの頭がおかしいと思っているようだね。おそらくその通りなんだろう」

「いや、きみの頭は私のと同様、まともだよ。どうしてフラントン館を離れて、ロンドンに来ないんだ？」

「そうしたら、あいつがクラブの寝室の壁にいるのを目撃するだろうね。ぼくだってやってみたんだよ、テディー。だが、五十歩百歩だった。笑えると思わないか？　でも、ぼくにとっては笑えないんだ」

「いつもこれっぽっちしか食べないのか？」ベラミーが訊いた。

「きみは礼儀正しいから、『それなのに、こんなに飲むのか？』などと余計なことを言わないでいてくれたんだな。いや、これは消化不良のせいだけじゃないんだ。震顫譫妄症（しんせんせんもうしょう）の初期症状でもない。最近はあまり腹が空かないというだけさ」

ベラミーは、負けん気がむらむらと湧きあがるのを感じたが、これこそは数多の絶望的な裁判を勝ち抜いてきた秘訣だった。スコットランド高地人の祖母から受け継いだ豊かな想像力は、光景をありありと思い描けるほどだったから、ひとの精神のはたらきについて、束の間とはいえ真の理解を得ることができた。いまも、フィリップと同じ苦境に立たされていたらどう感じるか、一瞬で悟った。

「そいつの正体がなんであれ」と彼は言った。「いまは私がついているからな」

「では、信じてくれるんだね」フィリップが言った。「ときどき、自分でも信じられなくなる。晴れた日の朝に、ムクドリが鳴きかわし、バスがウォータールー・プレイス*を曲がって走ってきたりすると——あんなことなんてありえないだろう？　でも、夜になると、ありうると思い知らされるんだ」

「それじゃあ」ベラミーは一拍おいてから言った。「腰を落ち着けて、綿密に検討してみよう。クリントンから、なにかの絵が描かれた紙を受け取って以来、きみはそれと同じかたちの影を目撃している。となると、私が思うに、あの男は——きみの話にも出ていたが——尋常ならざる催眠力を持っているのだろう。彼は催眠術を研究しているのかね？」

「おそらく、忌々しいことならなんでも研究している」フィリップが言った。

「それならありうるわけだ」

「ああ」フィリップは認めた。「ありうる。ぼくは戦うつもりだよ、テディー。いまやきみは味方になってくれたが、心の病をどうにかできようか？*」

「引用なんぞ犬にくれてやればいい」ベラミーは答えた。「人間がやったことなら、別の人間の手で帳消しにできる——きみの場合だってそうさ」

「テディー」フィリップが言った。「今夜はフラントン館まで来てくれないか」

「いいとも」ベラミーが言った。「でも、なぜだ？」

「なぜって、今夜の十二時に、ぼくといっしょにいてほしいからさ。書斎の窓から覗けば、客間の窓の外にある石畳に、影が伸びるのが見えると思う」

「今夜はここに泊まったらいいじゃないか」

「決着をつけたいんだよ。ぼくがいかれているのか、それとも——来てくれるか？」

「本気で今夜のうちに館に行くつもりなら、私もつきあうよ」

「そうか。では、車を手配して、九時十五分に来てもらおう」フィリップが言った。「きみの下宿にも立ち寄ろう。そうすれば、荷造りできるし、十時半には向こうに着く」不意に、彼はきっと目をあげた。肩をすぼめて、目を細め、なにかに注意を向けている。偶然にも、このとき、ブルックス・クラ

ウォータールー・プレイス　ピカデリー・サーカスから南に延びる短い通り。

「心の病をどうにかできようか」　シェイクスピア『マクベス』第五幕第三場、マクベスのせりふ。

ブの食堂で盛んに話している者はいなかった。発電所で切り替え作業をやっているに違いない。というのも、一瞬、明かりがかげったのだ。ベラミーの印象だが、脳の奥深くで、だれかが、揺らめく邪悪なフィルムを現像しているようだった。突然、耳元で声がして、胸がむかつくほどおずおずとささやいた。「彼のもの来りてのち去るべし！」

車に乗って夜道をひた走ったが、ふたりともほとんどしゃべらなかった。フィリップはうとうとしていたし、ベラミーは考えごとで忙しかった。当座の結論だが、フィリップは狂っておらず、狂いかけているわけでもないが、平常心ではない。彼は昔から感受性が豊かで、神経が張り詰めていた。感情を刺激されると、ひどく急激に反応したし――その上、孤独に暮らしていて、なにも食べないのだから――これは最悪だろう。

それにクリントンだ。うわさによれば、邪な力をふるうというし、こうした人間が持つ、催眠術めいた影響力は、驚くほど低く評価されている。気を引きしめなければならない。

「クリントンはいつイングランドにもどるんだ？」彼は訊いた。

「予定通りなら、そろそろもどってくるよ」フィリップが眠そうに言った。

「住みかは？」

「大英博物館の近くに下宿しているが、いつもなら、六時過ぎにコラジン・クラブにいる。ラリン・ストリートにあるんだ。シャフツベリー・アヴェニュー*をはずれたところさ。おかしな会員だらけのおかしな場所だよ」

ベラミーは、そのことを心にとめた。「私がきみの知り合いってことは、先方も知っているのかね」

「いや、知らないと思う。知っているはずがない」

「いっそう都合がいいな」ベラミーが言った。

「なぜ？」

「彼の知己を得るつもりなんでね」

「気をつけるんだぞ、テディー。あいつは事実を隠す驚くべき能力を持っているが、危険な男だ。ぼくのように厄介ごとには巻きこまれてほしくない」

「用心するよ」ベラミーが言った。

十分後、ふたりはフラントン館の両開きの門を通り抜け、玄関へつづく道に入った。フィリップは、落ち着かない様子であたりに目を走らせ、楡の並木が影を投げかけているところをきっと見すえた。静まりかえった、雲ひとつない夜で、弦月が出ている。ちょうど十一時十五分前に、ふたりは屋敷に入った。二階の書斎に行くと、オランダ風庭園から大庭園までが見わたせた。フラントン館は、いかにもジョージ朝らしい屋敷で、大小さまざまな心惹かれる庭園もある。もっとも、あまりに広くてさびれているから、神経質な人間がひとりで住むのには向かないな、とベラミーは思った。

執事がサンドウィッチと酒を持ってきた。ベラミーの目には、ふたりが到着してほっとしているように映った。フィリップはむさぼるように食べはじめ、強いウイスキーを二杯飲み干した。しょっちゅう腕時計を見ていて、その目はいつも壁を探っていた。


シャフツベリー・アヴェニュー　ピカデリー・サーカスから北東に延び、大英博物館の南近くに至る通り。

「あいつはやってくるよ、テディー。明るすぎて影ができないとしてもね」

「いまのきみには」相手が答えた。「私がついている。どっしり構えるんだ。そいつがやってくるとしても、いなくなるまで私はそばを離れない。絶対にだ」どうにかフィリップの気をそらして、別の話題に持っていった。しばらくの間、彼は落ち着いたように見えたが、突然、からだをこわばらせた。目が座り、見開かれた。

「いる」と声をあげた。「ぼくにはわかるぞ！」

「しっかりしろ、フィリップ！」ベラミーが強い口調で言った。「どこにいる？」

「下だ」小声でそう言うと、そろそろと窓へ近づいていった。

ベラミーは先まわりして、下を見た。たちまちそいつが目に入り、正体を悟った。彼は歯を食いしばった。

フィリップがそばで震え、苦しそうに息をするのが聞こえた。

「あそこにいる」彼が言った。「ついに完全な姿になったんだ！」

「よし、フィリップ」ベラミーが言った。「下におりよう。私が先に行く。きっぱり決着をつけるんだ」

いっしょに階段をおりて、客間に入った。ベラミーが明かりをつけて、フランス窓へ静かに歩み寄り、留め具をはずそうとしたが、少し手こずった。

「ぼくがやろう」フィリップがそう言って、留め具に手を伸ばした。窓が開いて、彼は外に踏み出した。

「もどってこい、フィリップ！」ベラミーが叫んだ。そう口にするやいなや、明かりがかすみ、燃える空気のすさまじい突風が部屋を満たした。窓が勢いよく閉まった。ガラスの向こうで、フィリップがいきなり両腕をあげるのが見えた。ばかでかくて真っ黒ななにかが壁からゆらりと現れ、彼を包みこんだ。一瞬の間、彼はそいつをつかもうとして、もがいているように見えた。ベラミーは、気も狂わんばかりに窓を押し開けようとした。魂も懸命に戦っており、自分を押しつぶすかに思える、絶大な悪の力に立ち向かっていた。そのとき、目の前で、フィリップがすさまじい力を食らって放り出された。頭が石畳にたたきつけられ、ぐしゃりという胸の悪くなる鈍い音が聞こえた。

ようやく窓が開くと、ベラミーは外へ飛び出し、静まりかえった、芳香が漂う夜闇を走っていった。

検死審問で医師が述べたところによると、フラントン氏の死因は重篤な心臓発作とみてまちがいないという――毒ガスから回復しきれていなかったのです、と彼は言った。そうした発作はいつ起きてもおかしくなかった。

「では、本件において変わった点はないということですね」検死官が訊いた。

医師はためらった。「実はその、一点あります」と口ごもりながら言った。「フラントン氏の瞳孔ですが――陪審のみなさんにわかりやすく説明すると――円形ではなく、引き延ばされて、半月のようになっていました――たとえるなら、猫の瞳孔のようなかたちです」

「説明がつきますか？」検死官が尋ねた。

「いえ、類似の症例は見たこともありません」医師は答えた。「ですが、死因については、さきほど述べた通りだと確信しております」

ベラミーは、当然ながら証人として呼ばれたが、語ることはたいしてなかった。

こうした出来事があった翌日の午前十一時ごろ、ベラミーは執務室からコラジン・クラブに電話をかけて、支配人から、クリントン氏が帰国していることを聞き出した。少し経って、スローン地区のとある電話番号を控え、ソラン氏とユナイテッド・ユニヴァーシティ・クラブで昼食をともにする約束を取りつけた。それから、本腰を入れて、レックス対ティップウィンクル裁判における勝算を予測した。

だが、じきにそわそわしてきて、部屋を行ったり来たりした。やじってくる悪魔を祓えず、お前はフィリップを助けてやれなかったと嘲笑われた。真実ではないとはいえ、心が痛んで刺し貫かれる思いだった。だが、試合はまだはじまっていない。助けられなかったら、復讐すればいい。ここはソラン氏の意見をうかがおうではないか。

かの人物は、喫煙室で待っていた。ソラン氏は唯一無二であり、見た目もそれにふさわしい。身長は五フィート二インチしかなく——からだは小柄だが、頭は巨大で、目を引く額からは、ひと組の前頭葉が飾り鋲のようにつき出している。こうしたすべてを覆っているのが、もじゃもじゃに生い茂る白髪だ。表情が読めない、はしっこくて小さな目と、はつらつとした上向きの小さな鼻がついており、唇が薄くて、好戦的な口からは、風変わりでよく響く、かん高い声が出てくる。以上がおおざっぱな即興のスケッチだが、この人物こそは、だれもが認める、最も偉大な存命の東洋学者にして——神秘家であり——かつてはケンブリッジ大学の首席一級合格者で、ヨーロッパで名声を博した哲学者だった。偉大な好人物であり、さび猫二匹と家政婦ひとりとともに、スローン・スクエアはチェスター・テラスに住んでいる。おおよそ六年ごとに、自身の専門分野に関する大著を出版している。それ以外の時間は、だれともつきあわず、妥協を許さぬ決意とともに、本気で考察するに値すると判断したあらゆる題材を研究している。たとえば、チェスや、バッハの作品や、ファン・ゴッホの絵画、ハウスマン*の詩、P・G・ウッドハウスやオースティン・フリーマンの短篇小説などがそうだ。

彼は心からベラミーを好いていた。かつて、著作権に関する裁判で、かなりの額の損害賠償を勝ち取ってくれたからだ。賠償の請求先は、動物虐待防止協会だった。

「さて、わたしはなにをしてさしあげればよいのかな、ベラミーくん」彼はかん高い声で言った。ふたりとも席についていた。

「まず、オスカー・クリントンと呼ばれている人物について、聞いたことはおありですか？　それと、絵を描いた型紙を仇敵に送る慣習について、なにかご存じでしょうか？」

ソラン氏は、ひとつ目の質問にはかすかに笑みを浮かべたが、ふたつ目を耳にすると、笑いを引っこめた。

「うむ」と言った。「どちらも聞いたことがある。忠告させてもらうが、どちらにも関わらないほうがいい」

「残念ですが」ベラミーは答えた。「もう両方と関わっているのです。おととい の夜、私の大親友が亡

ハウスマン　イギリスの詩人・古典学者アルフレッド・エドワード・ハウスマン（一八五九―一九三六）。

くなりました——いささか突然すぎる死でした。どのように亡くなったかは、おいおいお話しします。ですが、まずはクリントンのことを教えていただけませんか」

「彼についてほとんど知らないのも無理はない」ソラン氏は答えた。「この世で最も危険であり、最も知力に優れた人間だが、近ごろはすっかり表舞台に出てこなくなったからな。九十年代の〈悪童〉どものことは盛んに書きたてられたが、大半は自分の身を滅ぼしただけだった——仲間内で恥ずべき行いを賛美していたにすぎない。だが、クリントンはずば抜けていた。かつての彼は——いまもきっとそうだが——ひとを堕落させることにかけては、手練れだった。心を躍らせて己の道楽に励んでいたし、いまもきっとそうだろう。しまいに、彼はイングランドを離れた——要求されたのさ——そして、東洋へ向かった。チベットの僧院で何年か過ごし、その後の数年は、いっそういかがわしい場所にいた——彼の経歴は、書斎の綴じこみ帳になにからなにまで細かく記載してある——そこで、真に強大な精神を集中させて、わたしがおおまかに魔術と呼ぶものに取り組んだ——というのも、わたしがおおまかに魔術と呼ぶものはだな、ベラミーくん、まちがいなく実在しているからだ。クリントンには高度な霊感があり、生まれつきの強い催眠力も持っている。それから、秘術を扱う、無名の教団に入信した——悪魔崇拝者の集まりだ——しまいには、高僧にまでのぼりつめた。その後、われわれが文明と呼ぶところに帰ってきて、以降は、多くの国の政府当局から圧力を受けて、しょっちゅう『退去』させられている。彼が得意としているのは、だまされやすくて臆病な人間——たいていは婦人——から金を巻きあげることだからね。そのやり口ときたらひどく巧妙で、彼にしかできないものだよ。彼の誇りは、復讐を必ず成し遂げてきたことだ。あの男は滅ぼされるべきだが、それにはカリフォルニアの森に広がる野火に立ち向かうように、冷酷であらねばならない。

さて、以上が、オスカー・クリントンの手短でおおまかな素描だ。お次は型紙だが」

二時間後、ベラミーは、暇を告げようと腰をあげた。「彼の本ならたっぷり貸してあげるよ」ソラン氏が言った。「ほかはライリーの店で手に入る。毎週水曜と金曜の四時から六時は、わたしのところにいらっしゃい。そうすれば、必要不可欠だと思われることをみな伝授してさしあげよう。その間はあの男を見張っておくがね、ベラミーくん、ふさわしい力を身につけるまでは、思い切った行動に出ないでくれよ。早まったせいで、法廷がきみの偉大な才能を失ったら、悔やんでも悔やみきれないからな」

「本当にありがとうございます」ベラミーは言った。「あなたの手にすべてを委ねます。私は最後までこの件から逃げないつもりです――どんな最後を迎えようとも」

プランク氏は、ベラミーに雇われている書記であり、同業のだれよりも秀でていた。しかも、この職では、性格と適応性がとりわけ厳しく試されるのだ。業界で知られる、さまざまなずるがしこいからくりを、なにからなにまで実践しており、年収は一二五〇ポンドに達した。内国歳入庁は根強い疑いを持っていたが、しっぽはつかめなかった。彼はベラミー氏を好いていた。ひととしても嫌いではなかったし、金銭面では大好きだった。それゆえ、意外には思われないだろうが、一九二二年六月十二日の午後四時、多くの地震計が激しい衝撃を記録した。こんな騒ぎが起きたのは、プランク氏のあごががっくりと落ちたからで、ベラミー氏から、この先三か月は訴訟事件を引き受けないようにと指示されたのだ。

「もっとも」紳士は話をつづけた。「ここに小切手があるから、きみも納得してくれると思う」

プランク氏は金額をよくよくたしかめ、納得した。「休暇ですか？」

「そういうわけでもないが」ベラミーは答えた。「根掘り葉掘り訊かれたら、そう説明しておいてもらえるかな」

「承知しました」

それから深夜まで、一度きりの短い休憩を除き、ベラミーは、異国めいた装幀の書物の山に没頭した。ときおり、メモ帳に走り書きをした。時計が十二時を打つと、ベッドに入って『カイ＝ルンの財布』[*]を読み、眠気を感じはじめたあたりで明かりを消した。

翌朝の八時には、再び異国風の装幀の書物に取り組んでおり、ときたまメモ帳に走り書きをした。

三週間後、ソラン氏にしばしの別れを告げると、相手は所見を口にした。「いまならやれると思う。きみは飲みこみが早い生徒だよ。弁論で鍛えられているから、もっともらしくはったりをかける力があるし、霊的な洞察力も充分だから、きっとうまくいく。さあ、勝利へ向けて出陣だ。わたしはいつでも力を貸すからね。あの男は、今夜の九時に例の場所にいる」

その時刻の十五分前、ベラミーはコラジン・クラブの守衛に頼んで、ベラミーという男が会いたがっているとクリントン氏に伝えてもらった。

二分後、係員がもどってきて、彼を下階に案内した。その先にあったのは、けばけばしい装飾が細かに施された地下室で、荒々しく、奔放に彩られていた――この作品をつくったのは、あとで知ったのだが、世間から顧みられなかった天才であり、肝硬変を顧みなかったせいで死んだのだった。彼が連れていかれたのは隅のテーブルで、そこにはひとりきりで座る者がいた。

ベラミーがオスカー・クリントンに抱いた第一印象は、死ぬまで鮮明に残っていた。相手があいさつをしようと立ちあがると、肉体面でも巨人なのがわかった――少なくとも六フィート五インチはあり、胴もたくましい――レスリングのチャンピオンのからだつきだ。てっぺんには、巨大でがっしりとした、半球型の頭がのっている。顔は白いが、しみがある。分厚い唇は引き結ばれており、下唇が異様につき出している。髪は短く刈りこまれているが、ねじって油をつけたひと房だけが額に垂れており、曲線を描いて眉に触れている。だが、なによりもベラミーの印象に残ったのは、鋭い光を宿した、射貫くように無慈悲な目だ――片目はじくじくしていて、ゆっくりと涙を流しているように見えた。

ベラミーは「気を引きしめた」――目の前にいるのは、大物だ。

「さて」そう言ったクリントンの声は、すばらしい楽の音のようで、母音を伸ばし気味に発音していた。「わたしが見たところ、ロンドン警視庁と関わりがあるお方のようだが。どんなご用かな?」

「いえ」ベラミーは答えた。無理に笑いを浮かべた。「かの立派な組織とはなんのつながりもありません」

『カイ＝ルンの財布』 イギリスの小説家アーネスト・ブラマが一九〇〇年に発表した東洋風ファンタシー。「カイ＝ルン」は主人公の名。

「邪推したのはお許し願いたい」クリントンが言った。「波乱に満ちた人生を送っていると、程度の差はあれど、品のよい警察官が前触れもなく訪ねてくることがしょっちゅうでね。となると、なんの用事かな」

「実をいうと、なにもないんです」ベラミーは言った。「ただ、ずっと前から、あなたの作品を愛読していましてね。当代最高の幻想作品だと思っております。友人がなんの気なしに話していたのですが、あなたがこのクラブに入っていったというので、いても立ってもいられず、無礼は承知ですが、一瞬だけでもいいから、ごいっしょしたいと思ったのです」

クリントンは彼に目を据えた。どこか落ち着かない様子だ。「きみは興味深い男だな」しばらくしてそう言った。「わけを話そう。わたしはいつも、とある自分だけの方法で、出会った人間が敵か味方かをはっきり見わけられる。これらのテストはきみには通用せず、ゆえに興味を覚えたのだ。いろいろと考えさせられるよ。東洋に行ったことはあるかね？」

「ありません」ベラミーは言った。

「その神秘を研究したこともないと？」

「一度もないです。請け合ってもいいですが、私はただの卑しい愛好家としてうかがったのです。もちろん、あなたに敵がいることは理解しております――偉人はみなそうです。ずば抜けているがゆえの栄光であり、罰でもある。あなたが偉人であることは存じております」

「もしかすると」クリントンが言った。「わたしの左目がいつまでも潤んでいるので、怪訝に思っているやもしれぬ。これは、昼下がりに、思いのほか多量のヘロインを打ったせいなのだ。ありとあらゆる薬物を使っているといってもいいが、虜にはされていない。わたしがヘロインを打つのは、もの思いにふけりたいときだ。ところで、ひとつ教えてくれるかな――きみは拙作の熱烈な愛好家だというが――いちばん好みに合ったのはどれかね？」

「難しい質問ですな」ベラミーは答えた。「個人的には『ダルシマー弾きの乙女』が最高でした」

クリントンは尊大な笑みを浮かべた。「あれには見るべきところもあるが」と言った。「習作だな。あれを書いたのは、十四歳のベドウィンの女とチュニスで暮らしていたときだ。ベドウィンの女には、生まれもっての才能があってね」――ここで目を剝くほど卑猥なことをしゃべり出し、それからやっと作品の話にもどった――「わたしが自作の頂点だと思うのは、『ハムドナの歌』だ。ハムドナは、いっしょにいると愉快な女で、イタリアの紳士とペルシアの婦人がよろこびを交わした成果だった。彼女のように、生まれついての――すばらしく悪辣な精神を持っている女には、出会ったことがない。訓練などほとんどいらなかった。だが、わたしに不義を働いたから、すぐに死んだよ」

「あの『歌』は驚くべき作品ですよね」ベラミーはそう言うと、すらすらと暗誦してみせた。

クリントンはじっと耳を傾けていた。「詩を詠じる才能をお持ちのようで」と言った。「さて、一杯いかがかな？　ちょうど注文しようとしていたところでね」

「お供させていただきますが、ひとつだけ条件があります――ここは私に奢らせていただけませんか――今回の出会いを祝して」

「お好きなように」クリントンはそう言うと、親指でテーブルをたたいた。その指には、奇妙なかたちに彫られた、重厚な翡翠の指輪がはまっている。「ヘロインのあとはいつもブランデーを飲むのだが、きみは好きなものを頼むといい」

ウイスキーのせいか、神経に重荷がのしかかっていたせいか、その両方のせいか、ベラミーは壁の装飾に目をやっても、ごく平然としていられた。単調な色が苦しみもだえるように塗りたくってあり、嘲笑(あざわら)うがごとき邪悪がそこはかとなくにじみ出ている。

「ヴェイリンに題材を伝えて描かせたのだ」クリントンが言った。「段階を追って黒弥撒(ミサ)の印象を表現したつもりだが、あの男は酒におぼれて、生来の発想力をだめにしたから、壮麗な儀式の雰囲気は描けなかった」

ベラミーは、考えをやすやすと読まれてひるんだ。「同じことを考えていました」と答えた。「あそこで哀れな猫が殺されていますが、もう少しましな追悼をしてやってもいいのではないですか」

クリントンは彼をきっと見すえて、じくじくしている目をぬぐった。「己の習慣について、いささか強烈な話をしているのは、意図があってのことだ。印象づけるためではない。どのように印象を与えるかを見るためだ。胸を悪くしているようなら、親交を深めてもむだだとわかる。これまでずっと、己の法を通してきたが、それゆえにいつも法律から目をつけられているのだろう。己がほかとかけ離れているのは承知している。大衆の規範や慣習には縛られぬ存在なのだ。いわゆる『悪徳』ならなんでも体験したし、既知の薬物もすべて試した。だが、常に目的あってのことだ。意味もなく放蕩にふけるのは趣味ではない。わが芸術について、さきほど親切にも触れてくれたが、これは必ず最優先しなければならぬ。あるときは、黒人女と寝ることが必要となるし、阿片やハシッシュを摂らねばならない場合もある。ときには、厳しい禁欲を要する。わが友よ、ここで言っておくと、そうした必要があした生じた場合、というのはこれまでもよくあったことだが、わたしは一切苦労することなく、酒も薬物も女も完璧に断った生活をいつまでも送れる。すなわち、五感を徹底的に実験し、完全に支配できるまでになったのだ。同じことを言える者はどれくらいいるかね？　とはいえ、人生から得られる教訓を知るには、こうした支配を確立せねばならない。優れた力を持つ男であれば――そうした女はおらぬのだ――かくのごとき実験をためらうべきではない。探究をつづけ、善からも悪からもあらゆる教訓を学ぶべきだ。そうすれば、人格を押し広げ、増大させることができるが、いかなるときも己を完全に支配していなければならぬ。やがて、多くの不可思議な成果が手に入り、多くの秘密が明らかになるだろう。いつか、わたしが明らかにしたものをきみにもお見せしよう」

「いわゆる『道徳』には、一切配慮してこなかったわけですか」ベラミーが訊いた。

「まったく顧みなかった。金がほしかったら、きみのポケットから失敬させてもらう。きみの妻がほしかったら――いればの話だが――誘惑する。立ちはだかる者がいれば――そやつはただでは済まぬ。きみもこのことは重々承知しているに違いないが――うぬぼれているわけではない――わたしが行動するにあたって、目的を持たなかったり、正しくないと思われる動機を抱いていることは決してない。『正しくない』は『不要』と同義だ。不要なことはしない」

「なぜ復讐は必要なのですか」ベラミーが訊いた。

「いい質問だ。そう、ひとつには、残虐性を好んでいることが挙げられる――未発表の一作は、超(スーパー)嗜虐主義(サディズム)を擁護しているほどだ。次に、復讐は警告となる。そして最後に、己の人格が正当だという証明になる。どれも文句のつけようがない理由だ。わたしの『魔王かく語りき』はいかがだったかな？」

「見事でした」ベラミーは答えた。「究極の散文ですね。もちろん、魔術における重要性は、私の貧弱な頭ではとても理解できませんが」

「わが親愛なる友よ、ヨーロッパではひとりだけ、それが当てはまらない者がいる」

「どなたです？」ベラミーは尋ねた。

クリントンは、憎々しげに目を細めた。「彼奴の名はソランだ」と言った。「いつの日にか――」そこで言いよどんだ。「いや、それはさておき、よろしければ、わたしの体験をいくつかお話ししよう」

一時間後、独白は締めくくりに入った。

「さて、ベラミーくん。きみは、人生でいかなる役を演じているのかな」

「法廷弁護士をしております」

「ほう。では、法律とつながりがあるわけだ」

「もしできれば」ベラミーはそう言って、笑みを浮かべた。「そのことは忘れていただきたいですね」

「そうしてほしいというなら」クリントンは答えた。「十ポンド貸してくれるかね。札入れを忘れてしまった――よくあるささいな不注意だ――それに、ご婦人をひとり待たせているのでね。恩に着るよ。また会うとしよう」

「今週のどこかでお食事をごいっしょできればと思っていたのですが」

「きょうは火曜日か」クリントンは言った。「木曜はどうかね」

「たいへんけっこうです。八時ごろにグリディロンではいかがでしょう」

「異存はない」クリントンはそう言って、目をぬぐった。「おやすみ」

「フラントンになにが起きたのか、いまなら理解できます」ベラミーがソラン氏にそう言ったのは、翌日の夜だった。「あれほど多彩な話ができて、ひとを虜にする男には会ったことがない。彼には邪悪な魅力があります。主張にうそが混じっていたとしても、十人分の人生を六十年に詰めこんでいますよ」

「ある意味では」とソラン氏が言った。「存命中の人物で最上の頭脳を持っているといえる。演技の天才であり、危険きわまりない。だが、弱点もある。木曜日には、ほかの話も引き出してみなさい。きみは手ごろな獲物だと思われるはずだ。宵の間はほぼずっと、楽しくしていなければだめだ——考えている以上に胸が悪くなるかもしれないが——彼が疑ってかかるのはまちがいないからね」

「実に痛快で、心強いことだ」クリントンがそう言ったのは、木曜日の夜十時十五分、ベラミーの部屋でのことだった。「きみが猥褻なものを深く理解しているとは」

彼は嗅ぎたばこ入れを取り出した。極上の小さな芸術品で、言い表せぬほど汚らわしい模様が蓋に琺瑯(ほうろう)びきされている。そこから、彼は白い粉をつまみ出し、手のひらにのせてから吸いこんだ。

「おそらく」ベラミーが言った。「あなたの魔術の知恵は、私の理解をはるかに超えているんでしょうね」

「ああ、たしかにそうだ」クリントンは答えた。「だが、そうした知恵を研究していかなる力を身につけたのかは、お見せできる。ちょっとした実験をやってみよう。あちらを向いて、窓の外を見るんだ。わたしが話しかけるまで、じっとしていてくれ」

陰鬱な夜だった。南西では、雲の群れがざわざわしており、常に移ろう模様をなしている——来たる嵐の前兆だ。キングスウェイから切れぎれに聞こえる往来の音は、勢いを増す突風に合わせて大きくなったり、小さくなったりしている。ベラミーがふと気がつくと、奇妙な情景が脳内に浮かびあがっていた。さびれた雪原のただなかに、丘がひとつあり、そこでは樅が木立をなしている。その木立から、だれかが走り出てきた。やがて、この人物は足を止め、うしろをふりかえった。すると、林から別の人影が現れた（その姿には見覚えがあった）。追跡されていたと思しきほうは走り出した。よろめきながら雪をかきわけたが、幽鬼は、雪の上を軽快に滑っているようで、獲物との距離を詰めていった。見たところ、前方にいるほうは、もう先へ進めそうになかった。倒れこんだあとで起きあがり、追っ手と相対した。幽鬼はあっという間に迫ってきて、その忌まわしいからだで前方の人物に飛びかかった。男は膝をついた。一瞬の間、両者が混ざりあったように見えて……。

「さて」クリントンが言った。「どう思うかね」

ベラミーはウイスキーのソーダ割りを注いで、飲み干した。「この上なく印象深かったです」と答えた。「総毛立ちましたよ」

「とある人物のいささか痛ましい最期をご覧いただいたわけだが、あの男はかつて、わたしに害をなしたのだ。ノルウェイの人里離れた地域にいたよ。なぜそこに隠れようとしたのかは、理解しかねるがね」

「因果というものでしょうか」ベラミーが尋ねた。無理に笑いを浮かべた。

クリントンは、白い粉をまたひとつまみ吸いこんだ。「おそらく偶然にすぎない」と答えた。「そろそろお暇(いとま)せねばならぬ。アメリカで言うところの『逢瀬(おうせ)』があるのでね。相手は、なかなかかわいらしい、放蕩者の若い女だ。ところで、少しばかり金を貸してくれるか？」

彼がいなくなると、ベラミーは熱い風呂に入って、全身を隈なく洗い清め、がむしゃらに歯を磨いた。これで少しは清潔になった気がした。ベッドに入って読書しようとしたが、ジェイコブス氏*の『夜警』を開いても、けだものじみた幻影が執拗に割りこんできた。再び服を着て家を出ると、夜が明けるまで街路をぶらついた。

しばらくして、ソラン氏は、クラブの喫煙室でこんな会話を耳にはさんだ。

「ベラミーになにが起きたのか、ぼくにはさっぱりわからんよ」一方が言った。「なんの仕事もしないし、あのとんでもない色狂いのクリントンといつもいっしょにいるんだ」

「どこかしらが歪んでいるんだろう」相手がそう言って、あくびをした。「実はむっつりすけべだったとか」

「お話に出ているのは、エドワード・ベラミーくんのことですかな。彼はわたしの友人なのだが」ソラン氏が訊いた。

「そうです」片方が言った。

ジェイコブス氏　イギリスの小説家W・W・ジェイコブス（一八六三―一九四三）。怪奇小説「猿の手」で知られるが、ユーモア小説を得意とした。

「これまでに、彼がいかがわしい行いをしたと耳にしたことはおありですか？」

「いままではなかったです」

「ばかなことをしたという話は？」

「わかった。勝ちは譲ります」一方が言った。

「よろしい」ソラン氏は言った。「信じてもらってかまわないが、彼は変わっていませんぞ」そして、その場を辞した。

「おかしなじいさんだな」一方が言った。

「かえって落ち着かなくなったよ」片方が言った。「わけを知っていそうだ。ベラミーはいいやつだから、今度会ったら、無駄話で名前を出したことを謝ろう。それにしても、あのクリントンの野郎は――！」


「すぐに取りかからねばならん」ソラン氏が言った。「きょう聞いたのだが、彼はいつ退去命令を受けてもおかしくないそうだ。やり抜く準備はいいかね？」

「あの男は悪魔の化身ですよ」ベラミーが言った。「ここ一か月で、私がどんなことに堪えてきたか、伝えられるなら伝えたいですね！」

「そのことはきっちり把握しているよ」ソラン氏が答えた。「彼から完璧に信頼されていると思うかね？」

「そもそも私のことなんてなんとも思っていないようですし、ほしいときにいつでも金を貸してくれる人間としか考えていないでしょう。もちろん、私はやり抜くつもりです。金曜の夜に決行しましょう。なにをすればいいんです？　正確に教えてください。あなたなしではとっくに手を引いていたことくらい、自分でも承知しています」

「ベラミーくん、きみはこれまで驚くほどうまくやってきた。だから、この件にけりをつけるときも、いままで困難を切り抜けてきたのと同様に、決然とやり遂げられる。さて、きみのなすべきことはこうだ。完璧に覚えるのだぞ……」

「手筈では、ちょうど十一時ごろに、彼の部屋に到着するはずです。出発する五分前に電話をかけます」

「わたしも自分の役に徹するとしよう」ソラン氏が言った。

金曜の夜、クリントンは上機嫌でカフェ・ロイヤルにいた。

「きみが気に入ったよ、ベラミーくん」と意見を述べた。「好色芸術をたしなむ洗練された感性を持っていて、たっぷりと金を貸してくれるためでもあるが、もっと微妙な理由もある。きみも覚えているだろうが、はじめて会ったときに、わたしはとまどった。いや、いまでもそうだ。なんらかの霊力がきみを取り巻いている。意識しているとは思わないが、なにかしらの強い影響力が作用していて、きみの味方をしているのだ。きみとは親友だが、ときおり、この力から敵意を感じる。それはさておき、これまでは多くの楽しい時間をともに過ごしてきた」

「そうですね」ベラミーが答えた。「これからも、そうしたひとときをたくさん過ごせたらと思います。恐悦至極ですよ、こんな風に何度もごいっしょさせていただけるなんて。あなたがおっしゃる謎めいた力ですが、私にはまったく感じられません。敵意については——なんというか、ここ一か月で、私が敵ではないと納得していただけたかと思うのですが」

「うむ、納得はしている」クリントンは言った。「きみはひと当たりがよくて、太っ腹だ。にもかかわらず、はかり知れないところがある。今夜はなにをするかね」

「お好きなことでしたら、なんでも」ベラミーは言った。

「では、わたしの住まいに来ないか」クリントンが言った。「ウイスキーのボトルを一本持っていこう。また別のちょっとした実験をお見せするよ。きみもいまでは経験を積んでいるから、うまくいくだろう」

「願ってもないことです」ベラミーは勢いこんで答えた。「ウイスキーを注文してきますね」少しの間だけ店を出ると、ソラン氏に電話をかけて、二言三言話した。それからもどってきて、勘定を払い、いっしょに車に乗って出発した。

クリントンの住まいは薄汚い通りにあり、大英博物館から百ヤードほどのところだった。陰鬱なくすんだ部屋で、置いてあるものといったら、最低限の必需品と数冊の本だけだ。

ちょうど十一時に、クリントンは鍵を取り出した。まさにそのとき、ソラン氏も、書斎から奇妙な小房(しょうぼう)に通じる扉の錠を開けた。

事務机の引き出しを開けて、まっさらな白い子牛皮紙で装幀された大冊を取りあげた。席に着くと、なにやら面妖な処置をはじめた。本の最後にある書類綴じから、しわだらけの透写紙らしきものを一枚取った。ときおり四つ折り判の本を参照して、なんらかの図像を紙に描きながら、奇妙な言語の短い文章をくりかえし唱えた。この作業で、ペンを湿らせるのに使ったインクは、煙ったような、くすんだ緋色をしていた。

やがて、部屋の空気が張りつめてきて、いまにも変事が起こりそうな気配で満ちみちた。図像が完成すると、ソラン氏はからだを固くこわばらせた。その目は、神がかりに入った人間のそれだった。

「まずは一杯といこう、ベラミーくん」クリントンが言った。

ベラミーはコルクを抜いて、ふたつのグラスに強い酒を少し注いだ。クリントンは、自分のグラスを飲み干した。どうにも落ち着かない様子だ。

「今夜はわたしの仇敵がなにやら仕掛けてきているらしい」と言った。「強い影響力を感じる。とにかく、例のちょっとした実験を試してみるとしよう。窓のところに椅子を引き寄せてくれ。わたしがしゃべるまで、ふりむいてはならん」

ベラミーは言われたとおりにして、通りを挟んだ向かいの、暗くかげったファサードに目をこらした。突然、目の前で、壁が次々にめくれあがり、空へ消えていったように思えた。気がつくと、かすかな明かりに照らされた、奥行きのある部屋を覗きこんでいた。薄闇に目が慣れてくると、横臥している人物がたくさんいるのが見て取れた。どうやら寝椅子に横たわっているらしい。すると、部屋の中央から、いきなり炎が燃えあがったかに見えた。次から次に火の手があがり、しまいにはとある人物のまわりに揺らめく炎の輪ができた。この人影はおもむろに立ちあがり、からだの向きを変えて、ベラミーを見すえた。傲慢で邪な顔が膨れあがり、しまいには迫ってきた。めくるめく光で燃え盛っており、彼の顔に触れそうだった。両手をあげて、その焼けつくほどの禍々しさを押し返そうとしたが——そこにあるのは、向かいの家の壁だった。クリントンはこう言っていた。「いかがかな?」

「あなたの力には震えあがってしまいますね」ベラミーは言った。「私が目にしたのは何者なんです?」

「きみが見たのは、ほかならぬわたしだ」クリントンはそう言って、笑みを浮かべた。「あれは三度目の転生で、紀元前一七五〇年ごろだな。わたしをおいて、かの離れ業を成し遂げられる者はおらぬ。もう一杯くれるか」

ベラミーは立ちあがった(いまだ!)。突然、力強い後ろ盾を得たような感じが広がった。漠とした恐怖は消えた。抗いがたいなにかが魂にしみこんで、彼は悟った。予定通りの時間に、約束された救援が援護しに来てくれたのだ。ぞくりとして心を決めた。戦意が高揚してきた。

クリントンに背を向けてグラスを満たし、目にもとまらぬ手さばきで、クリントンのほうに小さな丸薬を落とした。薬は、小さな流れ星のように泡の尾を引いて沈み、溶けてなくなった。

「来たるべき楽しい夕べに乾杯」クリントンが言った。「きみは勇敢な男だよ、ベラミー」声を高めてそう言うと、グラスに口をつけた。「なにしろ、きみが目の当たりにした光景は、悪魔でさえ顔色を失うだろう代物なのだから」

「恐れはしませんよ。あなたを信頼していますからね」ベラミーは答えた。

「魔神にかけて、こやつは強烈な酒だな」クリントンはそう言って、グラスに目をこらした。

「いつもと同じですよ」とベラミーは言って、笑い声をあげた。「ひとつ教えていただいてもいいですか。私の知り合いに、東洋で何年も暮らしていた男がおります。で、彼から聞いたのですが、そこに住むある部族は、型紙を切り抜いて絵を描き、敵に送りつけるのだそうです。これと似たようなものをご存じですか？」

クリントンは、グラスをたたきつけるように置いた。すぐには答えず、座ったままでそわそわと身じろぎした。

「そのご友人とは何者かね？」そう尋ねる声は、すでにろれつが怪しかった。

「ボンドという男です」ベラミーが言った。

「そうか。たしかに、かの魅惑的な術については聞いたことがある。実をいえば、型紙も切り抜ける」

「本当ですか。どうやってやるんです？　ぜひ見せていただきたいものですが」

クリントンは目をしばたいて、うなずいた。「ご覧にいれよう」と言った。「とはいえ、危険だから、用心せねばならん。あの事務机のいちばん下の引き出しを開けると、なかに藁紙があるから、それを一枚持ってきてくれ。はさみは書き物机にあって、クレヨン二本は盆に入っている」

ベラミーはそれらを持ってきた。

「さて」クリントンが言った。「これは、さきほども言ったが、危険なのだ。酔っぱらっていなかったら、やりはしない。はて、どうして酔っぱらっているのだろう？」いすにからだを預けると、片手で目を覆った。それから居ずまいを正して、はさみを取りあげ、この上なく巧みな手つきで紙を切り抜いた。そして、色鉛筆でしるしをいくつか描きこんだ。

こうした作業の果てにできあがったものは、ベラミーにも見覚えがあった。

「ほら、完成だ」クリントンが言った。「これはな、ベラミーくん、この世でいちばん危険な紙切れになりうる。暖炉に持っていったら、燃やして灰にしてもらえるかな」

ベラミーは、紙切れを燃やして灰にした。

クリントンは、頭を両手で抱えていた。

「もう一杯飲みますか？」ベラミーが訊いた。

「いや、やめておこう」クリントンは言った。座ったまま、あくびをしたり、ゆらゆらしたりしている。やがて、再びうつむいた。ベラミーは彼のところに行って、揺さぶった。束の間、クリントンのコートのポケットの上に右手をさまよわせた。

「起きろ」と言った。「知りたいことがある。あの紙切れを実際に危険なものとするには、どうすればいい？」

クリントンはかすんだ目をあげると、かすかに正気を取りもどした。「知りたいのかね？」

「そうだ」ベラミーは言った。「教えろ」

「六つの単語を唱えるだけでいい」とクリントンは言った。「だが、言うつもりはない」突然、その目が注意深くなり、部屋の一隅に釘づけにされた。「あれはなんだ？」だしぬけに訊いた。「あそこだ！あそこにいる！　あの隅にいるのはなんだ」

ベラミーは、力の存在を再び感じた。部屋の空気が引き裂かれ、火花を散らしそうに思える。

「あれはな、クリントン」と言った。「フィリップ・フラントンの霊だ。お前が殺した男の霊だ」そしてクリントンに飛びかかった。この男はおぼつかない脚で椅子から離れようとしていた。ベラミーは相手につかみかかり、小さな紙切れを荒々しく額に押しつけた。

「さあ、クリントン」と叫んだ。「六つの単語を言うがいい！」

すると、クリントンが立ちあがった。その顔はすさまじく歪んでいる。目は飛び出さんばかりで、瞳孔が狭まって曲がっている。口からは泡を吹いている。両手を頭上にふりあげると、苦悶の声で叫んだ。

「彼のもの来りてのち去るべし（ヒー・カムス・アンド・ヒー・パセス・バイ）！」

そして床にくずおれた。

ベラミーが戸口へ向かうと、明かりがかげった。窓から燃える風が吹きこみ、隅の壁から影がにじみ出してきた。それを目にすると、凍てつくさざなみが全身をかけめぐった。影はどんどん濃くなって、床に倒れている人物のほうへのしかかった。ベラミーが最後にうしろを見やると、影がちょうど触れるところだった。彼は身震いした。扉をあけて、すぐに閉め、階段を駆けおりると、外の夜闇へ逃げ出した。

願いの井戸

E・F・ベンスン

圷香織 訳

The Wishing-Well

E. F. Benson

　セント・ジャヴェーズの村は、コーンウォール*地方北部の荒野（ムーア）の高台にえぐられた、広々とした三角形の谷の、海側のふもとにある。カンバーランドに広がる山や荒野にさえ、人里として、ここまで辺鄙（へんぴ）なところはないだろう。シーズンには観光客を乗せたバスが、ほこりを上げながらブードやニューキーに向かうのだが、その幹線道路からも、険しくて岩がちな間道（かんどう）を四マイルほど行かねばならないし、鉄道の終着駅からは八マイルも離れている。この村についてはガイドブックにも、屋根のついた教会墓地の門のそばにある古い〝願いの井戸〟のことが簡単に触れられているだけなので、夏のあいだでさえ、訪れてみてもいいかもしれないと考える好奇心旺盛な旅人が現れることはごくまれだ。じつのところ、世間はセント・ジャヴェーズのことなどほとんど気にかけてはいなかったが、それ以上に、セント・ジャヴェーズのほうでも外の世界に興味がなかった。村からの道が幹線道路と交わる角でバスを待っている人を見ることも、乗客を降ろすためにそこでバスが止まることも滅多にない。ときどきは石炭の袋やビア樽を積んだ台車が、重たげにゴトゴト揺れながら進んでいく。それ以外の必需品については、谷間の農場や農家の家庭菜園で充分に収穫できるし、何艘かある船によって、海からの恵みも手に入る。セント・ジャヴェーズは、科学や文化や宗教による果実を追い求めることもなかった。それよりは土壌から自然と生まれ出ずるもの、たとえば病める者を癒す力を賢女に与える薬草や、さらにはより邪悪な種類の、恋愛や復讐に有効な呪文や迷信のたぐいを重んじる土地柄なのだ。このうちの後者に関しては、村でも一軒の家を除き、誰も大っぴらには口にしない。それでも秘かなやりとりの中でささやかれ、この三百年にわたり、その知識は母から娘へと引き継がれてきたのだった。きしる手錠をかけられた女たちの一行がボドミンから到着し、形ばかりの裁判のあとで、火あぶりの刑に処されて以来の伝統として。

奇妙といえば奇妙な話で、この伝説の黒煙にも汚されることのなかったはずの牧師館のみが、魔法や魔術の研究を隠すこともなく精力的に行なっている、村で唯一の屋敷なのであった。ただしこの研究は純粋に学術的なものであり、ライオネル・ユースターズ牧師は、イギリスにおける民俗学者の一大権威として知られていた。牧師としての仕事は簡単なものであったから、自由な時間ならたっぷりあった。なにしろ彼の教区の信者にとっては、日曜に二度の礼拝を受ければ、精神的な必要としては充分らしいのだ。というわけで、日曜以外の日は、教会墓地の門のそばにどっしりと立っている、蔓(つる)に覆われた牧師館の図書室でひがな一日を過ごすのが常であった。牧師は忍耐強く、またたゆまずに、魔術に関する大著の執筆を何年も続けていた。時折は、その一部を小冊子にして出版もしている。たとえば魔女の箒(ほうき)の起源に関する考察などは、読み物としても非常に興味深い仕上がりだ。牧師は裕福なわりに、専門分野の書物をのぞけば贅沢への志向もなかったので、牧師館に作った大きな図書室の

コーンウォール　イングランド南西部の一地方。地理的には半島で、東でデヴォンと接する。

柵には、もうほとんど空きがなくなっていた。二十年前、健康を損ねたことによってじめじめと肌寒いケンブリッジを離れたのち、この僻地に任命されて学術的な生活を送ることになったのだが、暖かく穏やかな気候と、奇妙なほどに原始的な伝統の残るこの村での生活は、彼の健康と趣味の両方に合うものだった。

ユースターズ牧師はだいぶ前に妻を亡くしており、家の中のことは、四十になる娘のジュディスが取り仕切っていた。彼女にとっての適齢期は、同じ階級の人々と交わることなく牧師館の中で寂しく過ぎ去った。そして村の人々の求婚や出産を目にするたびに、自分からは失われたものへの思いが、時折、彼女の胸に苦々しいものを呼び覚ますのだった。同時にジュディスはだいぶ前から気づいていた。自分はこのセント・ジャヴェーズという村に、呪いをかけられているのだと。そして仮に外部からやってきた求婚者がいたとしても、彼女の心を完全にとらえ尽くさないかぎり、この辺鄙な谷からムーアの外に広がる世界へと彼女を連れ出すことができないだろうことも。両親の血縁のもとを何度か訪ねたことはあるのだが、そのたびに、村へ帰りたくてたまらなくなった。ハリエニシダに覆われた丘の上できらめく日差し。吠えるような激しい西風に吹かれて窓を叩きつけてくる布のような雨。故郷における嵐の一日には、よその土地での日差しをまとめたよりも価値があった。そして故郷の入り江の砂浜は、波が穏やかでも高くても、優しい泡に縁取られているときにも荒れているときにも、彼女にとっては煌めく南の海より好ましかった。彼女の心は、この土地の持つ背景こそが、世界のもたらすいかなる喜びよりも輝かしいのだと知っていた。そしてここにいるかぎり、セント・ジャヴェーズの呪文が、日々、魔法の機のように、自分の中で糸を織りなしているのが感じられるのだった。

母が死んでからというもの、ジュディスの毎日は、変わらぬ単調さで繰り返された。まずは朝の小一時間ほどを家事に当てる。それから父親のいる図書室に行き、原稿の一部が口述できる状態になっていれば、その言葉を書き取る。また、父親が口述用の覚え書を作ろうとしている場合には、ずらりと並んでいる書物の中から、ひたすら参考文献を調べ続けるのだ。テーマは常に、魔術に関する何かであった。牛を多産にするための魔術的な儀式、妊娠を願うお守り、恋の媚薬、あるいは（これにはジュディスも次第に強く興味を引かれるようになっていたのだが）決して振り向いてくれない意中の男に、謎の病（やまい）によるみじめな死をもたらす方法など。来る月も来る月も、父親は古代の伝説という霧の中を忍耐強く進んでいき、それにつれ、ジュディスはますます悪魔的な呪文に魅了されていった。

そしていま、ユースターズ牧師は願いの井戸について深く調べているところだった。その朝、ジュディスは図書室に腰を下ろし、口述を取ろうと鉛筆を構えていた。牧師のほうは、テーブルに広げた覚え書に時折目を落としながら、部屋の中を行ったり来たりしている。

「願いの井戸の存在は」牧師は語った。「初期のヨーロッパ全般で広く信じられていた。だが井戸を動かす力が、誰かの意思によってたまたま呼び覚まされたというような記録は見当たらない。魔女、あるいは超自然的な力を持つ者だけが、井戸を動かす呪文を使うことができる。また、もともとの呪文は疑いようもなく悪魔的なものであったが、キリスト教の時代になってからは黒魔術的なものが排除され、それ以外のあらゆる用途に用いられるようになった。こういった願いの井戸の外観は、奇妙なほど似通っている。上を覆うようにして、アーチ形のものなど石造りの構造物がついており、側面には小さな壁龕（へきがん）がいくつもあって、キリスト教の時代においては、ここに蠟燭や、感謝の捧げ物が置かれるようになった。原初の用途は明らかになっていないものの、黒魔術の呪文と関わりがあることだけは疑いようもない。またおそらく、魔力を起こすためには、破滅をもたらしたい相手の名前を刻んだ硬貨や、記した布や紙片が使われたのではないかと思われる。願いの井戸の中でも、最も完璧な状態で残っているのは、わたしの知るかぎり、コーンウォールのセント・ジャヴェーズにあるものだ。アーチ形の屋根は素晴らしい状態で残っており、井戸そのものも、例に漏れず非常に深い。地元ではその力が現在にいたるまで信じられているが、明らかになっているかぎりでは、邪悪な目的で使われたことは一度もない。たとえば妊婦が井戸の水を飲み、安産を願って祈る。航海中の恋人のいる娘であれば、自分の名前を銀貨に刻み、井戸に落として恋人の無事を願う。村人たちは奇妙なほどに語りたがらないものの、こういった願掛け行為があることに対しては確認が取れている――。

　牧師は白いものの増えはじめた、短いヴァン・ダイク風の顎髭*を指でいじりながら言葉を切った。「これはここだけの話だが」牧師はジュディスに向かって言った。「結局のところ、大学により一ギニーで出版されるだろうわたしの著作が、この部分まで行き着くことはまずないだろうな。それでもやってはみるつもりだが――おっと、昼食の鐘がもう鳴っているではないか！　作業はまた夕方から再開するとしよう。おまえに時間があるようなら、口述の準備のできている内容がかなりあるのでな」

　ジュディスは誰にともなく微笑みながら紙を繰った。教区の信者たちについてなら、牧師である父親よりもよく知っている。なにしろ学者として引きこもった生活をしている父には、彼らの生活の片鱗しか見えていない。いっぽう彼女のほうは、家の玄関の外に座って編み物をしながらおしゃべりをしている女たちのもとを訪ねては世間話をしていたから、父親のまったく知らない、彼らの生活の内側にまで触れていたのだ。たとえば老いたサリー・トレナーが死んでからまだ一週間にもならないが、その死は村の人々に大きな安堵をもたらしていた。魔女だと信じられていたサリーは、しょっちゅう井戸のそばでぶつぶつ何かを唱えていた。彼女に歯向かった者はろくな目に合わなかった。牛の乳が出なくなり、子牛が死産で生まれ、羊が弱り、畜牛には命取りになる有毒なヒヨスが所有する牧草地に生えてくる。というわけで、慎重な人たちはサリーに対して失礼のないように挨拶し、とれた蜂蜜を贈り、豚を殺せばベーコンのいいところをおすそ分けしてきた。だがジュディスはちょっとした秘密主義から、編み物をしながらささやかれる、この手のおしゃべりを父親には黙っていた。もし父親が知れば、井戸の力が黒魔術に使われていたのは過去の話、という見解を変えることになるかもしれない。だが結局は、単なる世間話に過ぎないのだ。ジュディスにせよ、もしも誰かからサリーについての話を信じているのかと聞かれたら、まず否定をするだろう。だがそれでも――心の奥深くで、彼女の声はささやくのだ。「わたしは信じているだけじゃない。知っているのよ」と。

その日は、昼食が終わるなり父親は机に戻ったが、ジュディスのほうは谷の上のほうにある、数マイルほど離れたジョン・ペナースの農場まで歩いていった。ペナース家は、遠い昔から、肥沃な何エーカーもの土地を所有しているのだ。夫妻はこの八年ほど、ふたりきりで暮らしてきた。ひとり息子のスティーヴンが、十六歳のときに一攫千金を夢見てアメリカに渡っていたのだ。だがその夢は現実の

ヴァン・ダイク風の顎髭　フランドル出身の画家、アンソニー・ヴァン・ダイク（一五九九―一六四一）は、口、顎ともに髭を蓄えていた。その形はのちに「ヴァン・ダイク髭」と呼ばれるようになった。

ものにはならず、父親が年とともに弱ってきたこともあり、故郷に戻って落ち着くことにしたのだという。ジュディスはスティーヴンのことをよく覚えていた。体が大きく、海のような青い目と、おひさまのような金髪をしたハンサムな少年。いったいどんな大人に成長したのだろう。彼がすでに戻っていることは知っていたし、会ってみたい気持ちはあったものの、その日にペナース家を訪れた目的は、いつものようにスティーヴンの母親とおしゃべりをするためだった。ジュディスはそのためにこそ、しょっちゅうこの家に引きつけられていたのだ。常々、ペナース夫人ほど知るべき何かを知っている人はいないと思っていた。夫人は、牧師館の居間にある大きな地球儀の上でインドの位置を指し示すことも、小学校で出されるようなエリザベス女王に関する簡単な質問にこたえることも、指を使わずには五と四を足し算することもできない。だがそんなどうでもいいことの代わりに、非常にまれな知恵を持っていた。彼女には、人や動物を癒す手があったのだ。病んだ牛は、彼女に撫でてもらっただけで、次の日には牧草地に戻っている。熱のある子どもには、何かを耳元でささやいてから、おでこに優しく手を当てて、頭痛を取り除くような仕草をする。すると子どもは、すやすやと眠りに落ちるのだ。そして村中でもただひとり、彼女だけがサリー・トレナーの機嫌を取ることも、おもねることもしなかった。ある日、彼女がサリーの家の前を通りかかると、サリーが金切り声で罵り(ののし)はじめ、悪態をつきながら、農場までの帰り道を半ばまで追いかけてきた。そこでペナース夫人は振り返ると、サリーに指を突きつけたのだ。「この酔いどれの、耄碌(もうろく)ばばあ」彼女は叫んだ。「膝をついて許しを請いな。そしたらとっとと帰って、二度とあたしの前に姿を見せるんじゃないよ」

するとサリーはその場で石の上に膝をついてから、こそこそと逃げ帰ったのだ。しかもそれからというもの、ペナース夫人が村に姿を見せるたびに慌てて家に引き返し、扉をピシャリと締め切るようになった。どうやらペナース夫人には、サリーを超える知識があるらしい。

ジュディスは険しい坂道を軽やかに進んだ。暑い日差しの中で帽子もかぶらず、上り坂に息を切らすこともなかった。彼女は背の高い、黒髪の魅力的な女性だ。健康的で滑らかな肌は、太陽と外気によってのみ与えられる艶（つや）に輝いている。ふっくらした唇は押し隠された情熱を感じさせ、まっすぐな麗しい眉は、互いにもう少しでくっつきそうだ。大きな黒い瞳は寄り気味ではあるものの、ほんのわずかで、欠点になるほどではない。それこそ、まっすぐに目を交わしているときには相手も気づかないだろう。その特徴があらわになるのは、彼女が物思いにふけっているようなとき。とくに父親から、邪悪な魔術や呪文にまつわる陰鬱な口述を取っているときには顕著に現れるのだった。だがいまのジュディスは、農家の庭の中を走る、舗装された小道を進んでいく。垣根仕立てにしたリンゴの木々の前には花やハーブが植えられており、見るとペナース夫人が家の落としている影に隠れ、暑い中で編み物をしている。数時間後にはまた、搾乳小屋や、鶏のいる囲い柵を見に出かけていくのだろう。

「あらまあ、来てくれて嬉しいこと」夫人はやわらかなコーンウォール地方のなまりを利かせて言った。「また帽子もかぶらないで。だけどジュディスさんは、お天道様と雨をお友だちにしている賢い人だから、ここまで探しにきたんでしょうね。中にいらっしゃいな。歩いたあとには、スグリ水を一杯飲むにかぎるんだから。それから、村の様子を教えてくださいな」

ジュディスもこのあたりの人々と話をしていると、ついつい口調が彼らのようになるのだった。

「そうそう、話っていえばねぇ」ジュディスが言った。「一日前は大漁だったのよ。それから昨日は、サリー・トレナーの埋葬があったわ」

夫人が、このあたりでも評判の、透明感のあるルビー色の自家製リキュールをグラスに注いだ。

「あの酔いどれの婆さんがあんなにも恐れられていたなんて、あたしには不思議でなんないね」夫人は言った。「もったいぶった御託をギャーギャーわめいては、悪態をぶちかましてさ。あたしもある日、ひと通りの呪いをかけられたことがあったもんねぇ。だからあの婆さんは、あたしの名前を、願いの井戸のどこかに隠しているはずなんですよ。わざわざ確かめようとも思わなかったけれど」

「名前を井戸に隠すんですって？」ジュディスは午前中に取った口述の内容を思い出しながら言った。

夫人が、横目でちらりとジュディスを見た。ジュディスについては気づいたことがいくつかあって、それが夫人の好奇心を引いていたのだ。

「あらあら、ジュディスさんには分別があるし、ご本もたくさん読んでいるんだから、こんなふうな話を信じるわけもないでしょうに」夫人が言った。「だけどあたしは小さな頃に、母からいろいろ聞かされてねぇ。いまだに、そんなふうなおかしな話をどう考えたらいいのかわからないでいるんですよ」

「まあ、ぜひ聞かせてちょうだい」ジュディスが言った。「父がちょうど、願いの井戸と、その伝承に取りかかったところなの。今朝だって口述を取ったばかりなのよ」

「それはそれは！　そう、あたしが子どもだったころには、井戸の周りで、それはおかしなことがいろいろと行なわれていたもんでねぇ。思い人ができると、若い娘はサリーみたいな婆さんに会いにいって、井戸の水を飲みながら口にするデタラメな呪文なんかを教えてもらうんですよ。でなけりゃ、誰かに悪さをしたい男が魔女に相談しにいくと、その魔女は名前を書いてやってから、井戸のどこかに隠すように言う。すると、その名前がそこにあるかぎりは、朝や夜がやって来るのとおんなじように、災難がその相手を襲い続ける。牛の乳が出なくなり、船が難破し、子どもが恐ろしい病に倒れ、奥さんが結婚の誓いを破る。でなけりゃ、当の本人が歩くこともできないくらいにやせ衰え、しまいには弔(とむら)いの鐘が鳴ることになるなんてね。もちろん、どれもこれもデタラメな話に決まっているけれど」

ジュディスは、乾いた大地が雨を吸い、飢えた人が食物を飲み込むように、この話を吸収した。口元は笑みにほころび、鼓動は強く高鳴った。まるで、持って生まれた幸運の知らせを耳にしたかのように。そこで外の通路から音がして、扉が開いた。

「あら、スティーヴンだよ」夫人が言った。「ほら、こっちに来て、ジュディスさんにご挨拶をなさい。おそらくは、おまえのことを覚えていてくださるだろうから」

スティーヴンは背の高いジュディスよりもさらに長身で、彼女を見下ろすようにして立っていた。顔には少年のころの面影が残り、海のような瞳と、おひさまのような髪をしている。その瞬間にジュディスは、どんな男の魅力も、彼女をセント・ジャヴェーズから引き離すことはできないだろうことを悟った。

夕食の前にもう一度口述の作業があった。夕食が済むと父親はまた書物に戻り、ジュディスは散歩をすることにした。暑い夜には、寝る前にしばしばこうして外に出るのだ。昼間、ペナース夫人から少女時代に信じていた話を聞いたときには、かつてないほどの強い興奮を覚えたし、同時にジュディスのうちでは何かが目覚めていた。願いの井戸にまつわる話は、ジュディスの脳内にある秘密の小部屋においては未知の何かではなく、それを自分のものにするためには、ただ思い出しさえすればよかったのだ。そこへスティーヴンが登場し、ジュディスの胸を高鳴らせた。このふたつの出来事が彼女の中で混じり合い、発酵をはじめていた。片方から泡が立ったかと思うと、もう片方は発光しながら表面に立ち昇ってくる。彼女はじっとしていられない気分で、内からあふれてくる力にヒリヒリした。そしてこの力をどうしたものかと、ふと、庭の入り口で足を止めた。

夜は厚い帳(とばり)を下ろしていた。村への道も灰色のリボンのようで、ほとんど見分けることができない。そこでキビキビと近づいてくる足音が聞こえ、いきなり人影が目に飛び込んできた。闇の中でも、背の高さと足取りから、村へと向かうスティーヴンであることがわかった。声をかけ、村まで一緒に歩けたらと思ったけれど、そんなわけにもいかない。それに、また別の欲求にも引き寄せられていたのだ。だからこそスティーヴンが行ってしまうと、ジュディスは教会墓地の門をくぐった。闇の中、白い墓石がかすかに光りながら並んでいる。その向こうに目をやると、二日ほど前、埋葬に立ち会ったサリーの墓があった。新しく盛られた塚が白っぽくちらちら光っているのを見て、ジュディスは息が詰まった。近づいてみると、黒っぽい土がゆらゆらと確かに発光している。と、ジュディスは、大地に埋められた骨ではなく、サリー本人がそばにいるのを感じた。その印象があまりにも強烈だったので、ジュディスは思わずささやいていた。「サリー！　いるの、サリー？」言葉こそ聞こえなかったものの、ジュディスは体の全神経でそのこたえを感じ取っていた。サリーはいるのだ。さまよえる弱々しい霊としてではなく、友のような、姉妹のような、どこまでも邪悪な力として。その力が少しずつ注ぎこんできて、血でも受けたかのように彼女の血管を温めた。ジュディスは願いの井戸に近づくと、縁石に膝をつき、井戸の水を手ですくって飲んだ。

かたわらで何かが動くのを感じ、ジュディスがふとそちらに顔を向けると、青白い光の中に、シミひとつない埋葬布をまとい、背を丸めた小さな人影があった。顔は茶色くしなびている。それは死の静けさと尊厳の中で、サリーが最後に見せた姿でもあった。だがいまは生きていて、歓迎しているのか喜びをあらわにしている。ジュディスは体から力が抜けるのを感じ、恐怖に駆られて跳び上がりながら亡霊に向けて両腕を振った。すると、ああ、もう全ては消えていた。墓地がただ静かに広がり、そこに眠る者たちの墓があるばかり。そして足元には、先ほどジュディスが口にした、目には見えない黒い水があった。怯えている自分には腹が立ったものの、ジュディスは恐怖に力を得るようにして、あちこちにつまずきながらも立ち止まることなく牧師館まで走り続けた。図書室には光が灯っている。父親がまだ研究を続けているのだ。そしていま、その対象である超自然的な恐ろしい扉が、ジュディスを真実の中に受け入れるべく開こうとしていた。

井戸のそばで体験した恐怖の影響は数日間続いた。ごく普通のことごとが新たな輝きを帯び、彼女もその誘惑に身をゆだねた。スティーヴンとは頻繁に顔を合わせた。毎朝、農場から牛乳を届けてくれるのだけれど、その早朝の時刻になると、ジュディスも花瓶に活ける薔薇を切り取ったり、周りの雑草をせっせと詰み取ったり、庭に出るようにしていたのだ。最初のころは〝おはよう〟というように軽くうなずいて見せるだけだったが、すぐに、五分ほどの立ち話をするようになった。ジュディスは自分の容姿が端麗であることを意識していたし、スティーヴンが彼女の健康美を認めていることもわかっていた。彼のまなざしには、男が美しい女にのみ向ける無自覚のしるしが現れていたから。甘く、激しい思いが彼女の心に根をつけたかと思うと、ひげ根を土壌に広げながら、しっかりと根差していった——。ある朝ジュディスは、スティーヴンが牛乳を積んだ荷馬車をゴトゴト走らせながら歌う声を聞いた。荒っぽいけれど朗々と深く大きな声で、男にしては調子が高い。ジュディスは教会でオルガンを弾き、土曜にはいつも聖歌隊の練習の指揮をしていた。そこで次の土曜にはスティーヴンもカンティクル*や讃美歌を歌う男たちの中に座っており、ジュディスがそれを指揮した。アルトとソプラノを担当する女たちもいて、聖歌隊長はナンス・パスコーといった。二十歳の、いまにも花開きそうな薔薇のつぼみを思わせる娘だ。無意識の本能から、ジュディスは彼女を嫌いはじめていた。そこで、高音パートが単調過ぎるといって、暗にナンスを責めては指揮を止めるのだった。それから今度は、テノールたちにしくじったところをひとりずつ歌わせてから、スティーヴンに賞賛の言葉をかける。あるいはペナース夫人とおしゃべりをしに農場まで出かけては、さりげない問いかけによって、スティーヴンが近くの牧草地で垣根の剪定をしていることを知る。するとジュディスは翌日の食事に鶏が必要であることを思い出し、スティーヴンと話をしにいくのだ。こんなのは、ささやかなことに過ぎないわ。ジュディスは百ものやり方で、こうして自分をだましていたのだった。

しっかりと根づいた憧れの中には、より毒のあるものが混ざりはじめていた。わたしを助けたがっている力があるのに、わたしは怯えた阿呆のように、その力の顕現から逃げている。けれど、スティーヴンと自分の仲はどうにもなりようがない。そう悟りながらその力のことをよくよく考えてみると、それまでの恐怖が萎んでいくのを感じた。加えてその邪悪な魔力への渇望は、得られるだろう助けのためだけでなく、魔力そのものへの愛によっても強まっていた。そこである晩、父親が書物の世界に戻ると、ジュディスはまたしても願いの井戸へと出かけたのだった。

教会墓地の草地を音も立てずに進みながら、願いの井戸へと近づいた。と、衝立のように茂った藪の向こうから、男の笑い声が響いてきて、そこに女の声が加わった。

「まったく、彼女ったらあんたにぞっこんよね、スティーヴン。あたし、あの人が合唱の最中に『そう、とてもいいわよ、ペナースさん』と言うたびに噴き出しそうになっちゃうんだ。可哀そうに、ほんとうは『ああ、スティーヴン、こっちに来て、ハグしてちょうだい』って言いたいんだろうなって」

スティーヴンがまた笑った。

「俺はあの人がなんだか怖くってさ」スティーヴンが言った。「でも母さんときたら、彼女が卵一個とミント一枝のために農場に来たといっては大笑いするんだ。それに毎朝俺が牛乳を届けにいくと、あのおばさんは必ず草を抜いたり、鍬で地面を掘り返したりしてて。まるで見本市で自分のたくましさを見せびらかす男みたいにさ」

「ああ、気の毒だわ」ナンスが言った。「だってあたしにも、あんたに惹かれる気持ちはよくわかるもの。可哀そうな寂しい人！」

「ナンス、教会で結婚を予告してもらわなくちゃな」スティーヴンが言った。「だから、こうしていくらかひるんでいる恋人を、キスで力づけてくれないか。そしたら俺も、牧師に頼みにいく勇気を出して、次の日曜には発表してもらうようにするから」

カンティクル　聖歌、頌歌とも。聖書の言葉をそのまま歌詞にし、礼拝のさいに歌う。

沈黙が広がった。

「ああ、スティーヴン。そんなに強く抱き締めないで」ナンスがささやいた。「もうすぐあたしは、あんたのものになるんだから。ふたりの幸せを願って井戸の水を飲んだら、もう家に帰らなくっちゃ」

ジュディスは草の上を忍び足で戻ると、居間のカーテンのうしろから、腕をからみ合わせたふたりが道を去っていくのを見送った。恋の媚薬のことは、頭から消え失せていた。スティーヴンを手に入れる力など、もはや必要ではない。あの男はわたしを嘲ったのだ。そしてわたしのことが怖いと言った。それが正しかったことを、近いうちに思い知らせてやろう。ナンスのことはどうでもよかった。この心が、願いの井戸の水のような漆黒に染まったのは、決して彼女のためではないのだから――。復讐を求めるヒステリックな怒りなどは欠片もなかった。あるのは、自分の魂を満たしたいという悪魔的な喜びだけ。〝スティーヴン・ペナース〟という名を紙切れに記しながら、それを教えてくれたのが彼の母親であることを思い、ジュディスは面白くも愉快にも思った。ペナース夫人はわたしのことを〝大笑い〟したのだ。そんな笑い方をしないように、思い知らせてやる必要があるだろう。

ジュディスは紙切れを持って出かけた。求め呼びかけた力が、体の中を、波のように次々と満たしていくのを感じる。そしていま、また井戸のそばに戻ってくると、膝をつき、大気を濃密に満たしている魔力の露を、乾いた大地のようにむさぼった。それから手探りでシダに縁取られた壁龕のひとつを探り、そのシダの葉の奥深くに紙切れを隠した。

「邪悪の主よ、わたしの主人よ」と、ジュディスはつぶやいた。「ここに捧げし者に、病と死を与えたまえ」

かたわらで何かが動くの感じて、ジュディスは、かつては彼女を怯えさせたものが、再び現れたことを知った。そこで歓迎するように両手の平を上に向けると、埋葬布に包まれた、しなびた顔の人影が現れた。白かった布もいまは土に汚れ、顔の肉は腐りかけている。ジュディスが亡霊に両腕を回しながら、腐敗に崩れかけた唇にキスをすると、亡霊が自分の体に溶け込んでくるのを感じた。ジュディスは一体化しながら、恍惚の中で目を閉じた。再び目を開けたとき、その手は虚空をつかんでいた。


翌朝は、早朝から素晴らしい気分で、体には若々しい力と熱がみなぎっていた。やがて、牛乳の馬車がゴトゴトと門に近づいてきた。だが乗っているのは、スティーヴンではなく、ペナース夫人だ。

「今日はあたしが牛乳をお届けにあがりましたよ、ジュディスさん」夫人は言った。「スティーヴンは頭痛がひどいもんだから、寝かせておこうと思って。そしたらあの子が、結婚告知を出してもらえるよう、牧師様に頼んできてくれと言うじゃありませんか。次の日曜日にお願いしたいそうで」

「あら、スティーヴンさんは結婚するんですか？」ジュディスが言った。「お相手は？」

「幼なじみのナンス・パスコーですよ」

「あら、それはよかったこと。なにしろあの子は、絵に描いたような美人だもの。結婚告知については、父に伝えておくようにしますから。息子さんの体調がよくないのは気の毒だけれど、間もなく回復するでしょうし」

それからの日々が過ぎるなかで、スティーヴンは間もなく高熱にやられ、起き上がることさえできなくなった。しかも母親の持つ癒しの手も、医者の与える水薬も、その熱を鎮められずにいる。ジュディスは毎朝、ペナース夫人からスティーヴンの体調について報告を受け、そのたびに、鋭い目で静かにじっと見られているのを感じた。ジュディスは鏡の前に立ってめかしこむタイプではないのだが、ある朝、ペナース夫人が帰ったあとで二階に駆け上がると、自分の顔をじっくりと眺めた。確かに変わっていた。輪郭が鋭くなり、寄り目が以前よりも目立っている。だがジュディスには、かえってそれが気に入った。自分の力の表出、目に見えるしるしのように思われたから。いまでは夜ごとに井戸を訪れては、自分の願いに心を注いでいた。その日には、スティーヴンの病状が悪化したという嬉しい知らせが入っていた。ますます激しくなった熱が、肉をみるみるむさぼりながら、力を奪い取っているという。すでに二度、結婚告知は延期されていたが、次の日曜日にも、スティーヴンが花婿として教会に行くことはないように思われた。

月が間もなく昇ろうとするときに、ジュディスは家に帰ろうと立ち上がった。井戸のそばの藪の中で、何かの動く音が聞こえたような気がして、彼女はこう呼びかけた。「サリー、サリー」だが、こたえはなかった。四肢が喜びで軽い。ジュディスは魂に力がみなぎるのを感じて、芝土を高くまき上げながら踊った――。ジュディスが教会墓地の門から出ていったとたん、藪の中からペナース夫人が静かに現れた。夫人は持っていた暗いランタンで願いの井戸の壁を探し、ジュディスの隠した紙片を見つけると、引き出して読んだ。それをふたつに裂いてしまうと、今度は何も書かれていない紙片に別の名前を記して、もともとの紙片があったところへ正確に戻したのだった。その夜、スティーヴンはぐっすりと安らかに眠り、ジュディスが最初に予見したように、〝間もなく回復〟したのである。

牛乳が配達される時刻になっても、ジュディスが待っていた知らせを聞こうと庭に出てくることはなかった。さらにはその日が進むうちにアディス医師が呼びにやられると、医師はここ二週間、スティーヴンのところで診ていたのとそっくりな高熱の症状により、ジュディスが倒れているのを目にしたのである。医師は困惑したものの、片方の患者の治療がうまくいったこともあり、父親である牧師にも心配はいらないと請け合った。熱が一連の段階を経ているだけだからと。だがジュディスの熱は、さらに熾烈を極めたのである。

病に倒れてから十日ほどがたち、ジュディスは窓に面するように置かれたベッドに横たわっていた。井戸のそばで、あの恐ろしい亡霊を抱き締めることにより自分の中に取り込んだ力が、なんらかの、秘められたより大きな力により奪われつつあることはわかっていた。そしてその力は、吸血鬼さながら、彼女から生命力をも飲み尽くそうとしている。一日中、意識はかなりはっきりしていた。それでもしばしば、隙間風に揺れる蠟燭の炎のように、何かが揺らめいているのが見える。そのぼんやりしたものは、彼女が両腕を広げて抱き締めた、あの埋葬布に包まれた人影を思わせた。それはまだ、白い薄膜のような絆によって、不完全ながら彼女につながれているようだ。ところが日没の時刻になると、ベッドのそばに立つ亡霊が見えた。完全な姿を取り、彼女からはすでに切り離されている。その顔はいまや腐敗に深くうがたれており、ふわりと浮き上がったかと思うと、彼女のそばを離れ、窓から漂い出ていった。こうしてジュディスはひとり残された。再び普通の人間に戻り、死の床についたまま。

ジュディスは自分がスティーヴンの名前を書き、彼を願いの井戸の魔力に捧げたことを思い出した。いったいあれはどうなったのだろう？　この一週間は、スティーヴンがまた牛乳を届けるようになっていた。元通りの美貌とたくましさを取り戻し、母が気にしているからといって必ずジュディスの体調を聞いていく。

　ジュディスは自分に問いかけた。忌まわしい儀式のどこかで何かを間違え、わたしの書いた文字が、スティーヴンのではなく、自分の破滅を招いてしまったのかしら？　あの紙切れは始末したほうがいい。井戸まで行くことができさえすれば。あの男への悪意が消えたわけではないけれど、このままでは不毛な目的のために、こちらの生命力が尽きてしまうかもしれない。

　ジュディスは弱り切った体でふらつきながらベッドを出ると、なんとかセーターとスカートを身に着け、靴を履いた。静まった屋敷の中を、一歩一歩、苦労しながら階段を下り、玄関に近づいた。海から吹き寄せてくるすがすがしい風にいくらか元気を取り戻しながら、門と井戸のあいだに広がる、かつては踊りながら跳ね回った芝土の上を重たい足取りで進んだ。衝立（ついたて）のような藪を周り込むと、石のベンチにスティーヴンの母親であるペナース夫人が座っていた。夫人はジュディスの姿を見るなり立ち上がってお辞儀をした。

「おやまあ、これはまたほんとうにお加減が悪そうだこと」夫人は言った。「お出かけなさっていいのかい？　しかも願いの井戸にとはねぇ。このあたりではこのところ、なにやらおかしなことが行なわれているようだけれど」

「あら、わたしならすぐによくなるわ」ジュディスが言った。「ただ、願いの井戸から水を飲みたいと思っただけなの」

　ジュディスは井戸の縁石に膝をつくと、片手を井戸の内壁に伸ばしながら、もう片方の手で、井戸を縁取っているシダの中を探った。そうして隠した場所から紙切れを引き出したのだ。

「ではお飲みなさいな」ペナース夫人が言った。「おや、何を見つけたんで？　何やらおかしなものを持っていますねぇ！　紙切れですか？　開いてごらんなさいな。何か、いいことでも書いてあるかもしれないから」

ジュディスは手の中で紙切れを握り締めた。開いてみる必要などなかった。そこに膝をついているだけで、体が軽くなり、熱が引いていくのを感じた。

ペナース夫人が、片手をサッとジュディスのほうに突き出した。

「さあ、開けるんだよ。このいやらしい、卑劣な魔女めが」夫人が叫んだ。「言われたとおりにおし！」

ジュディスは紙片を開け、そこに書かれていた自分の名前を読んだ。

立ち上がろうとした瞬間、足元がふらついてよろめくと、井戸の中へと落ちた。井戸は深く、側面はねとねとしたものと苔で滑った。先ほどまで膝をついていた縁石に手がかかりはしたものの、しっかりつかむことはできないまま、ジュディスは水の中に落ちた。一度は浮き上がった。それから耳鳴りがして目の前が真っ暗になったかと思うと、喉の中を、願いの井戸の冷たい水が満たしはじめていた。

魔術師の復活

クラーク・アシュトン・スミス

植草昌実 訳

The Return of the Sorcerer

Clark Ashton Smith

失業してはや幾月か、蓄えが尽きるのも今日か明日かとなった。そんな折、私の職能について会って話が聞きたいと、ジョン・カーンビイから脈のありそうな返事が届いたので、意気がおのずと上がった。カーンビイは秘書の求人広告を出していて、応募書類には職能を明記のうえ郵送するよう告げていた。私はその求人に応募していた。

　カーンビイは学究肌の隠遁者らしく、初対面の相手を何人も相手にしたくないのは広告からも明らかで、不適な者をすべてとはいかなくても大部分はふるい落とすために、この方法をとったのだろう。条件は簡潔に、だが余さず書き出されており、単に高学歴というだけでは勤まらない仕事だと示していた。何よりも求められているのはアラビア語の知識で、私は幸い、この馴染みの薄い言語には、それなりの学識を身につけていた。

　住所からだいたいの見当をつけていたが、彼の家はオークランド*郊外の、町はずれの丘の上にあった。二階建ての大邸宅で、樹齢を経た楢（なら）の木に囲まれ、野放図に伸びた蔦（つた）が暗く覆い、水蠟樹（いぼたのき）だろうか、低木の生け垣は何年も剪定されていないようだった。隣の一方は草むした空き地、もう一方は火事場跡で、蔓（つる）が這い木々が茂っていた。

長くうち捨てられていたのは確かだが、それだけではない、暗く侘しい空気に満ちた一角だ――蔦に埋もれて定かでなくなった屋敷の輪郭や、おぼろな影に沈む窓、不格好な楢の枝や、伸びて広がり形もいびつな生け垣など、いたるところに何かが宿っている。来るまでの意気はとうに失せていたが、敷地に足を踏み入れ、落葉に埋もれた小径を玄関へと向かった。

ジョン・カーンビイと顔を合わせると、ここに着くや銷沈していた意気がさらに沈んだ。そのときに覚えた、冷気のような不吉な予感や、曇りだす空に覚えるような警戒心や、鉛のように重く沈む気持ちがどこから来るのか、はっきりとはわからなかった。それはおそらく、屋敷の主人に似つかわしく、通された書斎が陰気だったからだろう――日の光が差しても、灯りを点しても、古ぼけたような影は消えそうになかったからだ。そう、影のせいにちがいない。そして、ジョン・カーンビイは、想像していたとおりの人物だった。

彼はどこからどう見ても、ひとすじにその博識を調査研究に傾けてきた孤独な学者というにふさわしかった。痩身の腰は曲がり、なかば白くなった髪は広い額を鬣のように囲んでおり、きれいに剃刀を当てた頬は書斎に閉じこもっているからか、青白かった。その顔には疲れが浮かんでおり、隠者らしく内気であるというよりは、怖れに身を竦めているようで、濃い隈の奥で双眸が湛える熱を帯びた光も、骨張った両手のせわしない動きも、彼が絶え間なく感じている不安を表していた。明らかに、

オークランド　カリフォルニア州の都市。サンフランシスコ湾を臨む。

過度の熱中で体調をひどく悪くしている。震えを起こすほど消耗する研究とは、いったいどのようなものなのか、想像もつかなかった。だが、それだけの人物ではない――猫背だが肩幅は広く、鷲を思わせる面構えからも、もともとは強靭で、その活力が消耗したわけではないことが伝わってきた。

見た目から想像したより低い、よく通る声で、彼は言った。

「きみは適任と見た、オグデン君」ほとんど私の語学力、とりわけアラビア語の知識について、ごく短く形式的なやりとりをしたあと、彼は言った。「さして難しい仕事にはならないだろう。必要なときにすぐ頼める相手が欲しいだけなのでね。住み込みでお願いしたい。居心地のよい部屋を用意するし、こう見えて私の料理の腕はまんざらでもないよ。私はだいたい夜に仕事をするが、君には不規則な生活をさせないよう留意する」

秘書の職に就けると決まって、大いに喜んで良いはずだった。だが、ジョン・カーンビイに礼を述べ、いつでも転居する旨を伝えたとき、私は理由のない、ぼんやりとした不安を覚えた。

彼は大いに喜んでいるようだった。そして、あの奇妙な、不安を覚えている様子は影を潜めていた。

「すぐ来てくれ――できるなら、今日の午後からでも」彼は言った。「きみがいてくれればありがたいし、早いほど助かる。一人暮らしも長きにわたり、正直な話、ほとほと飽きてしまったのだよ。それに、知識のある助手がいないせいで、仕事も滞りがちになっている。弟がいるあいだは手伝ってくれたものだが、今は長旅に出ているものでね」

ダウンタウンの下宿に戻ると、手元に残っていたわずかな紙幣で家賃を払い、荷物をまとめて、一時間たらずで新たな雇い主の屋敷に移った。あてがわれた二階の部屋は、通気が悪く埃っぽかったが、それまで家賃が安いというだけの理由で住んでいた一間かぎりの部屋を思えば、贅沢なほどだった。そのあと、同じ二階の廊下の端にある書斎へと案内された。仕事はほとんどここでしている、と彼は言った。

書斎を一見して、私は驚きの声をあげずにはいられなかった。実際に見られるとは思ってもみなかった、いにしえの魔術師の隠れ家そのものだったからである。一基の机には、用途の見当もつかない古ぼけた道具や、占星術の図面や、髑髏や蒸留器や水晶玉、カトリック教会の香炉が置かれ、緑青の浮いた留め金で封印した、虫食い痕のある革装の本が何冊もあった。部屋の隅には、巨大な類人猿と人間の、二体の全身骨格標本が並んで立ち、天井からは鰐の剝製が吊り下げられていた。

書棚は汗牛充棟という言葉にふさわしく、題名に目を走らせただけで、古今東西の悪魔学の本や魔道書が網羅されているのが見てとれた。壁には蔵書と共通する画題の、奇怪な絵画や銅版画がかかり、部屋そのものが忘れ去られた迷信に満ちているようだった。ふだんであれば、私はこういったものを見せられても笑っていられるだろうが、この淋しく薄暗い屋敷で、悪夢に気を張りつめつづけているかのようなカーンビイのそばにいると、身震いを抑えられなかった。

別の机には、中世とか悪魔主義とかとは似つかわしからぬタイプライターがあり、原稿が乱雑に積み上げられていた。書斎の奥には壁龕のような一角がカーテンで仕切られ、中にはベッドがあって、カーンビイはそこで寝起きしているようだった。壁龕の反対側、人間と類人猿の骨格標本のあいだに、壁に填めこまれた戸棚があり、錠がかけてあるのに気づいた。

私の驚きを察したカーンビイは、何を考えているか気取らせない、探るような鋭い目を向けた。説明するかのように、彼は語りだした。

「私はこれまでの人生を、悪魔学と魔術の研究に打ち込んできた」きっぱりした口調だった。「非常に興味深いが、等閑視（とうかんし）もされている分野だ。今は時代を追い、その時々の人々の実践魔術と悪魔崇拝を関連づけようと、論文を書いている。きみの仕事は、当分のあいだは、私の膨大なメモをタイピングして整理し、文献や手稿を調べるのを手伝うことだ。きみのアラビア語の知識は、そちらに暗い私には、かの『死霊秘法（ネクロノミコン）』*のアラビア語原典から肝心なところを見つけだすのに、かけがえのないものなのだよ。オラウス・ウォルミウス*によるラテン語訳には明らかな省略や誤訳がある、と見なすだけの理由はあるしね」

私はその希少で類（たぐい）なき本について聞いてはいたが、実物を見る機会はなかった。究極の悪の秘技と禁断の知識が綴られているという。さらに、狂気のアラブ人アブドゥル・アルハザードの手による原書は、手に入れる術（すべ）がないとも聞いていた。どんな経緯でカーンビイの手に渡ったのだろう。

「夕食のあと、御覧にいれよう」カーンビイは続けた。「私が長年のあいだ悩んできた節のいくつかを、きみが読み解いてくれると信じている」

夕食は雇い主の手料理で、安食堂に飽きていた私には歓迎すべきものだった。カーンビイ自身、緊張がほぐれてきたようだった。食後にソーテルヌ・ワイン*を嗜（たしな）むうちに、彼は饒舌になり、学者なりに陽気さも見せた。しかし、はっきりした理由はないのだが、私は不吉な予感を振り払いきれずにいた。

　書斎に戻ると、彼は戸棚の錠を開け、話題にした本を取り出した。きわめて古い本で、黒檀の表紙に銀で唐草模様が象嵌され、石榴石（ガーネット）がほの暗い光を浮かべていた。黄ばんだページを開くと、私は立ち上る臭いに思わず身を引いた。それは腐敗臭そのもので、忘れ去られた墓地で死者たちのあいだに置かれ、死臭を吸収していたかのようだった。

　カーンビイは熱に浮かされたような目を光らせ、私の手からその本を取ると、中ほどに近いページを開いた。そして、骨張った人差し指で、ある一節を示した。

「これが何を意味するのか、読んでくれ」小声だが、緊張と興奮がうかがえた。

　私はその段落をゆっくりと、いくぶん難渋しながら解読し、カーンビイがよこしたメモパッドに鉛筆でざっと英訳した。そして、彼の希望に従い、大きな声で読んだ。

「周知されずとも、死せる魔術師はその身に力を残し、墓から蘇りて、生前に果たし得ぬ行（おこな）いを成す

『死霊秘法（ネクロノミコン）』　H・P・ラヴクラフトの創造による魔道書。著者はアブドゥル・アルハザード。

オラウス・ウォルミウス　一二二八年の『死霊秘法（ネクロノミコン）』ラテン語の訳者（ラヴクラフト「『死霊秘法』釈義」より）。架空の人物だが、その名はデンマークの博物学者オーレ・ヴォーム（一五八八―一六五四）のラテン語名でもある。

ソーテルヌ・ワイン　フランス南部の村ソーテルヌを中心に作られる極甘口の貴腐ワイン。

とは、証明されしことなり。斯くなる復活は悪しきを成し、他者を害するものなり。骸が無傷なれば最も容易に動かすことが可なり。一方、強靭なる意志の魔術師が、数多に切り分けられた骸を蘇らせ、其々を動かし、あるいは再び結合させて、目的を果たした事例もあり。但し、如何なる魔術師であれ、目的を終えれば元の骸に戻るものなり」

　まったくもって、何のことやらさっぱりわからない。奇妙なことに、雇い主は『死霊秘法』のこの忌まわしい一節に聞き入っていたのではなく、読み終える頃に私も気づいて思わず身を竦めた、廊下を何かが這いずるような音に気をとられていたようだった。読み終えたとき、カーンビイに目を向けて驚愕した。彼の顔に、地獄の幽鬼かなにかを見たかのような、全き恐怖が浮かんでいたからだ。今しがた訳したアブドゥル・アルハザードの言葉よりも、廊下の怪音を聞いていたのではないか、という気さえした。

「ここは鼠が多くてね」私の疑念を見て取った彼は、こう言った。「手を尽くしはしたが、追い出しきれていないのだ」

　音はまだ聞こえていたが、なるほど、鼠が床に何かをゆっくり引きずっているように聞こえた。音は次第に近づき、書斎のドアの前あたりまで来たが、しばし間をおいて遠ざかりはじめた。雇い主の動揺は傍目にも明らかだった。一心に耳をそばだてる彼は、音が近づくにつれて怖れを深め、遠ざかっていくとともに落ち着きを取り戻していくようだった。

「神経過敏というやつだ」彼は言った。「ここのところ仕事が度を越したばかりに、このざまさ。小さな物音でも気になってしかたがない」

音はすでに消え、屋敷は静まりかえっていた。カーンビイはいくらか落ち着きを取り戻したように見えた。

「もう一度、さっきの訳を読んでもらえないか」彼は言った。「今度は一語ずつ確認したい」

私は求めに応じた。彼は最初のときと同じ、異様なほどの熱心さで聞き入り、今度は廊下からは何の音も聞こえてこなかった。読み終えたとき、カーンビイの顔からは、血の気というものがまったくなくなっていた。ただ落ちくぼんだ両眼だけが、鬼火のように炯々(けいけい)と光っていた。

「まさに注目すべき一節だ」と彼は言った。「私の不確かなアラビア語では、意味を取るのも覚束(おぼつか)なくてね。この一節がオラウス・ウォルミウスのラテン語訳からそっくり脱落していることは知っていたのだが。的確な読解に感謝するよ。きみのおかげで疑問が解けた」

その礼は口先だけで、自分を押さえつけて考えも気持ちも表に出すまいとしているように聞こえた。カーンビイはどういうわけか、最前にも増して動揺し、気を張り詰めているように見え、なぜかはわからないが、『死霊秘法(ネクロノミコン)』の一節を訳したことがそのきっかけのように思えた。歓迎すべからざる、禁じられたことに心を埋め尽くされたかのように、彼はひどく憂鬱な顔になっていた。

それでも、気を取り直した様子で、彼は他の節の翻訳も求めた。死霊退散儀式のための特異な呪文と、そのさいに用いる希少なアラビアの香料と、その場で唱える百あまりもの魑魅魍魎(ちみもうりょう)の名についてのものだった。私が訳文を書いて渡すと、カーンビイは時間をかけ、学者としての関心だけではなさそうな熱心さで、目を通しだした。

「ここもだ」彼は言った。「この節も、オラウス・ウェルミウスは訳していない」そして、手書きの訳文を読み返し、注意深く二つに折って、『死霊秘法(ネクロノミコン)』の戸棚に収めた。


その夜の出来事は、私がこれまでの人生で経験したうちでも、指折りの奇妙なものだった。かの魔道書の翻訳について、カーンビイと書斎で何時間も言葉を交わしていたが、雇い主が何かにひどく怯(おび)えていることが、さらにはっきりと察知された。一人になることを怖れ、私を書斎に引き留めておこうと、理由を見繕っているのだ。何か怖ろしいことが起きるのを、絶えず耳をそばだてて待っているさまは目にも明らかで、会話も身の入らない受け答えに終始していた。書斎の中の奇怪な調度や装飾が醸しだす邪悪な雰囲気か、言葉にしようのない恐怖のせいか、心の中のもっとも理性的な部分さえ、原初の闇の恐怖に屈しはじめていた。普段の私であればそんなものは笑い飛ばすのだが、今は迷信が創造した最も邪悪なものさえ、信じようとしていた。精神が感染したかのように、カーンビイを苦しめる内なる恐怖が、はっきりと伝わってきたのだ。

人が実際に何をどう感じているかは、口に出さずにいても態度に現れるものだが、そんなとき何度となく聞く言い訳が、神経の不調だ。会話のあいだ一度ならず、超自然的なものや悪魔への自分の関心はまったく理知的で、私と同じように信じてはいない、とカーンビイは言った。だが、彼が言おうとしていることが明らかに作り事であるとは察せられた。科学的な関心のみ抱いていると見せかけていることどもを、彼は信じているどころか、それらに憑かれ、衝(つ)き動かされて、隠秘学(オカルティズム)の研究が引き起こした自らの想像上の恐怖に捕らわれてしまったにちがいない。だが、私の直感はそこまでは告げても、その恐怖の核心を摑むには至らなかった。

雇い主を怯えさせたあの物音は、もうしなかった。彼と私は真夜中過ぎまで、かの狂えるアラブ人の著書を前にしていた。ようやくカーンビイが時刻に気づいたようだった。

「ずいぶん晩くまで付き合わせてしまったようだな」詫びるような口調だった。「部屋に帰って寝むといい。年寄りの勝手を許してくれたまえ。こんな時刻まで仕事しているのは私くらいなもだ」

私は礼を失しないように応えると、おやすみの挨拶をし、内心ほっとしながら自分の部屋に向かった。書斎にいるあいだにのしかかってきた不安や、ぼんやりした恐怖を、そのまま置いていけたらいいのだが、と思いながら。

廊下は長いが、蠟燭の灯りはカーンビイの書斎の前に一つ点るだけだった。廊下の端、階段を上がってすぐの私の部屋のあたりは真っ暗だった。部屋の前でノブに手をかけるや、背後に物音を聞いて振り返ると、小さな、何ともつかない形のものが踊り場から飛びおりて、階段の闇に姿を消した。私はひどく驚いた。わずかなあいだ、ぼんやりとしか見えなかったが、鼠にしては白すぎたし、その輪郭はどんな動物にも似ていなかったからだ。何なのかはわからないが、言い表しようのない奇怪な形に見えた。身震いしながら、それが転げ落ちるように一段一段を下りていく、弾むような音を聞いた。音は規則的に続いたが、じきに聞こえなくなった。

それは身に危険を及ぼすものだったのかもしれないが、私は階段の灯りを点けられずにいた。異音を起こしたのは何なのか、階段を見下ろし確かめることもできなかった。いや、そんなことは誰にもできまい。しばらく動けずにいたが、部屋に入って戸締まりをし、答のない疑念と朧気な恐怖を抱えたまま床についた。灯りは点したままで、あの気味の悪い音がまた聞こえはしないかと、しばらくはまんじりともせずにいた。が、霊安室よろしく静まりかえった屋敷には何も聞こえなかった。寝つけはしないだろう、という思いに反し、私はその後数時間、夢も見ずに眠った。

目覚めたとき、時計は午前十時を示していた。雇い主は私を思いやって寝かせておいてくれたのか、本人もまだ起床していないのか。着替えて一階に下りると、彼は食卓に向かっていた。ほとんど眠っていないのか、顔は青ざめ、落ち着きがなかった。

「鼠は騒がなかったかな」挨拶を交わしたあと、彼は言った。「良い駆除の仕方があればいいのだが」

「まるで気づきませんでした」と私は答えた。昨夜、部屋に戻るとき目にし、たてた音も聞いた、あの得体の知れないものについては、どういうわけか口に出せなかった。あれはきっと、何かの見間違いだろう。鼠が何かを引いて階段を下りていっただけのことだ。規則的に聞こえた気味の悪い音や、暗がりにかすかに見えた怖ろしげな輪郭を、私は思い出さないよう努めた。

雇い主は異様なまでに鋭い目つきで、胸の内まで見透かそうとするかのように、私を見た。朝食を沈鬱にしたためたあとは、終日を陰鬱に過ごすことになった。カーンビイは午後も半ば過ぎまで書斎に閉じこもり、私は一階の、書斎のような内装ではないが、設備は整った書庫で仕事をした。カーンビイが書斎で一人、何をしているかは想像もつかない。だが、荘厳だが抑揚のない詠唱は一度ならず聞こえた。凶兆と不安が頭の中に広がった。この屋敷は、瘴気のような謎に幾重にも取り巻かれているかのようだ。そして、いたるところに目に見えない夢魔が潜んでいるかのようだ。

雇い主に書斎に呼ばれたときには安堵したほどだった。室内に踏み込んだとき、辛みを帯びた芳香が漂い、青い煙が細くかすかにたなびいているのに気づいた。教会の香炉で東洋の香辛料をゴムノキの葉と共に焚いたかのようだった。壁寄りに敷いてあったペルシャ絨毯は部屋の中央に移動させてあったが、床に描いた菫色の魔法円の、曲がりくねった記号を隠すには十分ではなかった。カーンビイがここで何らかの魔術儀式を試みたのは間違いなく、私は彼の求めに応じて翻訳した怖ろしげな呪文を思い出した。

何をしていたかの説明はしなかった。その態度は一変し、昨日よりも落ち着き、自信に満ちていた。タイピングするようにと、彼はてきぱきと原稿を私の前に積み上げた。耳になじんだ打鍵音に、邪悪なものへのおぼろげな懸念は薄らいでいき、雇い主が書き留めた、禁断の力を得るための術式などの、奇怪かつ難解な記述を目にしても、笑みを浮かべるほどになっていた。だが、内心の不安はかすかになりはしても、消えることはなかった。

日が暮れた。食事のあと、雇い主と私は書斎に戻った。カーンビイは緊張している様子で、単身試みた何らかの実験の結果を待ち受けているようだった。私は仕事を続けた。だが、彼の緊張が伝わってきてしまい、たびたび手を休めては耳を澄ませた。

やがて、タイプライターの打鍵音に消されることなく、廊下からあの這いずる音が聞こえてきた。カーンビイも聞いたか、顔に浮かべていた自信はさっさとばかりに消え失せ、見るも哀れなほどの恐怖に席を譲った。

近づいてくるのは、ものを引きずるような低い音で、そこに這う音と、走るようなちょこまかした音が加わり、騒然としだした。死骸をあさる鼠の群でも来たかのように、廊下が何かでいっぱいになっている。だが、どれだけ鼠が押しかけて来ようと、このような音をたてることはあるまいし、あとに続く重たげな音は、鼠が何匹がかりでも運べそうにない大きさのものを想像させた。これらの物音には、特定も説明もできないが共通するものがあり、耳にするうちに背筋に悪寒が走った。

「いったい何なんですか、この騒ぎは？」私は大声をあげた。

「鼠だ！　ただの鼠なんだ！」取り乱したカーンビイは甲高い声でわめいた。

そのとき敷居のあたりから、ドアを叩く音がはっきりと聞こえた。同時に、書斎の反対側にある施錠した戸棚の中から、重いものが落ちる音がした。カーンビイはただ棒立ちになっていたが、やがて力なく椅子に身を沈めた。顔は灰色に変わり、表情からは恐怖に我を失っているさまが見てとれた。

悪夢のごときこの状況の中、緊張に堪えかねた私は、雇い主が気も狂わんばかりに制止するのも聞かず、扉に駆け寄るや開いた。敷居をまたいで薄暗い廊下に踏み出すまで、自分が何を目にするかなど想像もしなかった。

目を落として踏みつけかけたものを見たとき、私は吐き気を催すほどに驚いた。それは切断された人間の手首だった——切断されて一週間はたっているのだろう、骨張り、血の気は失せ、伸びた爪まで庭の土にまみれていた。おまけに、動いていたのだ！　私の足を避けようと後じさりするさまは、まるで蟹が這うかのようだった！　行く先に目をやると、たくさんの仲間がいたが、その中には足首も、肘から先の腕もあった。他のものは見たくなかった。みなゆっくりと蠢いて、納骨堂に帰ろうとするかのように離れていったが、どんな動きをしていたかは言葉にはできない。それぞれが別に生きているかのような、ゆっくりとした、見るも怖ろしいものだった。腐臭を残していったくらいだから、生きてはいないはずなのだが。私は目を閉じて書斎の中に戻り、震える手でドアを閉めた。すぐそばで鍵を持っていたカーンビイは、弱々しく震える手で錠を下ろした。

「見たかね」乾いた、震える声で彼は尋ねた。

「あれはいったい何なのか、説明してください」私は叫んだ。

カーンビイはよろよろと椅子に戻った。内なる恐怖に蝕まれる苦しみを顔に浮かべ、マラリア患者のように震えていた。私がそばの椅子に掛けると、彼は口ごもりながら、とても信じられないような告白を始めたが、ときに支離滅裂で辻褄が合わず、ときどき言葉が途切れた。

「あいつは私よりも強い——殺しても、死体を外科医のメスと鋸でばらばらに切断しても。復活することはないと思っていた——いくつにも切り分け、それぞれを離して違う場所に、地下室や生け垣の根方や、蔦の根元などに埋めてしまえば。だが、『死霊秘法』は正しかった……そして、ヘルマン・カーンビイはそれを知っていた。私が殺す直前に、復活するとあいつは言ったのだ——たとえどんな姿であろうと、とね。

だが、私は真に受けなかった。私はヘルマンを、ヘルマンは私を、互いに憎んでいた。あいつは私より優れた力と高度な知識を持つばかりか、私が望んでも得られない、闇に棲むものたちの恩寵まで受けていた。だから私はあいつを殺した——双子の兄弟であるばかりか、魔王サタンとその眷族たちの前でも兄弟であったというのに。何年ものあいだ、共に研究をした。共に黒弥撒をおこない、同じ使い魔たちを従えた。だが、ヘルマン・カーンビイは隠秘学の知識をさらに極め、私が追いつけないほど深く、禁断の領域に踏み込んでいった。私はあいつを怖れ、あいつが自分より優れていることに堪えられなくなった」

「あいつを殺してからもう一週間——いや、十日になる。だが、ヘルマンは——あいつの一部は、毎晩蘇ってくるのだ……神よ！　あの忌まわしい手が床を這い寄ってくる！　足が、腕が、切り離された脚が、言葉にできない動きで、私を狙い階段を這い上ってくる！……主よ！　血まみれの胴体が私を待ち受けているのだ！　昼間でも、あいつの手がドアを叩いては爪を立てる……夜に廊下に出れば、暗がりで腕につまづく始末だ。

神よ！　私は恐怖のあまり正気を失いつつある。それがあいつの望みだ、気が狂うまで苦しめようとしているのだ。だから、ばらばらな体のままでつきまとうのだ。あいつの闇の力なら、たちどころに私を滅ぼしてしまえるのに。元通りに体をつなぎあわせて、自分がされたことをそのまま私に返すこともできるというのに。

頭を絞って、あいつの死体をばらばらにしてから、遠く離して埋めたのだ！　だが、何の役にも立たなかった！　鋸とメスは、あの動きまわる邪悪な手が届くことのないよう、庭でもいちばん離れたところに埋めた。だが、首だけは埋めてはいない――この書斎の隅にある棚に閉じ込めてあるのだ。ときどき動いて音を立てるから、きみも気づいていたかもしれない……首がなくても、あいつの意志は体のいたるところにあり、思うがままに動くことができるのだがな。

あいつが還ってくると知るや、私は夜になると、すべての窓とドアに錠を下ろした……が、無駄だった。あいつを祓うために、あらゆる呪文を用いた――私が知るかぎりで、だがね。今日は、きみが訳してくれた『死霊秘法（ネクロノミコン）』の中でも最高位といわれる呪文を試みた。きみを雇ったのは、それを訳させるためだったのだよ。もちろん、一人でいるのに堪えられなくなり、誰かに手助けしてほしかったのもあるが。あの呪文は最後の望みだった。あいつを封じられると思ったのだ――もっとも古く、もっとも力のある呪文だからな。だが、このざまだ、何の役にも立たない……」

彼の言葉はつぶやきに変わり、消えていった。その目は焦点が定まらぬまま前方を向いていたが、狂気じみた光を帯びはじめていた。私は何も言えなかった――彼の告白があまりにも怖ろしかったからだ。人道が揺らぎ、魔道を垣間見て、言葉を失っていたのだ。心が麻痺してしまったかのようだった。だが、我に返ったときに感じたのは、抗（あらが）いがたいうねりとなって押し寄せる、この男への激しい嫌悪だった。

私は立ち上がった。屋敷は今や静まりかえり、あの気味悪い屍肉の一団はそれぞれの墓に還ったかのようだった。カーンビイはドアに鍵を差したままでいた。私はドアに歩み寄り、手早く錠を開けた。

「どこへ行く気だ？　ここにいてくれ」ノブに手をかけた私を、カーンビイは恐怖に震える声で引き留めた。

「ここにはいられません」私はにべもなく言い放った。「もう雇われていたくはない。荷物をまとめて、一刻も早く出ていきます」

回らぬ舌の説得も抗議も懇願も聞き流し、私はドアを開けて廊下に出た。暗い廊下で何に出くわそうとも、それがいかに怖ろしく忌むべきものであろうと、ジョン・カーンビイと一緒にいるよりはましだった。

廊下には何もなかった。だが、目にしたものを思い出して震え上がり、私は足早に自室に戻った。かすかな物音を聞いたり、影のゆらぎを目にしたりすれば、悲鳴をあげていたことだろう。

追い立てられているかのように、鞄に持ち物を詰めた。息も継げないほどの恐怖に覆われ、忌まわしい秘密を秘めたこの屋敷から、すぐには出られないような気がしたのだ。慌てるあまりに何度となく間違え、椅子につまづき、恐怖のあまり手は動かず、頭も働かなくなっていた。

荷造りをほぼ終えたとき、そっと階段を上ってくる足音が聞こえてきた。私が部屋を出たあと、カーンビイはすぐに書斎のドアに錠を下ろしたから、彼のものでないのは確かだ。それに、あの男は何が起きたとしても、書斎から出ようとはしないだろう。少なくとも、階下に下りていく足音を聞いてはいなかった。

機械の動きのように一定不変の足音は、踊り場に上がり、私の部屋の前を通過していく。カーンビイのひそやかな足音とは違う。

ならば、いったい誰が来たのか？　全身の血が凍りついたような気がした。私は自分の想像が形をとる前に打ち消した。


一群の足音が止まったのが、カーンビイの書斎の前だと気づいた。息詰まる一瞬の静寂ののち、ドアを打ち破るすさまじい音が聞こえ、それを打ち消さんばかりに、極度の恐怖に堪えかねた男の叫びが響いた。

見えない鉄の手に押さえつけられたかのように、私は身動きひとつできずにいた。どれだけのあいだ、そのまま動かずに耳を澄ませていたかは、わからない。叫びは止み、静寂が戻った。絶え間ない奇怪な音だけが聞こえたが、何が発しているのかは考えたくもなかった。

自分のものではない、さらに強い意志に衝き動かされ、ようやく身を起こして廊下に出ると、カーンビイの書斎へと向かった。悪魔の仕業か、邪悪な催眠術か——抗しがたい、人知を超えた力を感じながら。

書斎の扉は破られ、残骸が蝶番(ちょうつがい)に揺れていた。人間の手でできる破壊ではなかった。室内には灯りが点ったままで、私が耳にした言葉にできない物音は、戸口に近づくと途絶えた。あたりは忌まわしいほどに静まりかえっていた。

またも足がすくみ、それ以上前には進めなくなった。邪悪な磁力のようなものがあたりに広がり、私の手足の動きを止めて、戸口に近づけまいとしているようだった。破られたドアの向こうに、おぼろな灯りで見えたのは、ペルシャ絨毯の端と、床に暗く落ちたまま動かない、見るも怖ろしい形の影だった。長く伸びてゆがんだその影は、裸の男の胴と両腕で、外科医の鋸を構えているように見えた。そのうえさらに怪物じみていたのは、肩、胸、腹と両腕ははっきり見て取れるのに、首は切り離されてしまったのか、見えないことだった。立ち位置や角度を変えてみても、首が見えないのは、なんとも信じがたい。

進退窮まり、私はただ立ちつくしていた。心臓は血を送らず、脳は凍りつき思考を止めてしまったかのようだった。この際限ない恐怖の合間に、カーンビイの書斎の奥、錠をかけた戸棚のあたりから、すさまじい衝突音に続いて、板が割れ蝶番が飛ぶ音がしたかと思うと、何か重いものが床に落ちる、鈍い音があとに続いた。

あたりは再び静まりかえった——邪悪なものが目的を果たし、無言の鬨(かちどき)をあげているかのように。影は微動だにしていなかった。何かを考えているのか。鋸も作業を終えたのか、動かないままだった。

ほんの一瞬後、なんの前触れもなく、影はみるみるうちに細かい欠片(かけら)となり、消え去っていった。何が起きたのか、それが分裂なのか崩壊なのか、私にはわからない。金属の道具がペルシャ絨毯に落ちる鈍い音を追うように、人体の断片がなだれ落ちていく音が聞こえた。

またも静寂が戻ってきた——死体盗人も食屍鬼もその仕事を終え、死者たちだけが残った夜の墓地のような静けさが。

邪悪な催眠術に操られ、見えない魔物に導かれる夢遊病者のように、私は書斎に踏み込んだ。敷居の向こうに見たのは、予想していたとおりのものだった――二つの山をなす人体の断片で、鮮血に染まった新しいものと、土にまみれ腐敗しはじめたものが、絨毯の上で忌まわしく入り交じっていた。

血みどろのメスと鋸が、屍肉の山から突き出していた。そして、絨毯と扉の破られた戸棚のあいだに、人間の首が一つ、その山を見上げるように転がっていた。首にもやはり腐敗の兆候が見えていた。首に気づいたとき、その目には憎悪の色が浮かんでいたが、見る間に、だが確かに、それは消えていった。腐敗しかけてはいても、その容貌がジョン・カーンビイに酷似しているのは一目瞭然で、彼の双子の兄弟であることは明らかだった。

脳内に暗雲のように広がった恐るべき推論を書く気にはとてもなれない。私が目にした恐怖と、そこから推測できるさらなる恐怖は、地獄の底の凍てついた洞窟でおこなわれる、もっとも凄惨な責め苦を軽くしのぐものだろう。あの怖ろしい光景を目にしたのが、ほんの一瞬であったことが、せめてもの救いだ。そのあとすぐに、何かが書斎から消え去っていった。邪悪な呪文は効を失い、抗いがたい力は消えた。ヘルマン・カーンビイの切り刻まれた死体と同じように、私も解き放たれたのだ。自由になった！　私は怖ろしい書斎から飛び出し、真っ暗な屋敷を抜けて、夜の闇へと駆け出した。

真夜中の礼拝

マーガレット・アーウィン

宮﨑真紀 訳

The Earlier Service

Margret Irwin

ミセス・レイシーと長女のアリスは、牧師館の庭から教会の敷地につながる小さな門を急ぎ足で抜けた。アリスは途中、妹の部屋の窓の下で足を止め、「ジェーン、お父さまはもう行ってしまったわよ」と声をかけた。それから母親に向き直り、不満そうに舌を鳴らすと、「あの子ったら、着替えるのにこんなに時間をかけて」と続けた。でもジェーンはすでに礼拝用の服に着替えて、窓下の腰かけに座っていたのだ。窓のすぐそば、やや右側に、四隅に樋嘴（ガーゴイル）*のある、教会の方形の塔がそびえている。毎朝、窓の左側にあるベッドで目覚めると、それが目に入る。首をにゅっと伸ばす怪物は、この部屋に忍びこもうとしているかのようだった。

　教会の鐘の音がやんだ。父の礼拝がはじまる教会にはいっていく信徒たちの足音が聞こえ、やがて静寂が降り、おもむろに懺悔（ざんげ）の祈りの物憂げな声が響きだす。ジェーンははっとして突然立ちあがり、階段を駆けおり、教会の敷地にはいった。今では、頭のすぐ上でガーゴイルたちがこちらを見おろしている。背後で夕日が雲の中に沈みつつあり、いかにもサマセットの冬の夕暮れらしい、湿気の多いやわらかな空気がたちこめている。ジェーンは今、鋲（びょう）打ちされた小扉の前に立っている。この入り口のあたりはクラウド・マーティン教会の中でもいちばん古い場所だ。アングロサクソン時代に遡（さかのぼ）るとされ、いまだに鋲から垂れさがっている黒ずんで萎びた皮のようなものは、生皮を剝がれた異端者の皮膚だと言われている。

ジェーンはそこでひと呼吸置き、両手を広げてやや後ろに引いた。自室にいたときより顔が青ざめ、目がなかば閉じ、息が少し上がっているが、そこまで走ってきたことを思えば、まあ当然だった。窓下の腰かけから飛びおりたときも唐突だったけれど、ここでもいきなり両手を前につきだし、ドアハンドルがわりの大きな鉄の環をひねって教会内に足を踏み入れた。

扉は、堂内隅にある牧師の家族席のすぐ後ろで開いた。ミセス・レイシーとアリスは起立して単調な調子で詠唱しているが、それは一家の暮らしの中ですっかり習慣となり、ほとんど無意識のうちにおこなっていることだった。ジェーンはこっそり母の向こう側に体を滑りこませ、つかの間ひざまずいた。古風な躾をされてきたことをまざまざと象徴するような一つに束ねただけの赤毛が、左右に揺れて暗褐色の板にぶつかる。「ああ神よ、どうかわたしを怖がらせないでください。どうか、どうかお願いですから怖がらせないで」ジェーンはささやいた。それから立ちあがり、はっきりとした正確な口調でくり返し祈りを唱和した。瞳は、正面の壁の前の棺に横たわる十字軍戦士の石像にひたと定められている。

彼は鎖帷子を身に着けていて、顔も修道女の頭巾のように鎖帷子で覆われ、冠さながら高くそびえる兜を額深くまでかぶっている。足は小さな獅子の上に置かれ、ジェーンは子供のころ、聖戦にまで

樋嘴 教会等の屋根に設置された、雨樋の排水口となる彫刻。怪物の形をとることが多い。

お供をした彼の愛犬なのだとばかり思っていた。やはり鎖帷子に覆われた大きな手は剣の柄を握り、鞘から刃が一、二インチほど見えている。ジェーンは、その眠れる巨人の油断のない厳格なたたずまいに惹きこまれるかのように、じっと見つめていた。彼女の頭の中では、唱和の言葉の背後で、勝手に別の言葉がくり返されている。

「騎士は灰燼(かいじん)に帰し
名剣は錆(さ)び
その魂はわれらが信ずる聖人とともにあり」

「でも彼はここにいるわ」ジェーンとつぶやいた。「彼がここにいればなにも恐れることはない」讃美歌がはじまる前にふとあたりが静まり返った。わたしときたら、なに馬鹿なことを一人でぶつぶつと、とジェーンは思った。礼拝の言葉はもうすっかり頭に叩きこまれていて、なに一つ変わらない。だからつい集中がとぎれてしまうのだ。

やがて説教に落ち着き、ここからは遠く夢の中から聞こえてくるような牧師の声に身をまかせていればいいから、すくなくとも二十分間は安心だ。ジェーンの心はたちまち、痛々しいほどすばやくよそへ逸(そ)れていったが、それでもそれは教会内のどこかにずっと閉じこめられていた。「教会では余計なことを考えてはいけません」と昔からくり返し言い聞かされてきた。それでもジェーンは、その日曜の二度の礼拝では、週日のあいだ全部を足した以上に余計なことを考えてしまう。

「ほかの人たちだってこの教会の中でたくさん余計なことを考えているはずよ」と小声で言う。考えがよそへ移り、少し変化する。「この教会には余計なことがたくさんある。たくさんありすぎる」ああ、そんなことを考えちゃだめ。さもないとまた怖くなってしまう。まだ怖くはない。もちろんよ。怖がることなんてなにもない。たとえあっても、目の前に十字軍の戦士がいて、剣の柄に手をかけ、いざとなったらいつでも抜く準備ができている。それになによ、いざとなったらって？　お母さまが横にいるし、見なくてもどんな顔をしているかわかる。お母さまはどんなことにもけっして動じないのだ。

でもそのとき、ミセス・レイシーがぶるっと身震いして、さっきジェーンがはいってきた小扉のほうを振り返った。ジェーンは毛皮を差しだしたが、母は首を横に振った。ほどなく母はまた扉に顔を向け、ゆうに一分間はそちらを見ていた。ジェーンは、おなじみの手作りの飾りつきの帽子がまた説教壇のほうに向き直るまで母を見守っていたが、本当にお母さまはどんなことにも動じないのかしら、とふと不安になった。

小窓の中世風ステンドグラスのゆがんだ天使を見上げる。赤い光輪も傾いている。そのひしゃげた顔は子供のころからの友だちだった。柱周囲に彫られた鼻ぺちゃの小さな顔が彼女にほほ笑みかけ、ウィンクらしきものをしてみせた。

「あなたいくつ？」ジェーンは尋ねた。

「六百歳だよ」彼が答える。

「じゃあ、教会でウィンクしちゃだめってことぐらいわかってるでしょ。まして、そんなふうにずっとにやにやしてるなんて、とんでもない」

でも彼は民謡のメロディに乗せて歌うばかりだ。

「ああ、僕ぐらいたくさんのものを見てくれば、
ウィンクなんていつものことだってわかる」

「神と子と聖霊の御名において――」

あら、もう終わりじゃない！　やっとまた外に出られる。一週間は教会から離れていられるから安心だ。でも、その前にまたあの扉を通り抜けなきゃいけないけれど。

ジェーンは、父が祭壇に行って祝福を授けるのを待つあいだ、なんだか不安だった。堅信礼（けんしんれい）*が終わったら、彼女も祭壇まで行かなければならない。行かなくちゃいけないのだ。父が祭壇に近づいていく。ずいぶん時間をかけているように思える。信徒たちに背を向けている姿はやけに小柄で、服も黒っぽく見える。ときどき父が本当に白い上っ張り（サープリス）を着ているのかどうか、わからなくなることがある。祭壇でなにをするつもりなの？　手に持っている、先の尖ったぎらりと光るものはなに？　祭壇に近づいていくあの黒い服を着た小柄な男はだれ？　男がこちらを振り向いたとき、ジェーンは祈禱書をぎゅっと握りしめていた。

「お馬鹿さんね、お父さまに決まってるじゃない。ほら見て、やっぱりお父さまでしょう？」

その善意にあふれた、鼻と顎がくしゃっと寄った顔は、暗い内陣の中でもはっきりとわかった。こちらを向いたとたん、ぐいっと背が伸びたように見えた。そしてもちろん、上っ張りも白い。真っ白

だ。わたし、いったいなにを見ていたの？

「人知をはるかに超えた神の平安が――」

そうした言葉の魔法に守られて、ずっとそこでひざまずいていられればいいのに。

「なるほどな」ジェーンが立ちあがると、あの鼻ぺちゃの小さな天使が言った。「だけど、すぐに退屈だって気づくはずさ」そして意地悪そうに笑った。

牧師の二人の娘は、母に続いて歩きだした。母は、生皮を剝がれた男たちの皮膚が垂れている扉を開けるまえ、手袋のボタンを注意深く全部とめた。そうしながら背後をちらりと見たが、そのまま足を止めずに進んだ。ジェーンは走らんばかりにそのあとを追い、母の腕をつかんだ。ミセス・レイシーはもう手袋をはずそうとしていた。

「振り返ったのは、トム・エルロイを探していたからなの、お母さま？」アリスが尋ねた。

「いいえ、べつに。トムかだれかが扉に近づいてきたのかと思ったの。でも、教会の中はずいぶんと音が反響するから。あの扉から隙間風が吹きこんできたような気がしたのだけれど、変よね、晩禱が終わるころになって初めて気づくなんて」

「列の端に座るのがよくないんじゃないかしら、リューマチのこともあるし。ジェーン、最後に来るのはいつもあなたでしょ。あなたが端に座ったらどう？」

堅信礼　プロテスタント教会の儀式。幼児洗礼を受けた者が長じて自ら信仰告白をし、信徒として認められる。

「いやよ」ジェーンはぴしゃりとはねつけた。

「急にどうしたの、ジェーン」母が驚いて尋ねる。

「どうしてわたしが端に座らなきゃならないの？　みんなで別の列に移ればいいじゃない。それができればどんなにいいか」

　でも最後の不敬なひと言にはだれも耳を貸さなかった。すでに灯りに照らされた牧師館の明るい玄関ホールに到着し、ちりぢりになって自室に戻ろうとしていたからだ。ジェーンはホールのコート掛けにコートと帽子を掛けたあと、食糧庫にハムとチーズを取りにいった。日曜の夜には、メイドたちはいつも外出している。アリスは台所のコンロでもうトーストの準備をしていた。目を上げたとき、父がちょうど帰ってきたので、ひと言きつくたしなめた。「説教でラテン語を引用するのはやめたほうがいいわ、お父さま。教会に来るみなさんには理解できないもの」

「そもそも私の説教を理解できる者だっていないよ」牧師が言う。「だれも聞いてやしないからね。それなら、たまにラテン語を引用するちょっとしたお楽しみぐらい、かまわんだろう。そういう無礼に気づくのは、生真面目なわが娘くらいなのだから。そういえば、次の金曜日が堅信礼の最後の授業だと、私は教会でちゃんと知らせたかな、アリス？」

「金曜日！」チーズを持って戸口に立っていたジェーンが声をあげた。「次の金曜日が最後の授業なの？　じゃあ、堅信礼は来週ね」

「そのとおり。ちょうどいい頃合いでもあるわ」アリスが言った。「あなたは夏に十六になったんだもの。十六になっても堅信礼を受けていないのは使用人の娘ぐらいよ」

これで予定は決まった。ジェーンは暗いあきらめの気分に浸りながら、オレンジにかぶりついた。ベッドにはいったとき、教会の塔の上空では明るく星々が輝いていた。ジェーンは顔をそむけたままカーテンを引いた。そうすれば、窓のほうに首を伸ばしてくるガーゴイルを見ずにすむ。

金曜の夜、ジェーンは礼拝室で三人の農家の娘たちとともに、父の最後の堅信礼の授業を受けていた。娘たちはサマセット訛り丸出しながら、高校教育を受けた者らしい教養ある話し方をし、その取り合わせがなんとも不思議だったが、教理問答についてはジェーンよりはるかによく知っていた。娘たちが帰ったあと、ジェーンは父にぴったりくっついて教会内にはいり、出しっぱなしだった聖歌集やらなにやら、授業の直前におこなわれた聖歌隊の練習の後片づけをした。二人があちこち動くたびに、父が持っていたランプがそこだけ小さく闇を光で押しのけ、広がる暗闇の壁が退(しりぞ)いたが、別の場所からまた迫ってきた。父はプロティノス*の書物を探していた。教会内のどこかに置いたはずだという。牧師家族用の席をまごまごと探す父を、ジェーンは下手な口実を作ってはそこから引き離そうとした。

「その隅のあたりはもう探したわ、すっかりね」彼女は言った。

牧師はため息をついた。

「『なにをか言わんや

プロティノス　古代ローマの哲学者（二〇五?―二七〇）。新プラトン主義の祖といわれる。

真実が死した今となっては』」

と言ったあと、こう尋ねた。「ジェーン、このあたりは探したなどと言うが、そんなの到底無理だろう。断固として顔をそむけていたじゃないか」

「そうだった？　たぶん、この教会の歴代主任聖職者の名簿を眺めていたたんじゃないかしら。本当に長いリストよね。お父さま以外はみんな亡くなっているけれど」

父はたちまちプロティノスのことを忘れ、牧師家族席を離れて、ジョアネ・ド・マルティニという人物にはじまり、父の名前で終わっている名簿を、誇らしげな笑みを浮かべてしげしげと眺めだした。

「この名簿、よくぞここまで続いたものだな。二か所しか空白がない。イングランド内戦*のときと十四世紀だ。黒死病のころだな。当時は長年この教区に主任聖職者がいなかった。ほらごらん。一三四九年から一三六一年まで名前がない。そしてこのギラルドゥス・アッテ・ウェレから再開する。ジェーン、覚えているかな、おまえは小さいころ、文字を読めるようになったことが自慢で、ここにある名前を全部読みあげてみせたものだったが、この名前だけは頑として口に出そうとしなかった。『怖い名前だわ』と言って。私が無理強いしようとしたら、泣きだしたんだ」

「馬鹿馬鹿しい。ギラルドゥス・アッテ・ウェレのどこが怖いの？」ジェーンは言ったが、そうしながらあたりをきょろきょろ見まわした。そして父の腕にしがみついた。「お父さま、教会の中にいるのはわたしたちだけよね？」

「もちろんだとも。どうしたというんだね？　なにか心配なことでもあるのか？」

「いいえ、べつに。でも、プロティノスのご本は昼間に探したほうが楽に見つかるわ。ああ、お父さま、あの小さな扉から出るのはよしましょう。信徒のみなさんと同じように、きちんと大扉から出ましょうよ」

ジェーンは父親を引っぱって通路を進み、父の書斎にたどり着くまでずっとしゃべりつづけた。「お父さまは気づかないいんだわ」と心の中でつぶやく。「お母さままでも気づいていたのよ。わかってくれてもよさそうなものなのに、おかしな話ね」

でも牧師は、娘の不安についてはわかっていた。「堅信礼を受けたくないのかね、ジェーン?」と尋ね、それからきっぱり言った。「いやなら受けてはいけないよ」

ジェーンは怯えた。最後の授業が終わったというのに儀式を辞退したりしたら、おおごとになるだろう。堅信礼について考えるうちに、戦士の十字軍加入の儀式のことがぼんやりと頭に浮かんだ。彼も教会でひと晩徹夜の行(ぎょう)をおこなったはずだ。たぶん、まさにこの教会で。儀式をすませたら、だれだってなにも怖くなくなる。ただ、聖餐式のために祭壇に近づく必要さえなければ。でもそのことは考えないようにしよう。ジェーンは父に、いいえ、本当に大丈夫、と告げ、ちょうどそのとき二人は牧師館の玄関ホールの戸口にたどり着いた。すると、今はオックスフォードに在学中の兄ヒューから の手紙を手に、ミセス・レイシーが駆け寄ってきた。ヒューは休暇で、今度の水曜日に帰宅するという。

イングランド内戦 清教徒革命(一六四二―四九)のさいに勃発した、王党派と議会派の武力衝突。一六四二年から五一年にかけ、三度に及んだ。

「学部生の友人を何日か逗留させてもいいかというの。ヨークさんっていう人で、古い教会に興味をお持ちらしく、この教会を見たがるだろうとヒューは考えているみたい。きっと頭のいい方ね。エリザベスがいないのが残念だわ。話し相手になれるのはエリザベスくらいしかいないでしょうに。もちろんお父さまとは会話を楽しめるでしょうけれど、今の世の中、殿方は女性にも頭のよさを求めるから。それに堅信礼がこんなに間近だと、ジェーンだって身を入れてもてなすのは難しいでしょう」

「お母さま、まさか前回ヒューがお友だちを連れてきたときみたいに、ダム・クランボ*をさせるつもり？」

「馬鹿な」牧師が急いで言った。「ダム・クランボをするには人一倍集中力が必要で、なにもかもが真剣勝負になる。私はその若者を心から歓迎するよ。エリザベスに負けないくらい知的な会話を心掛けるとしよう」

牧師は妻とともに二階に引きあげ、低い声で言った。「ジェーンは堅信礼のことを必要以上に心配しているようだ。ときどき、やけに怯えているように見える」

「ええ、怯えているわね、たしかに」ミセス・レイシーは、怯えるなんて堅信礼に臨む心境としてふさわしくないと言わんばかりだった。とはいえ、彼女にとっては、客間のカーテンのことのほうが目下の重要課題だった。


　人に専門とする学問の話をしてもらうのを好むヒューは、帰宅早々、最初の晩餐のときに友人の趣味を披露した。「彼は紙と鉛筆を持ってあちこちの教会を訪れ、壁のひっかき傷をこつこつ見つけてはそれに紙を当てて拓本をするんだ。まあ、ひっかき傷というか落書きだね。それで、父上、わが教会にそういうものはありませんか」

牧師には、そういう例は思いつかなかった。そこで、どういうことが壁に書かれているのかと尋ねた。

「ああ、なんでもありです」ヨークが言った。「なにかの文章、ラテン語を真似た戯言、金言。一度など、恋歌の冒頭部分なんていうのも見つけました。教会で仕事をしていて退屈した修道士かだれかが壁に言葉を刻みだす、というわけです。こんにちわれわれが椅子や丸太やなにかにいたずらに刻むのと一緒です。ただ、われわれが書くのは名前と相場が決まっていますが、それはめったに見つかりません」

彼は集めた拓本をいくつか見せた。じかに見るとたいていはうっすらひっかき傷がうかがえる程度だが、拓本にするともっとはっきり浮かびあがってくるのだという。「柱の根元部分は見てみる価値があります。それに部屋の隅っことか、人目につかないような場所ならどこでも」

「家族席近くの壁に傷がいくつかあります」ジェーンが言った。「床に近い、かなり下のほうに」

ヨークは嬉しそうに彼女を見て、やや声の甲高い姉とは別の娘として初めて意識した。彼はその内気そうな少女を見たが、どこか厳粛な美しい瞳は、どうやら寝不足なのか、黒々とした隈のせいで台無しだった。そしてジェーンも、美形とは言いがたいが人好きのする、機嫌のよさそうな幅広の顔を

ダム・クランボ　ある言葉と韻を踏む言葉をジェスチャーで示して、もとの言葉を当てるゲーム。

満足げに見返した。

翌朝、彼女はヨークと二人で壁の横でしゃがみ、例のひっかき傷を見せた。ヒューも一緒に教会内にはいってきたが、どうせ現代の聖歌隊の少年のだれかが自分の名前を刻んだだけさと言って、パイプオルガンのある上階に行ってしまい、即興演奏を始めた。ヨークが傷に紙をかぶせて広げ、その上を鉛筆でこすりながら、ジェーンに教会について丁重に尋ねた。やっぱり幽霊が出たりするんですか？

ジェーンは教会の名誉のためにも、夜中に教会の窓に灯りが見えたと噂する村人がいますと答えた。でもヨークは鼻を鳴らし、「古い教会ならその程度の噂はつきものですよ」と片づけた。彼は懐中電灯を取りだし、スイッチを入れて壁を照らした。

「上のほうに何か深く刻んでありますね。拓本を取らなくても読める。〈Nemo potest duobus dominis（ネモ ポテスト ドゥオブス ドミニス）〉。ウルガタ聖書*からの引用だ。〈なん人（ぴと）も、二君に仕えることあたわず〉という意味です」

「下のほうの言葉も同じ人が刻んだのかしら」

「いいえ、こちらはもっと後でしょうね。十四世紀末ごろのものじゃないかな。ハートリーが正確なところを教えてくれるでしょう。大英博物館に勤めている友人で、いつも拓本を彼に送って、いろいろ調べてもらってるんです」

ヨークは紙に写した言葉を懐中電灯で照らした。そのあいだも、ヒューの〝即興曲〟のぞっとするような不協和音が教会内にわんわんと響き渡っていた。

「これもラテン語だな。ずいぶんひどい――修道士流ラテン語ってやつだ。ちょっと解読できないな。そうか！」

「どうしたんですか？」

「上の文に対する返答だと思う。いやはや、過去最高の発見だな。ほら、最初にだれかが〈なん人も二君に仕えることあたわず〉と書き、それから一世紀ほどして、別のだれかがここにしゃがみこみ、刻みつけた。ええと、僕の読めた範囲では、〈ならば善なる君に仕えるふりをしつつ、悪なる君に忠実であれ〉かな。聖職者が教会にこんな言葉を残すなんて驚きだ。これだけのラテン語を書く教養があるのは聖職者だけだろうからね。それにしても、彼はなぜこんなことを書いたんだろう」

「善より悪のほうが面白いからじゃないかしら」ジェーンがぼそりと言った。

「へえ。君は彼に賛成なのか。悪と言ってもいろいろな悪があるけど」

「わからないけれど、ただ……恐ろしい言葉や文章が頭から離れないってこと、ありませんか？　そういう声がいつも聞こえているような気がするんです」

「明日もそれが聞こえると思う？」ヨークがふざけ半分に尋ねた。明日が彼女の堅信礼の日だと聞かされていたのだ。ジェーンはすっくと立ちあがろうとしたが、長いあいだしゃがんでいたせいで脚がしびれて尻もちをついてしまい、二人して噴きだした。

「ごめんよ」ヨークが言った。「意地悪しようとしたわけじゃないんだ。ただ、なにがそんなに不安なのか知りたかった、それだけだよ」

ウルガタ聖書　聖ヒエロニムス（三四七？—四二〇？）がラテン語に翻訳した聖書。十六世紀にローマ・カトリック教会の公式訳聖書となる。

「どういう意味？」

「わかってるくせに。でも、いいんだ。たぶん言いたくないいんだよね」

ジェーンにしては珍しく、堰を切ったように言葉がほとばしりはじめた。

「なぜ悪は面白いのか？」彼女は息をあえがせた。「現実では、悪は面白くなんかない。使用人がスプーンを盗んだり、村人がご近所さん同士で争ったり。このあいだ、ミセス・エルロイが父のところに来て、とても不安だと訴えたの。年寄りのミセス・クロフトが彼女の似姿(マウキン)を作ったと言って」

「マウキン？」

「人形のこと、ほら、粘土細工の人形。クロフトさんはそれに針を刺していて、エルロイさんが言うには、針が刺されるたび体がちくっとするので、すぐにわかるらしくて」

「お父上はなんて言ったの？」

「坐骨神経痛だろうって。でも、違うとエルロイさんが言い張るから、しかたなく父はクロフトさんのところに行って、もうすぐクリスマスだから人には善意をほどこし仲直りしなさいと話したの。だけど彼女は父を横目でじろりと見て、ぶつぶつ文句を言うばかりだった。だからアリスが、クリスマスの祝福は隣人と仲良くする人のところにしか来ませんよと言ったら、祝福というのはクリスマスプディングのことだと思ったクロフトさんは、針を抜いてマウキンの呪いを解いたの。そしたらエルロイさんが痛みを感じることはなくなった」

「つまり、クロフトさんは本物の魔女ってこと？」

ヨークは立ちあがり、ジェーンのきらきらした目を興味津々の面持ちで見た。

「ここクラウド・マーティンは昔から魔女騒動でとても評判の悪い教区なのよ」ジェーンは誇らしげに言った。

「君が面白いと言うのは、そういうたぐいの邪悪のことだね？」ヨークが言った。

ジェーンは彼の言葉に困惑し、きまりが悪くなった。あらためて壁を見て、すでに発見された傷の下にもう一つ別の傷を見つけたような気がした。ヨークが急いで拓本を作り、紙をしげしげと見たところ、そこに一つだけ単語が浮かびあがり、今さっきの邪悪にまつわる議論のきっかけとなった最後の一文と同時に彫られたものと思えた。

「Ma……Ma……ああ、わかったぞ。〈Maneo（マネオ）〉つまり〝われ残る〟、そのひと言だ」

「われ残る？　〝われ〟ってだれかしら」

「悪なる君に忠実であれと助言していた、同じ〝われ〟じゃないかな。たぶん、当時はそんなことは言われていなかったけど、人の為した悪は本人の死後も生きつづけると、記憶に残そうとしたのかも」

ジェーンはぎょっとしたように彼を見た。とてもいい子だけれど、なんでも真に受けすぎるところがあるな、とヨークは思った。

ヒューのオルガンによる即興ジャズはいつの間にか終わっていた。ジェーンとヨークがあの小扉から教会を出たとき、礼拝室を抜けてきたヒューと鉢合わせた。

「今日は運に恵まれたよ」ヨークが言い、ヒューに紙を手渡した。「聖堂番かだれかにも、探すのを手伝うように言ってくれたの？」

「いや。どうして？　家族だけで足りただろう？」

「まあね。ただ、出るときに小柄な男が扉の脇にいて、なにしてるのかなと思っただけだ。君も見たよね？」ヨークはジェーンに向けて言った。「すぐ近くにいたから」

でも彼女はこちらをまじまじと見るばかりだったので、言わなければよかったとヨークは思った。

「オルガン奏者だな、きっと」ヒューが言い、教会塔のほうを振り返った。「君、ガーゴイルは好きかい？　あそこになかなかいいのがあるんだ、ほら、悪魔が子供を食べてるやつ。見えるだろ？」

堅信礼後の日曜の朝、初めての聖餐式の日、ジェーンは早起きして、蠟燭の灯りで服を着替え、玄関ホールで母と姉と合流すると、じめじめと寒いぼんやりした薄闇のなか、二人に続いて庭を抜け、教会の敷地へ向かった。内陣の窓からは光が漏れ、教会塔のガーゴイルはかろうじて見分けられる程度で、その歪んだ輪郭が暗い空を背景にいっそう黒く沈んで見えた。

ジェーンは、家族席の列の端にいる母の向こう側に滑りこんだ。内陣の灯りと、中央通路に下がるたった一つの小さなランプを除けば、教会内は暗く、だれがいるのか見分けがつかない。父親はすでに内陣におり、礼拝が始まった。ジェーンはこれまでにも朝礼拝に出たことがあるが、まだこんなに暗い時分におこなわれるのは初めてだった。だからいつもと違って見えるのだろう。いや、実際に違っていた。

父は祭壇でなんとも妙な動きをしている。どうしてあんなに前後に動きまわったり、両手を変なふうに振りまわしたりしているのかしら。それに、なにを言っているの？　ジェーンにはちっとも理解できなかった。聖書のどの部分なのか少しもわからず、祈禱書を必死にめくってみるが、耳を澄ましてもまるで判然としない。今や、祈禱の言葉だけでなく、父のしゃべる言語そのものに聞き覚えがないと気づいた。アリスが「説教でラテン語を引用するのはやめたほうがいいわ、お父さま」と父をたしなめていたことを思いだす。でもこれは説教ではなく、聖餐式だ。ラテン語で聖餐式、つまり聖体拝領をするのはローマ・カトリック教会だけだし、それならミサになる。お父さまはミサをしているの？　国教会をやめて、ローマ・カトリックに？　わけがわからなかったし、恐ろしかった。でも、母はなにも気づいていないように見える。

祭壇にほかにも人がいるけど、それにも気づいていないの？

つかの間、小休止があった。ジェーンの背後の闇の中から人がぞろぞろと現れ、祭壇に向かった。母も席をそっと立ち、彼らに加わる。ジェーンは身を引き、姉に前を通らせた。

「あなたも来るでしょ、ジェーン」姉は前を通りながらそうささやいた。

ジェーンはうなずいたが、立たなかった。母と姉が行くのを見送り、内陣でひざまずいている人々の背後に立つ、二列の黒い人影を眺めた。母と姉の顔は見えない。いや、知っている人の顔が一つも見えない。

祭壇にいる人々をあらためて確かめる気になれず、うつむきつづける。さっき見たときには、父の横にもう二人いた。あるいは、その小柄な人影が父ならば、だけれど。今もう一度見たら、やはりそこにいるかしら。ジェーンはうなだれ、両手で頭を抱えていた。本当なら聖餐式の祈りを唱える父一人の低い声が聞こえるはずなのに、内陣からはたくさんの声が重なるくぐもった詠唱が聞こえてくる。かそけき足音が聞こえていたが、ジェーンの脇を通って教会の奥へ進んでいく音はもう二度としなかった。彼らは祭壇でなにをしているの？　ジェーンはとうとう顔を上げずにいられなくなった。見ると、人々は内陣でずらりと一列になるのではなく、たがいに向き合うように二列に並んでいる。顔を見分けようとしたが、知っている顔が一つもない。ふいに、なぜ見分けられないのかがわかった。彼らには顔がないのだ。人影はみな黒い頭巾のついたマントを着ていて、その頭巾の下にはぽっかりと空白があるだけだった。

「仮面をつけているのかも」とジェーンは思った。彼女は頭の中であえてそう一語一語つぶやき、気を散らそうとした。恐ろしくて今にも叫びだしそうだったからだが、なにがあろうとあそこで待機している人々に見つかるわけにはいかない。もうわかっていた。彼らは祭壇でジェーンを待っているのだ、と。

あの小扉からこっそり脱けだすこともできたかもしれないが、いかんせん体が動かなかった。立ちあがり、目の前に横たわっている十字軍戦士を見る。武装して鎧で身を固め、剣を鞘から抜きかけている。ジェーンは息が詰まりそうだった。「戦士さま、戦士さま、どうか立ちあがって、私を助けて」大急ぎで心の中で祈った。でも戦士は微動だにしない。やはり自力でなんとかしなければならないようだ。彼女は一目散に小扉へ突進すると、それを引き開け、外に飛びだした。

ミセス・レイシーとアリスは、ジェーンは一人になりたくて、聖餐卓から別の席に戻ったのだろうと思った。牧師である父親だけは、ジェーンがそもそも聖餐卓に来なかったことを知っていた。そして、娘が朝食の席に現れないのを見て、ますます心配になった。散歩にでも行ったのだろうとアリスは思った。ミセス・レイシーは、ヴィクトリア朝後期の女性らしい曖昧な言い方で、ジェーンがしばらく一人になりたがるのは、ごく自然なことだわ、と言った。

「ひどく寒い十二月の早朝に一時間も前から起きていたら、コーヒーとソーセージがほしくなるほうが自然だと思うがね」牧師はいつになく刺々しい口調で言った。

三十分後、野原を足早に歩いている彼女を見つけたのはヨークだった。彼は、冷えきったジェーンの両手を取り、顔をのぞきこんで言った。「ねえ、このままじゃいけないよ。君はいったいなにを恐れているの？」しかしそこで質問を急にとりやめて、いや、無理に話そうとしなくていい、でも朝食の席に戻ったほうがいいよ、と言って、なかば彼女を引きずるようにして、ねっとりとした泥のなか、牧師館へ一緒に引き返した。ふいにジェーンが話しだした。けさの礼拝はいつもとまるで違っていたの、出席している人も、彼らの服装も、言葉さえも、なにもかもが違っていた、と。

彼女がつっかえつっかえ口にした言葉について、ヨークはじっくり考え、もしかしてこの子には過去を遡（さかのぼ）る力があり、かつてあの教会でおこなわれていたラテン語によるミサを見聞きしてきたのではないか、と思った。

「古いラテン語のミサだって、そんなに恐ろしいものではないはずよね？」

「ジェーン、牧師の娘が訊くことじゃないな」

「そうね。わかった。じゃあ、今朝わたしが見たのはミサじゃなかったんだわ。あれは……」とても小さな声だったので、ヨークは聞き取るのにひと苦労した。「祭壇でなにか恐ろしいことがおこなわれていたの。しかも彼らは……彼らはわたしを待っていた」

ヨークの腕をとっていた彼女の手が震えだした。彼は、こうしたほうが温かいからと言い訳して、その手を自分のポケットにつっこんだ。あの家族の中でいちばん好感が持てる素直で気のやさしい女学生が、こうして恐怖にとり憑かれているさまを見るのはつらかった。

その晩、彼は古物研究をしている友人のハートリーに長い手紙を書き、牧師家族席のそばの壁で見つけた落書きの拓本を同封した。

月曜日、ヨークはサマセットのほかの教会を調べに行くため、牧師館を出発することになった。別れを告げながら、ジェーンをじっと見る。前日に彼女を恐怖に陥れたものがなんだったにせよ、すっかり忘れてしまったようで、朝食の席では一同の中でいちばん陽気だった。でも、ヨークの視線に気づくと笑顔が消えていき、言うつもりはなかったのにうっかり口を滑らせたかのように、こう言った。

「水曜日にここに戻ってきてほしいわ」

「どうして？　水曜になにかあるの？」

「満月なのよ」

「それなら今週じゃなくて、来週の水曜日だね。なぜその日に戻ったほうがいいのかな」

ジェーンはそれには答えず、急に照れたみたいに古いジャズの一節を歌いだした。「来週の水曜日、いにしえのベンガルへ！」

ジェーン自身、なぜそんなことを言ったのか、明らかにわかっていないようだった。でもヨークはそれまでに必ず戻ろうと心に決め、帰り道にまた寄らせていただいてもいいですか、とミセス・レイシーに尋ねた。

それからの十日間のあいだに、ハートリーから提供してもらった驚きの情報をようやくつなぎ合わせることができた。その情報が、彼がクラウド・マーティン教会で作った拓本を解読するヒントをくれたのだ。

一四七四年におこなわれた異端審問の報告書の中で、サマセット州クラウド・マーティン教区の司祭、ギラルドゥス・アッテ・ウェレは、拷問のすえ、日曜には彼自身が聖体拝領を執りおこなうまさにその祭壇で、真夜中に黒ミサをおこなっていたことを白状した。普通は、魔女の主要安息日である水曜か木曜で、しかも満月と重なる夜がその日と定められた。当日、司祭は脇にある小扉から教会にはいり、教会の身廊の暗闇に身をひそめていた、彼に倣(なら)って悪魔に忠誠を誓った村人たちが、一人また一人と彼に合流していく。彼らは頭巾付きのマントと仮面を身に着け、たがいに相手がだれかわからないようにしている。司祭は、ひそかに幼い子供をさらい、悪魔への生贄として祭壇で殺した罪に問われ、しまいには、同じように生贄にするため、一人のうら若き乙女の命を奪おうとした。

裁判も終盤にさしかかると、被告たちはみな、ことに他者が犯した罪にかぎっては、われ先にとあれこれ打ち明けはじめた。しかし、とある奇妙な出来事については、だれもが口を揃えた。司祭が祭壇上の乙女の喉を掻っ切ろうとしたそのとき、いきなり十字軍戦士の棺が開き、二世紀にわたってそこに横たわっていた騎士がむくりと起きあがると、さっと剣を抜いてこちらに向かってきたのだという。あわてた彼らは蜘蛛の子を散らすように教会から逃げだして、乙女は無傷のまま祭壇に残されたのだった。

このハートレーからの報告書をポケットに入れて、ヨークは翌週の水曜日に、イングランドをのろのろと貫いていく列車でクラウド・マーティンに戻ろうとしたが、乗り継ぎがうまくいかずに、最寄り駅のリトル・ボリッジに到着したときにはすでに午後十時十五分になっていた。村のタクシーは故障中で、その時間は稼働できる車がほかに一台もなく、牧師館まで行くには六マイルも歩かなければならなかった。駅に宿があるので、そこでひと晩泊まって翌朝目的地に向かったほうがはるかに効率的だったが、ヨークはその選択肢を退けた。先がどうなるかもわからず、しゃにむに突き進んできた移動のあいだ、ずっと自分に「このままじゃ遅れてしまう」と言いつづけてきたのだ。なにに遅れてしまうのか、自分でもわからなかったのだが。今日水曜までに戻るとジェーンに約束したのだから、戻らなければならない。ヨークは駅に荷物を預け、歩きだした。満月の夜だったが、空は雲に覆われ、あたりはほとんど真っ暗だった。駅長が念入りに教えてくれた道順にしたがったものの、何度か道を誤り、そのたびに少し引き返さなければならなくなった。ぐんぐん飛んでいく雲を背景に真っ黒なシルエットが浮かぶ、クラウド・マーティン教会の方形の塔がようやく見えたとき、午前十二時間際だった。

教会の敷地に続く小さな門扉に近づく。内陣の窓からほのかに光が漏れ、唱和する声が聞こえたような気がした。立ち止まって耳をそばだて、たしかに今のは歌だったと確信する。やんだとたん、あたりが静まり返ったからだ。その後、経過した時間は一分だったかもしれないし、五分だったかもしれない。いきなり、想像を絶する恐ろしい悲鳴が聞こえたのだ。かすかではあったが、たしかに、閉めきられた教会の中からだった。そして、ジェーンの声だとヨークにはわかっていた。小扉に駆け寄ると、さっきの悲鳴がくり返し聞こえた。彼が扉を蹴破ったそのとき、「十字軍の戦士さま！　戦士さま！」という声が響いた。教会内は漆黒の闇に満たされ、内陣にも灯りはなく、ヨークはポケットを手探りして懐中電灯を取りださなければならなかった。すでに叫び声はやみ、中はしんとしている。懐中電灯を左右に振って見まわし、祭壇の脇に倒れて体を丸めている人影を見つけた。ジェーンだとわかっていた。すぐさま近づく。彼女は目を開けてヨークを見たが、彼だとわからず、話しかけても理解できないようだった。彼女が口を開いたとき、妙にがさつなサマセット訛り丸出しのしゃべり方で、ヨークがかろうじて聞き取ったかぎり、こう言った。「祭壇にあったのはあたしの体」

変身

アーサー・マッケン
平井呈一 訳

Change
Arthur Machen

「ところでね、あんたがおもしろがりそうな妙なものがあるんだよ」とヴィンセント・リマー老人が、古めかしい大机の仕切り棚のなかを探りながら言った。

老人は、しまってあった暗い仕切りのなかから一枚の紙きれをとり出すと、それを珍客のレイノルズの手に渡した。妙なものというのは、長年どこでも一般に使われている、地に濃いめの青い縞目の斑(ふ)を漉(す)きこんだ青灰色の、ありきたりの一枚の便箋であった。紙のへりが年月がたって少し黄ばんでいた。折り畳んである表側には何も書いてない。レイノルズはそれを開いて、腰かけている椅子のわきのテーブルの上にひろげた。そして次のようなものを読んだ。

e ee i e ee
i o e ee o
i aa o oo o
a a e i ee
i ee a e i

aa i ee o o
a a ee a e

レイノルズはひと通り目を通したが、呆然として何が何やらわからなかった。

「一体何ですか、これは？」とかれは言った。「何かこれに意味があるんですか？　暗号かな、それとも何かつまらないゲームなのかな、——何ですか？」

リマー老人はクスクス笑って、「さすがのあんたも面食らうだろうと思ったよ。——この筆跡に、何か気がついたところはないかね？　どこか普通とちがってるような……？」

レイノルズは、書いてあるものを前よりも綿密に調べてみた。

「さあね、べつに字体そのものに変わったところがあるとは思えないな。字がすこし大きいせいか、多少ぎごちない形だけど。しかし、わずか五、六字をくり返しくり返し書いた筆跡から、何か判断しろったって、そりゃむりですよ。とにかく、筆跡のことはさておいて、何なんですか、これは？」

「そのお尋ねはちょっと後まわしにしよう。この紙きれには、いろいろ不思議なことが関係しておってね。なかでも一ばん不思議なのは、この紙きれがダレン事件に密接な関係があることさ」

「何事件ですって？　ダレン事件？　そんなの聞いたことありませんな」

「そうだろう。あんたが物ごころつく少し前のことだからな。それにどっちみち、あんたの耳にはいるようなことではなかったろうよ。たしかにその事件には、えらく奇妙な、普通でない出来事があったけれども、一般の人はおそらく知らんだろう。知ってたとしても、よくわからなんだろう。あんただって、今目の前にあるこの紙きれが、その奇妙な出来事の一つだということを考えたら、世間のやつらがわからなんだのも、べつに不思議はなかろうが？」

「それで、その事件というのは、どんな——？」

「まあ、あらまし、たぶんこんなことだろうと臆測する以外にない事件だからね。ま、とにかく、事件の外廓から話すことにしよう。ところで、まずきいとくが、あんた、メリオン*へ行ったことはないだろうな。そうか、そりゃぜひ行ってみることだな。東ウエールズでは景勝の地でな、美しい海岸があって、逗留するにはまことに快適な所だ。それにこじんまりしとって、すこしも俗化していない。そこのいちばん小さなところで、トレナントという村がある。樹木のうっそうとした小高い山——土地ではアルトと言っておる——があって、墓地には昔のケルト人の十字架が立っておる。戸数は十戸かそこらでな、村の端をとりまく斜面に、民宿所が何軒か並んどるが、ほかにメイロスへ行く往還ぞいに、何軒か民家が散在しておるぐらいなものだ。村の下の方は草のはえた湿地で、山から流れてくる小さな流れが、そこへと一面にひろがっておる。それから砂丘、そして海、それがずっと東のドラゴン岬までのびて、西の方は石灰岩の断崖で眺望は尽きる。トレナントと市（いち）の出るポースの町との間は、約一マイル半ぐらい、きれいな広い砂浜がどこまで拡がっていて、そこは子供の遊び場に持ってこいだ。

　話は今からちょうど四十五年前のこと、トレナントは夏場の書き入れ時で、八月には二十人たらずの避暑客が村にはいっておった。わしはちょうどその時、ポースに逗留しておったが、町からトレナントまで足をのして、浜が賑やかなのに驚いたくらいだった。——八、九人の子供たちが砂の城をつくっている、泳ぎを習うもの、貝がら拾いをするもの、どこの浜でも見るようなことをして遊んでおった。大人たちは砂丘のへりに幾組かになって坐りこんで、本を読んだり世間話をしたり、なかにはポースの方へ散歩に行く者、あるいは浜のはずれにある磯の水たまりでエビ捕りをしている者もあった。どれを見ても、みなごく素朴なかたちで、いかにも楽しそうな、しあわせそうな光景で、それに天気つづきの美しい夏だったので、みな思い思いに楽しく過ごしていたに違いないと思う。なんでも三、四回、そうやってトレナントへ歩いて往復しとるうちに、浜で遊んでおる子供たちの大部分が、色の浅黒い、顔だちの美しい一人の若い女の子に、何やかやと面倒を見てもらっているのに目がとまった。子供たちが砂の城をこしらえていると、その女の子が土台の設計に知恵をかしたりな。土地の風俗係りが海水浴客を監視しておるなかで、——その時分はあんた、脛(すね)を出すことはまだ御法度でな。——その娘が靴下をぬいだり、スカートをたくし上げたりして、何くれとなくやっておった。貝拾いには貝の種類を教えたり、とにかく、たいへん世話好きな娘だった。

聞いてみると、アリス・ヘイズというその娘は、浜で遊ぶ子供たちのほとんど大部分の世話を任されていたらしい。なんでもブラウン夫人とかいう人の家の保母兼家庭教師だとか家政婦だとかで、ブラウン夫人が七月はじめに、麻疹(はしか)のあとがさっぱりしない八歳になるマイケルという子供といっしょに、ロンドンからつれてきた娘だということだった。夫人はその月の末に、ジャック、ロザモンドという上の子二人も呼びよせて、いっしょに逗留しておった。ほかに、スミス家という、やはり小さな

メリオン　ウェールズ北部のメイリオニッド地方を指すと思われる。『恐怖』にもこの地名は現れる。

子供づれの家族と、三人の子供をつれたロビンソン家の家族もきておって、毎朝親同志浜べに坐って、おたがいに馴染みになった。スミスの夫人もロビンソンの夫人も、すぐにミス・ヘイズの子供たちの守り役としての腕前に、一も二もなく惚れこんだらしい。スミス夫人もロビンソン夫人も、子供たちへの注意にはしょっちゅうハラハラしているのに、ブラウン夫人ときたら、いつも平気な顔で日向ぼっこをしながら、編みものなんかしておるんだものな。ジャック・スミスなんて子は、十四歳になったばかりのくせに、波を潜って沖へ出て、まるで二十マイルも先のドラゴン・ヘッド岬まで泳いで行きかねない勢いだし、ジェイン・ロビンソンなんかは派手なピンクの海水着を着て、突然浜のとっ先の岩の間に姿を現わすかと思うと、岩鼻をまわって危険な知らない場所へ姿を消そうとする。おかげで親たちは、警戒と見回り、救助と警告に、カンカン照りのなかをフカフカの砂浜や滑りやすい岩場を歩きまわるんで、もうクタクタさ。チビたちのなかにも、きゅうに姿の見えなくなるものがあったり、ときには親たちまでがいっしょに行方がわからなくなったり、子供たちが砂のトンネルを掘って生き埋めになったんじゃないかなんて考えたりして、どうしていいんだかほとほと参ってしまうことがある。そんな時にも、ブラウン夫人はミス・ヘイズの監督に任せっきりで、涼しい顔をして坐りこんでいる。そこでお察しの通り、二人の夫人は相談をして、ブラウン夫人に話を持ちかけて、いわゆる契約みたいなものが成立した。それによってミス・ヘイズは、三組の家族の子供たちの総監督権を握ることになったんで、スミス、ロビンソン両夫人の肩の荷は大いに軽くなったというわけさ。

わしがこの休暇中にきた連中と知り合うようになったのは、ちょうどその頃だったと思う。スミス氏には、まえにわしは朝の散歩のおりに、ポースの町で出会って、渚づたいにトレナントまで、浜の道をいっしょにブラブラ歩いたことがあった。そのとき順々に紹介をされて、わしも三家の仲間に加わるようなことになって、いっしょに砂浜に坐りこんで、子供たちの遊びの世話を焼いたりなんかして、ミス・ヘイズの監督ぶりに注目したわけだ。

『ときに、この狭い村には妙なことがありますな』と、たしかロイド保険会社*に関係しておった、人柄のおだやかなブラウン氏が、わしに言うんだな。『まあ、こんないい保養地はほかにないと、あなたもお思いでしょう？　北は山で塞がれ、南向きで景色はいいし、冬は寒からず、夏は新鮮な汐風。これ以上何も求めるものはないと思うが、いかがです？』

『わたしもそれは同感ですな』とわしは答えた。『いささかのんびりすぎるかもしれんが、わたしはのんびりが好きでしてな。健康には最高のところでしょう。何が妙だと思われるんですか？』

『いえね、じつはわたしども、あの山の中腹のゴーヴァン・テラスという宿に部屋を借りていますが、先だっての晩、夜なかに咳が出て目がさめましてな。ベッドを出て水を一杯飲みに行ったときに、空模様はどうかと思って、窓から外をのぞいたんですな。夕方、日が落ちてから南西にいやな雲が出ていましたんでね。ご覧のとおり、ゴーヴァン・テラスの二階の窓からは、村の家があらかた見えます。するとね、どこの家にも、灯火が一つずつ点いているじゃありませんか？　午前二時にですよ。まる

ロイド保険会社　ロイズ・オブ・ロンドン。十七世紀末、エドワード・ロイド（一六四八―一七一三）がテムズ川畔に開いたコーヒーハウスで、客の海事業者たちが保険取引をしたことに始まる。世界最大の保険市場。

で村じゅうの家に病人がいるみたいで。でも、まさかそんなことは考えられませんわなあ？』

ブラウン氏とわしはその時、ほかの連中からすこし離れて坐っとった。スミス氏はポースから買ってきたロンドンの新聞の経済欄を、ロビンソン氏と最合（もあい）で、頭をよせあって読んどったし、三人の夫人たちは編物をしながら、さかんに何か喋（しゃべ）っておるし、ずっと下の方の白い泡を打ちよせておる波打ちぎわでは、ヘイズ嬢と彼女の小さな水兵どもが、陽（ひ）のキラキラ光っておるなかで、嬉々として遊んでおる。

『ブラウンさん、あなたね、ひとつ秘密を誓っていただけませんか？』とわしはブラウン氏に言った。『いや、ごく限られた秘密ですがね。今あなたが言われたことね、あれ、村の連中には誰にも喋っていただきたくないんだ。連中、厭（いや）がりますんでね。あなた、今の話、奥さんやほかの方たちにお話しになりましたか？』

『いやいや、まだ誰にも話していません。せっかくの休暇に、病気の話なんか縁起でもありませんからな。しかし、どうしてなんですか？　まさかこの村では、夜まっ暗にしておくと、伝染病でも発生すると思ってるんじゃないでしょうな？　それだったら大変だ！　さっそく引き揚げなくては。子供たちがいますからな』

『そんなことじゃありませんよ。この土地に病気が出るなんて、考えられもしませんよ。——もっとも、自分は肺病だと言って、三十年も頑張ってる、トマス・イヴァンス爺さんみたいなのは別ですがね。何か御意見ありますか？　なければ、ひとつあなたをびっくりさせるようなことを申しましょう。村の連中が夜じゅう灯火をつけているのは、あれは妖精除（よ）けのためなんですよ』

これは図に当たったようだったよ。ブラウン君、怖じ毛をふるったような顔をしておった。これはしかし妖精が怖わかったんじゃない。先生、自分の信じている秩序の世界がひっくり返るのが怖わかったんだな。この人はロンドンのまんなかで商売をし、すまいはアディスカムあたりの環境のいいところにあって、自分は穏健明達な自由党員だった。こういう立場にいる人の世界では、妖精はもちろんのこと、妖精を信じている人間を容れる余地なんかない。この人にとっては、妖精を信じる輩などは、妖精と同様、まったく根拠のない、たわいもない連中であって、たんに気に食わないなんて程度のものではなかったんだな。

『こりゃ驚きましたな！』とかれはやがてのことに言った。『あなたがわたしの足をひっぱるとはねえ。こんにちあなた、妖精を信じているものなどは一人もいませんぜ。そんなものはもう、何百年というもの存在してませんよ。シェクスピアだって、妖精は信じていなかったと、自分でそう言ってますよ』

わしはかれに、言わせるだけ言わせておいた。ブラウンはわしに、村の夜通しの灯火は、チフスでも、ただの麻疹でも水痘でもいいから、そのせいだとわしに言わせたかったんだな。わしは最後に言った。

『だいぶあなたは妖精の問題に確信がおありのようですな。そんなものはどこにもいないと、あなた確言なさいますか？』

『むろん確言しますな』とブラウンはひどくつむじを曲げたように言った。

『どうやってそれがおわかりになります？』

こういう反問をされるのは、誰だってガチンとくる。返答がないのはわかりきっているのだから。わしは相手がヤキモキしておるのを横目にかけて、言った。

『忘れないで頂きますよ。窓の灯影のことはどなたにも仰言らないようにね。伝染病のことが御心配なら、医者におききなさい』

かれはムッツリとしてうなづいていたが、腹のなかでは、あらゆる種類の誤まった結論を考えているふうだったね。その後われわれの逗留中、最後までかれは、わしと付き合おうとはしなかったようだった。むろんわしのことを、妖精なんか信じる気ちがい野郎だと軽蔑しておったにちがいない。しかしな、わしは考えるんだが、ロンドンの中心で自由政見と高級住宅のなかに住んどるような連中に、ほかの世界もあるんだということを見せしめてやることは、いいことだと思うね。しかも、たまたまトレナントの大部分の村民が妖精を信じて、そいつをフルフル恐れていたことは紛れもない事実なんだからな。

ま、しかし、これはほんの幕間の間狂言よ。その後もわしは散歩の足をのしては、ちょいちょい連中の仲間に加わった。そして年の若い連中とも馴染みになったから、砂浜で遊べるようにと思って、テニスのネットと、そいつを張る棒を寄付してやったりしたものだ。奴さんたち、どこかで何とかすればゲームができるだろうぐらいの考えで、ラケットと球は持ってきておったんだな。だから、わしの心入れは大歓迎さ。わしはヘイズ嬢に手伝って、ネットを張るし、ヘイズ嬢はコートのラインを描いたりしてな。大人の連中からもいろいろ助言があったが、ヘイズ嬢は全然耳をかさん。ボールが『イン』か『アウト』かで、しょっちゅう揉めたが、そんなこともゲームに賑やかな活気をつけたようだった。ウインブルドンだったら、そんなことは認めないだろうがね。またときには、夜分など、親たちがつき添って大きな子供たちだけで、ポースまで有名な日本人の奇術や、公民館で開催中の『お化け大会』を見物に行ったり、ド・バリー・ガーデンで『ふしぎな楽団』の演奏を聴きに行ったりした。——そんなわけで、みんなが一人のこらず、ありったけの楽しい時を過ごしていたと言ってよかろう。

そういうなかへ、恐ろしい大詰がきたのだ。ある朝、わたしは例のごとくポースの宿から散歩に出かけて、砂丘の下のいつも連中が屯（たむろ）しているところまでくると、意外なことに、誰もそこにおらんのだよ。これはひょっとすると、村人がひた隠しにしているのじゃないかと、ブラウンの恐れていた伝染病が本当に出て、子供達のなかに感染したものでもあったんではないかと、わしも心配になってな、ゴーヴァン・テラスの方へ道を登っていくと、宿の石段の下にブラウンが立っておって、なにかひどく動顚しとる様子なんだよ。わしは大きな声をかけて言った。

『ブラウンさん、どうしました？ まさかあなたの仰言ったことが当ったんじゃないでしょうな？ 麻疹か何か、そんなものにお子たちが罹（かか）ったんじゃないんでしょう？』

『麻疹なんかより、もっと悪質なものらしいんですよ。何が起こったのか、われわれにもさっぱりわからないんだ。医者にも診断がつかんのです。ま、ちょっと中へおはいりになって下さい。すこしお話ししたいこともありますから』

と言ってる時、二、三軒先の家の入口から、ゾロゾロ人が下りてきた。先頭には駅からきた赤帽*が出おり、荷車に荷物が山と積んである。そこへジャックとミリセントという、スミス家の上の子供が出

赤帽 鉄道駅構内で客の荷物を運ぶ職業。ポーター。

てきて、いちばん後からスミス夫妻が出てきた。スミス氏は何かスッポリと包んだ大きな物を両手でかかえていた。

『ボブ君が見えませんな。どこへ行きました?』ボブというのはスミス家の一番下の子で、五、六歳のいたずら盛りの、血色のいい子だった。

『スミスがかかえているのがボブですよ』とブラウンが小声で言った。

『何があったんですか? 磯の岩場で怪我でもしたのですか? ひどい怪我でなければいいが……』

わしが尋ねてみようと前へ進み出ようとすると、ブラウンがわしの腕を押さえて引き止めた。やがてスミス家の家族がそばまで近づいてきた時、とっさにわしは、こりゃ何かまずいことがあったな、と見てとった。上の二人の子供は、いましがたまで泣いていたらしい。兄の方は災難——だか何だか知らないが——に挫けまいと、一所けんめいに健気な顔をしていたが、夫人は顔にヴェールをかけて、足どりもおぼつかなげだし、スミス氏の顔には、不吉な夢の戦慄のようなものが貼りついていた。

『気をつけてね』とブラウンが低い声で言った。

荷物をかかえて坂道を歩きだしたとき、スミスはすこし半身になったが、かれはわれわれがそこにいることにも気がつかなんだ様子で、列の連中も、われわれが石段の下の花の咲いている植込みの蔭に半分かくれて立っていることに、気づいておらん様子だ。闇のなかにいる人みたいに、スミスが心細げにうしろをふり返った時に、かかえている物の蔽布がちょっとずれた。わしはそこに見た。小さな、皺だらけになった、黄いろい顔がのぞいとるのを見たんだ。怨みをのんだような、何とも言えん哀れな顔だったな。

世にも哀れな行列が道を練って行った。そのうしろ影が見えなくなったとき、わしは救いようもない気持で、ブラウンの方を向いて言った。

『いったい、何があったのです？　あれはボブじゃありませんよ。誰です、あれは？』

『まあ、中へはいりましょう』ブラウンはそう言って、テラスへ上がる長い石段を先に立って上がって行った。

　われわれが家のなかへ足を入れたとたんに、なにかキャーという叫び声と甲高い笑い声がきこえた。

『あれね、ミス・ヘイズがヒステリーをおこしているんです』とブラウンが浮かぬ声で言った。『いま、家内が看護していますが、子供たちは裏の方の部屋にいます。こんな恐ろしい土地では、子供たちだけで外へ出すわけにいきませんからな』ブラウンは地団太を踏んで、わしのことを睨めつけた。ふだんのしっかり者に似ず震えておったよ。

『とにかく』とかれはやがてのことに言った。『わたしの知ってるだけのことを言いましょう。と言っても、わたしにわかってることは、ほんの少しなんだが。……ま、それでもいいでしょう。あなたもご存じだが、あのミス・ヘイズは、子供をかかえている家内を助けて、多かれ少なかれ、子供たち全部をひっくるめて監督をしてきました。ロビンソンやスミスの家の子供たちも、ここへきてからは同様でした。そりゃもう、朝のうち浜へ出ている時のあの面倒見のよさは、あなたもご覧になってるはずです。午後はまた気分を換えるために、みんなを陸へつれていく。このへんはちょっと陸へはいると、なかなか美しい田園があるんですな。原始林が多いが、それがまた美しいし、木かげがあるから涼しいし、ミス・ヘイズは、砂浜でいちんち炎天干しにしておくのは、小さい子供にはよくないと思っているらしくて、家内もそれには賛成なんです。飲みものなんか携帯して、森のなかをピクニックするのが、子供たちにはとても楽しいらしくてね。大きい連中も二、三マイル先へは行かないことだし、小さい連中は手押し車にのせて行くから、そんなに過労なことはなかったようです。

きのうはお昼をたべているときに、ここから二マイルばかり離れたダレンという所に、洞窟がたくさんあるという話が出ましてね、うちの坊主どもがぜひそれを見たいと言うと、宿のおかみさんも、あすこはごく安全なところですよと言うんで、それからスミスやロビンソンのとこの連中を誘ったら、みんな熱を上げてね。それからみんなでおやつの物を持って、ヘイズの指図で蠟燭やマッチを持って、くり出したわけですよ。いつもより少し遅く出かけたので、向こうに着くとまず探険をして、それから宝さがしをして、それから洞窟のなかで蠟燭をともして賑やかにおやつを食べて、や、これは涼しい洞窟のなかでちっと遊びすぎたなと気がつくまでは、時のたつのがわからなかったんですな。誰も時計を持ってこなかったもんだから。そこで急いで荷物をまとめて、地面の底から出たときには、外はもうかなり暗くなっていましてね、道を探すのにちょっと手間どったけれども、大したこともなく、みんな元気で、モグラの縁に蹴つまづいてぶつかり合ったりしてね、こんなこともけっこうまた冒険になったようでした。

やがて村道まで下りてきて、そこでそれぞれ自分自分の組に分かれていたときに、誰かが、「あれっ、ボブはどこへ行ったろう?」と叫んだのです。なるほど、そう言えばボブがいない。よくあることで、みんなボブは誰かほかの者といっしょにいると思ってたんですな。なにしろまっ暗ななかで、みんなゴチャゴチャになって、喋ったり噪いだりしてたんだから、みんなそう思っていたんでしょうな。ところが、ボブが迷い子になっている。その場の様子は、おおよそお判りでしょう。みんなあんまり驚きが大きすぎたんで、ミス・ヘイズの責任を咎めることも忘れちゃっていました。たしかにヘイズが迂闊でした。ふだんの彼女に似合わなかったことは、疑う余地がない。ロビンソンがみんなを集めて、スミス夫人に、——奥さん、坊やは絶対に無事でいますよ。通ってきた道には、べつに足を踏みはずすような崖も川も池もないんだから。それに今夜はさいわい暖かだし、飲み食いするものは充分持っているんだし、見つかればきっと元気でいますよ。そう言って、われわれは近くの百姓家に頼んで、屈強な男を一人借りて、カンテラを持って、ミス・ヘイズにみんなが通った道をくわしく教えてもらって、スミスとロビンソンとわたしと三人して、はじめよりは元気百倍して、ボブちゃん探しに出かけたようなわけでした。百姓の男に事の次第を話して、行先を言ったときに、わたしはその男が断わりたいようなそぶりだったのを、目ざとく見たのです。「ダレンで迷い子になったってか。そりゃはあ、まっこと気の毒なこっちゃのう」と男の言った言葉が、スミスにピンときたと見えて、かれはウィリアムというその男に、そりゃ君、どういう意味かね？　あの場所に何か曰くでもあるのかね？　と尋ねると、ウイリアムは、「あに、べつにどうちゅうこともないけんど、日が暮れてからはあんまりゾッとしねえ所だからな」と言葉を濁していました。わたしはふっとその時、二週間ほど前だったかな、あんたがこの村の連中について言われたことを思い出してね。「むみょうの御宝、御宝」とわたしは口のうちに言って、無事息災を神に感謝しましたよ。百姓の男が隠れ沼か何かのことを言い出すのかと思ったんでね。わたしはスミスに耳打ちして、ここの地形がどんなところなのか教えてやって、すぐにもボブのところへ行けるものと思って、歩いて行ったんです。道はシダやイバラなど被さったものは何一つない広い野っ原のなかへとかかって、案内の男はカンテラを大きく輪にまわしながら行く。ミス・ヘイズとわたしら三人は、大きな声でボブの名を呼びながら行く。この原っぱなら、万が一にも見つからないなんてことはなさそうに思えました。

ところが、いっこうに影も形も見えない。このうちに、とうとうダレンまで来てしまった。ごく緩い爪先上がりの原っぱを通って、切り割りを一つ出ると、きゅうにそこから逆落(さか)としみたいな深い狭い谷へ下りるんですな。闇のなかでわかったかぎりでは、そこは典型的な巣窩(そうか)状の谷間でしてね、一つの谷が別の谷へ通じていると、その別の谷がまた別の谷へ通じておって、どの山肌も樹木でみっしり蔽(おお)われている。有名な洞窟というのは、そういう幾つもある嶮(けわ)しい斜面の一つにあるんですよ。もちろん、われわれは中へはいってみました。洞窟はどれも奥は大して深いものではなく、ここなら蠟燭が消えても迷い子になる者はいませんわ。われわれは穴のなかを隈なく探して、みんながおやつを食べたところも見たが、ボビーの姿は影らしいものもない。そこで洞窟を出て、森をくぐりくぐり谷を下りて行くと、やがて広々とひらけたところへ出ました。見ると、その広々とした空地のまんなかに、たった一本木がはえている。そのうちに、どこかで小さな動物が傷(て)でも負ってクンクン泣いてるような、哀れっぽい声がきこえるんですな。声はその木の下でした。――そこにね、さっきあなたが見た、気の毒なスミスが抱きかかえていたものがあったのです。

スミスがそれを抱き上げようとすると、いきなりそいつが山猫みたいに向かってきて、なにかこの世のものとは思われんような、わけのわからないことを早口にベラベラ口走りましてね。そこへミス・ヘイズが飛びだして、なにかそいつをなだめているふうでしたが、それっきりそれは静かになりました。こっちは何が何やらわからなかったが、カンテラを持った案内の男は、恐ろしさにガタガタ震えて、顔から汗がボタボタ落ちていましたな』

わしはブラウンの顔をキッと睨まえて、腹のなかで考えた。『なんだ、おまえさんも百姓のウィリアムとやらと、五十歩百歩じゃないか』と。ブラウンは明らかに恐ろしさに動顚しておったもの。

二人とも、しばらくの間、無言でおった。それからわしは尋ねてやった。『あんたね、なぜ「それ」とか「そいつ」とか仰言るの？　なぜ「かれ」と言わないんです？』

『そりゃわかってるでしょう』

『するとあんたは、ご自分が手伝って家まで運んできた子がボビーではないと、本気でわたしに仰言るつもりなんだね？　スミス夫人は何と言ってるんです？』

『あのひとは、着ている物は同じだと言っています。あれはボビーに違いないとわたしも思います。ポースから来た医者は、この子はなにか激しいショックを受けたにちがいないと言ってました。医者は、事のいきさつは何も知っていないと思います』

ブラウンは吃り吃りそう言うて、最後にこう言うた。

『わたしはね、あなたが灯火のついている窓のことで言われた言葉を考えて、あなたなら手を貸して頂けると思ったんです。何とかなりませんかね？　わたしら、今日の午後にここを引き揚げます。

——みんな。なにか打つ手はありませんかな？』

『さあ、そいつはちょっとね』

ほかに言いようがなかったからね。で、握手をして、そのまま何も言わんと別れたんだ。

その翌日、わしはダレンまで歩いて行ってみた。金色の陽の輝く夏霞の立ったような日だったが、それでもそこは何となく不気味な場所だったね。ブラウンが言うとったように、谷のはいり口と谷の展けかたは、ほんとに唐突で急だった。そこへ行くまでの野っ原には、そんなところが現われるようなけしきは、何一つないんだ。例の切り通しを抜けると、たちまち地面が八方になだれ落ちて、ゴツゴツした岩がニョキニョキ立っておって、嶮しい斜面にはえているトネリコの藪で、あたりは薄暗くなっておる。そこを下りていくと、鳥の声一つ聞こえん寂寞とした、うす気味のわるい日蔭のなかへはいる。そのずっと向こうのはずれに、森の茂った山がすこしひっこんだところに、なるほど、芝草のはえた広い円形の空地があった。その空地のまんなかに、だいぶ年古りた、ねじくれたような茨の木が一本立っておる。この下で連中は、クンクン鳴きながらわけのわからんことを喚いとる、小さな生きものを見つけたわけだ。わしはそこらを歩きまわって、それから引き返して、洞窟のなかへはいって、持ってきた馬車用の蠟燭に火をともした。洞窟の中なんか、大して見るものはなかろうと思っていたとおり、べつに大したものはなかった。例の子供たちや、その前にはいった他の連中がおやつの茶を飲んだらしい所には、まっ黒にくすぶった石が輪に積んであって、小枝をよせ集めて火を焚いた跡があった。洞窟のなかにも外にも、なぜ都会のやつらは田舎へくると、どうしてこうまでだらしなく見苦しい紙屑や食いかすを残していくのかと腹が立つほど、油のしみのついた紙屑や、バターやジャムでベタベタした紙や、食い残しのサンドイッチや噛りかけのパン屑などが、所嫌わずに捨ててあった。汚ないそんなゴミかすのなかに折り畳んだ一枚の書翰箋が目にとまったから、何の気のなしに拾い上げて開いて見たのが、そら、さっきあんたに見せたあれなのさ。さっきわしがあれを見せて、書き方に何か変わったところがあるかと訊いたら、字がすこし大きくて下手くそだと、あんた言ったな。そのはずなんじゃ、これはね、子供が書いたものなんだよ。あんたさっきは、この二枚目の裏まではよく見なかったようだったが、ごらん、ここに『ロザモンド』と書いてあるだろ。——つまり、ロザモンド・ブラウンさ。それからこの下、——そら、ここの隅のところを御覧」

レイノルズはそこの所を読んで、えっと息をのんだ。

「それがあの子の又の名だよ。——魔界の名だよ」

「魔界の名？」

「さよう、サバトの夜の闇のなかのな。あのヘイズという若い女、あれが子供たちをみんな手のなかに納めておったのさ。みんなあの女の手のなかにあったんだよ。あの可哀そうな子供たちは、あの女がこしらえた泥人形とおんなじだったのさ。わしはその人形の一つを見つけた。岩の割れ目に隠してあった。みんなが火を焚いた場所の近くのね。わしはその人形を地べたに踏んづけて、粉々にしてきたよ」

「で、あの女の魔界の名は何て言うんです？」

「おそらく子供たちは、『お婿さん』とか『お嫁さん』とか呼んどったんだろうな」

「それで、女の正体はわかったんですか？」

「それがまるでわからん。ただ、ロンドンの北トテナム街——あすこは何年か前に恐ろしい噂のあったところだが、そこのキリスト教の孤児院で保母をしておった、ということだった」

「そうすると、その女は、あなたが言われるように、見かけよりだいぶ年をくっていたに違いありませんな」

「だろうな」

二人はしばらく黙って坐りこんでいたが、やがてレイノルズが言った。──

「そりゃいいが、この文字の──いや、母音と言った方がいいのかな──この並べ方ですね、これをまだ伺っていないけど、やっぱり暗号なんですか、これは？」

「いや、暗号じゃない。これはしかし、じつは大へん珍らしいものでね、いろいろ大きな問題を呼ぶものなんだが、でもそれはこの事件の外の問題だ。そもそもわしに学があれば、もっと溯(さかのぼ)って言える自信があるんだが──以前わしは、二世紀だか三世紀だかの──どっちだか今忘れたが──ギリシャ語の稿本の英訳を読んだことがあってね、こいつを見たのは、だいぶ昔のことなんだよ。訳者も編者も、これは古代ペルシャの祭典の次第を書いたものだという意見だったが、わしの考えでは、もっと高い権威者たちはその説は承服しかねるという意見に傾いておったようだ。とにかく、なにかこの真言秘密の密教の世界にはいる、入門の儀式だったことは疑いない。よくわからんが、あるいはグノース教*と関係のあるものだったかもしれんな。だけど、わしのその時の興味は、そういうことよりも、その儀式にはいる段階というか、とっかかりというか、それが今あんたの手に持ってるその文字の配置ね、それとほとんど同じもので出来ていたということにあったんだ。その母音や二重母音は、いつも同じ順序になっていたわけではないし、ギリシャ語の稿本にはaeとかaaだのいうのはなかったと思う。しかし、この二つの古文書が同じ種類のもので、同じ目的をもっているということは、そりゃもう、どこから見ても明白だ。そのギリシャ語の稿本から、時代はだいぶあとになるけれども、いわゆる中世や近世の魔法の呪文の唱え方が、やはり母音を一定の順序に並べた慟哭（どうこく）で成り立っていることなども、べつに驚くにあたらんことだと、わしは思うな。

ただね、驚くことが一つあるんだよ。だいぶ前のことになるけども、いつだったか日曜日の朝のことだったな、ブルームズベリのある教会へブラリとはいったんだよ。その教会は、たいへん崇（あが）められているある宗派の総本山でね。ちょうど、なにか厳粛な儀式がはじまっている最中だったが、とつぜん、なんの前ぶれも前唱もなく、いきなりこの声が——母音だけでワーッと突き上げる斉唱がはじまってね。いやその効果のえらかったこと、びっくりしたね。凄いと聞くか、滑稽と聞くか、それはその人ひとの趣味の問題だが、しかしわしにはそれがどう聞こえたか、あんたには見当がつくだろう、信者たちはそれを『台頭語』と言っとるそうだがね。つまり、天の言葉、神のみことばと信じとるんだな。信者の心意は非常に健全なんだ。だが、問題はそこにある。——一体ね、あの頑迷固陋（がんめいころう）なスコットランド系の長老教会派の連中が霊的感動をあらわすのに、何んであんな奇妙な古めかしい、しかも清浄なものと認められていない、あんな方式を考えたのか？　これは不思議な謎だよ。

うん、あの女かね？　これはべつに難かしいことはないさ。昔から善良なスコットランド人は、自分たちにないものを何かしら摑んできた。あの女はそういう彼女自身の伝統のなかにおったわけだよ。

グノース教　グノーシス主義。一世紀に地中海沿岸を中心に始まった宗教運動。罪深い肉体をもつ人間は、イエス・キリストがもたらすグノーシス＝霊知を得ることで救済される、とする。

かれらが今でも言うとるとおり、asakai――dasa――『闇は亡びることなし』ということだな」

蟹座と月の事件

マージェリー・ローレンス

田村美佐子 訳

The Case of the Moonchild

Margery Lawrence

ある六月の晴れた朝、イーバリー通りの自宅で朝食をとっていると電話が鳴り、受話器の向こうからペノイヤーの声がした――デヴォンシャー*からの長距離電話だった。彼は休暇を利用して、僕とは関係のない友人――ランドルフ・ヘイスティという男だ――の家を訪ねるべく、件(くだん)の長閑(のどか)な田舎町へ行っており、戻るまで二週間以上は音沙汰のないものとてっきり思っていたので、僕は驚いた。だがその声色を聞いて、僕に連絡してきたということは、出かけていったのは休暇などではなかったのだということをすぐに悟った……なんらかの案件が生じ、僕が要り用になったのだ。

あいかわらず単刀直入なものいいだった。

「ジェリー、大至急こっちへ来てくれないか？――わたしの〈心療鞄〉を持って」

〈心療鞄〉とは、ペノイヤーがいざというときのために準備してある鞄のことだった――といっても、パジャマや髭剃り道具といった旅行用具が入っているわけではない。そこに収まっているのは、あらゆる種類の香油や膏薬、ねじくれた金属製の装置、長衣(ローブ)に被りもの、さまざまな紙の束に本が一、二冊、薬草の包み、不気味な形をした護符(アミュレット)といった、わが相棒がしじゅう出くわす〈彼方の闇より訪れし強者(つわもの)たち〉との戦いにおいて必要となるであろう種々雑多な品々だった……そこで僕がこの、わが友人がたいていの場所へ携えていく嵩張った黒革のトランクに、〈心療鞄〉なるあだ名をつけたのだ。

「いいとも」僕はいった。「新しい小説の校正刷りに目を通さなきゃならないが、それは持っていって時間を見つけてやればいいし、ほかに差し迫った用事もないからね。今日じゅうに向かったほうがいいのか？　急いで出れば、パディントン発の午後の汽車に間に合うかもしれない。なにがあった？」

「まだ——なにも」わが友人はいった。「それより、きみも休暇でこっちに来ることになったということにしておいてもらえないかね？　こないだのきみの小説が売れたおかげで、きみを呼ぶ口実ができた——世話になっている家の奥方が、なんときみの熱心なファンなんだ！　そこできみの名を出して、どうやらひどく疲れているようだからなんとか彼をこちらへ呼べないものだろうか、と口にしてみた。すると奥方は大興奮で、いまやぜひともきみにこちらで寛いでほしいと躍起になっている……まさにわたしの思惑どおりにね！　話の続きは会ってからだ——駅で落ち合うことにしよう。さっきいっていた汽車に間に合えば、午後五時半頃にはエクセターに到着する。そこで乗り換えてペンディーンまで来てくれ、そうしたらそこへ迎えに行く。ではな！　会えるのは七時半頃だろう。八時頃にはヘイスティの家に到着するだろうから、夕食にも間に合うはずだ」

だがそううまくはいかなかった。

午後の汽車には余裕で乗れたので、それなりに快適にエクセターへ向かっていたのだが、当の汽車がなにやらつまらない理由で、途中で二度も止まってしまい、エクセターに到着したときには、僕が

デヴォンシャー　現在のデヴォン州。イングランド南西部、コーンウォール半島の中部に位置する。

乗るつもりだったペンディーン行きの列車はとうに出発してしまったあとだった。結局次の列車を待つはめになり、ペンディーン駅に着くのは九時半頃になってしまった。僕は一本遅れの列車の座席に力なく座りこみ、憂鬱な思いを巡らせた。ペンは、今日はもう来ないものと思って諦めて帰ってしまっただろうか――だとすると、駅の待合室で一夜を明かすか、もしくは自力ではるばる歩いて、ヘイスティとやらの家を探し出さねばなるまい！　だが、片手に〈心療鞄〉を、片手に自分のスーツケースをぶらさげ、空腹と疲労ですっかりふてくされて、ようやくペンディーン駅のホームによろよろと降り立ってみると、待っているペノイヤーの姿が見え、たちまち気分が晴れた。（あとから聞いた話では）僕が一本前の列車に乗っていなかったので、なにがあったのかはだいたい予想がついた。そこで夕食をとるために一旦戻り、そのあともう一度次の汽車に合わせて来てみたのだそうだ。彼とともに駅を出て、乗り心地のよい車の座席に落ち着くと、しだいに疲れも取れてきた。運転席にいたのは体格のよい中年男だったが、制服姿ではなく、運転手というよりはむしろ雑用係といった趣だった。僕はクッションに深くもたれかかって煙草に火をつけ、早速矢継ぎ早に質問を投げかけた。ところがペノイヤーはかぶりを振った。

「すまない、ジェリー。いまの時点では、今回の件について話せることはほぼないのだよ」彼は眉根を寄せた。「わかっているのは、ただなにかが匂うということだけだ――明らかに霊的な匂いが！　ばかげた話に聞こえるだろう――このような場所で、まさか邪悪な念が蠢いているなどと想像できるかね？」

そういって彼は、車窓の外にひろがる景色を片手で指し示した。僕らの乗った車は、まさにこれぞデヴォンシャーという、生ぬるい夕刻の空気が立ちこめたままの、野薔薇と忍冬の深い生け垣に挟まれた小径を走っていた。素晴らしく心地よい六月の夜で、頭上に弧を描く藍色の空はガラスの鐘のごとく澄みきっており、かすかにきらめく星々が点々と浮かんで、生け垣の隙間からは、沈みゆく太陽が放つ、燃え立つような薔薇色とオレンジ色と金色の輝きが、いく筋もの光となってこぼれていた……。

「それはそうだが」僕はいった。「いったい……」

「これ以上はっきりとしたことはなにもいえない。あまりにも摑みどころがないのでね」わが友人はすこし苛立っているようだった。「とはいえ、彼ら一家と現在の状況についてはきみにもおおよそのことを知らせておきたいから、話せるだけは話しておこう。ありがたいことに、われわれとフレッド・ヒッグス君とは衝立で仕切られている。つまり遠慮なく話ができるというわけだ！」

かいつまんで話すと、つまりこういうことだった。ランドルフ・ヘイスティとは長年のつき合いだった――といっても、おもにヘイスティの前妻であるミリアム・ライサットという女性を通じてのことだ。彼女はひじょうに優れた霊能力の持ち主で、かつてペノイヤーとともに学んだ時期もあった。ヘイスティと出会って結婚していなければ、イギリスでも指折りの霊能者となっていたにちがいない、とペノイヤーはいった。ヘイスティとは彼女を通じて出会い、友人となったそうだ。ミリアムに仕事を続けさせてやってほしい、とヘイスティにはさんざん説得を試みたが、彼は――心霊現象をまったく信じないわけでも、頭ごなしに否定しているわけでもなかったが――それらのものには及び腰で、未来の妻が霊能者になるなどもってのほかだと考えていた。そういうわけで、心霊界の貴重な担い手がひとり失われ、ミリアム・ヘイスティは、多くの女性たちがそうしてきたように、愛のためにみずからの才能を封じたのだった。彼女は夫との間にふたりの子をもうけた。息子は生後まもなく亡くなったが、〈月(ムーン)〉に縁(ゆかり)があるとされる六月*に生まれた娘は、ミリアムのたっての願いで〝モナ〟と名づけられ、ペノイヤーが彼女の後見人となった。だがなんということか！　娘が生まれてほんの数年でミリアム・ヘイスティは帰らぬ人となり、残された夫は、この不完全な世界において知り得るかぎりほぼ完璧だった結婚生活の思い出をよすがに子を育てながら、精一杯生きねばならなかった。だが妻を深く愛しすぎていたランドルフ・ヘイスティは結局孤独に耐えきれず、数年後に再婚した。ここでペノイヤーが言葉を切ったので、僕は問いたげに彼を見やった。

「それで？」僕は訊ねた。

ペノイヤーは思わせぶりに肩をすくめてみせた。

「まあ」彼はいった。「ある意味では、彼は幸福なのだろう。後妻どのはミリアムの友人だった女性で、心から彼を慈しみ、娘のモナにも精一杯の愛情を注いでいる——モナは六月二十八日の誕生日が来れば十五歳だ。この日付をぜひ憶えておくように、いいね？　いまからちょうど一週間先だ。三人はとても幸せに暮らしている。だがわたしにはこう思えてしかたがないのだ、ランドルフは愚か者ではないから、ふと自分が、ほんものではなく出来の悪いにせものと暮らしているような気がすることもあるのではないか、と！　キティ・ヘイスティは親切で思いやりのある女性だが、知性にあふれていたミリアムとは違い、けっして賢いとはいえない。それなりに美人でもあるが——ミリアムの美しさはまさにほんものだった。キティが霊的なものに興味を示しているのはミリアムを真似ているからだ……そしてランドルフは、自分ではそういったものを恐れているにもかかわらず、結局それに大いに手を貸すはめになっている……彼女には心霊現象を理解する能力など皆無だというのに。そればかりか、不運にも彼女は感化されやすい質（たち）で……」

「誰に感化されそうだというんだ？」僕が問い詰めると、ペノイヤーは笑みを浮かべた。

「それは」彼はいった。「じきにわかる――それこそがこの問題の核心なのだ！　さあ着いたぞ――ここが〈安息の地（ヘイヴン）〉だ」

真っ暗で周囲はよく見えなかったが、車は低くて太い二本の白い柱の間を抜けると、砂利道をすこし走った。紫色の空に背の高い木立の輪郭がくっきりと浮かび、庭からさまざまな香りの交ざり合った匂いがしてきたかと思うと、屋根と柱のある小綺麗な玄関（ポルチコ）と、真四角な形をした白い家が見えてきた。玄関が開いたらしく、家の中央あたりに琥珀色の長方形の明かりがあらわれ、その中から、メイド帽とエプロンをきっちりと身につけた小間使いが迎えに出てきた。さらに僕らが車を降りると、慌ただしく砂利を踏む足音が聞こえ、大柄で愛想のよいランドルフ・ヘイスティその人が家の陰からあらわれて僕らを見おろした。

「よく来てくださった――お目にかかれてなによりだ！」彼は耳に心地よい低い声でいうと、気さくに片手を差し出した。「ラティマーさん、汽車を逃してしまったとはなんとお気の毒な――じつに不運でしたな！　さぞ空腹でしょう……荷物はヘッピーに階上（うえ）へ運ばせておきますから、どうぞ裏へお回

〈月〉に縁があるとされる六月　西洋占星術では、蟹座生まれ（六月二十二日～七月二十二日）の守護星は月とされている。

りください、芝生がありますので。じつにいい夜ですし、外で食事といきましょう。サンドイッチにサラダに果物を用意してありますから、一杯どうです？」

むろん異論はなく、僕はそのヘッピーに荷物を預け、ヘイスティに連れられて家の裏手に回った。綺麗に刈りこまれた芝生は大きな窓に面しており、その向こうはどうやら客間のようだった。庭には四人の人物が座っていて、そのうちの三人が歓迎の声をあげて立ちあがり、僕らを迎えた。

ヘイスティの奥方は、歳は四十二、三というところで——背が高く痩せていて、なんというか、どこかぼんやりと気だるい雰囲気の、憂い顔をした摑みどころのない感じの女性だった。こういう女性が好みなら——じつに魅力的に感じるにちがいない。鳶色のつぶらな瞳をどう使えば効果的かを自分で心得ていて、鳶色の髪を無造作にまとめ、なかなかに凝った服装をしていた——ふわりと身体にまといつくような青のワンピースに、ビー玉ほどもある緑色のガラスビーズを連ねたベルトを締め、ガラスでできた色とりどりのブレスレットを何十本も重ねて腕につけ、それがひっきりなしにジャラジャラと音をたてている——少々大げさな身振りと舌足らずな喋りかたは、僕からすれば、それが魅力的だという男もいるだろうし、逆に癇に障ると思う男もいるだろう！　ともかくすべて引っくるめれば、それなりに人好きのする女性ではあった。柔和で小賢しいところがなく、無闇に人を傷つけるようなことはしないが、いっぽうで、深刻な危険についうっかり足を踏み入れてしまいそうな危うさはあった。

僕はまず、なにやらぺちゃくちゃと喋りながら大きな瞳を輝かせている彼女と握手をし、それからもうひとりの女性とも握手を交わした。このミス・ウェッブは、灰色の服を着た小太りの中年女性で、娘の家庭教師（ガヴァネス）か話し相手であろうと思われた――そこへヘイスティが、少女の肩を優しく抱くようにして進み出てきた――十四歳のひとり娘、モナだった。

　もし僕がこのとき――いまいってもしかたのないことだが――〈安息の地（ヘイヴン）〉ことヘイスティ家に到着した時点で、そのあとに待ち受ける驚くべきできごとがモナ・ヘイスティを中心に巻き起こるということを予想できていたならば、この初対面の機会に、いますこし彼女に注意を払っていただろう。ところがじっさいには、年齢のわりに背が高くて発育のよい娘だ――というよりもむしろ、ずいぶん太めの、ませて見える娘だな、と思った程度だった。あとはせいぜい、鳶色の髪を背中まで長く伸ばしていることと――近頃は、女性の間ではショートヘアが流行っているのに珍しいことだ、と思った――着ている白いワンピースの丈がずいぶんと長く、流行遅れで歳不相応な感じがするな、ということくらいだった。そして四人めの老女とおぼしき人物が――白っぽい人影が、奥の籐椅子に沈みこむように座っていた――僕との挨拶を待っているように見えた。だがモナ・ヘイスティと握手を交わしていると、驚いたことに、ヘイスティ夫人がほっそりとした手を僕の腕に置き、早口にこういったのだ……。

「アロイシウス神父さまをご紹介しますわ！」

　深い籐椅子の中から、その人影がこちらに向かって会釈をした。正直いって面喰らった。突然目の前にあらわれたその人物は、まるでイタリアの古い宗教画から抜け出してきたかのようだったからだ！

聖職者か！　剃髪（トンスラ）にサンダルを履き、白無地の毛織の法衣の上に紫色の飾り帯を結んで、首からは、浮き彫り模様を施した長い銀の鎖につけた、宝石がちりばめられた途方もなく大きな十字架をさげている。夜の十時に閑静なデヴォンシャーの邸宅の庭で出会うには、この椅子の主は明らかに場違いだった。しかも、僕を見あげる彼の落ちくぼんだ目には、せせら笑うような輝きが浮かんでいた。僕が面喰らっていることに気づき、面白がっているのだ！　僕が口ごもりながら丁重に挨拶していると、ヘイスティが僕の肘に手を添え、椅子の並んだ向こう側にある小テーブルまで連れていってくれたので、正直なところ、ほんとうにほっとした。客間からの明かりに照らされたテーブルには、ウイスキー入りの背の高いデカンタと炭酸水の瓶があり、そのまわりにはそれぞれ銀の皿に盛られたサンドイッチやサラダ、そして三枚めの皿には果物が載っていた。

僕が礼もそこそこにかぶりつきはじめると、ヘイスティは主として気を利かせ、ただ黙々と食欲を満たしている僕には構わず、アロイシウス神父を囲む人々の輪に入っていった。ペノイヤーは早々に神父の隣の席を陣取り、日暮れ前に交わしていた議論の続きを始めようとしていた。僕は忙しく口を動かしながら、ふたりの会話に耳をそばだてた……。

アロイシウス神父の話に思わず聞き入ってしまったことは、僕としても認めざるを得ない！　彼は哲学に関するなにやら難解な議論をペノイヤーと交わしていたのだが、僕は、わが友人とここまで互角にやり合える相手になどこれまでお目にかかったことがなかった。霊的な目を持つ者ならば、ふたりが会話を隠れ蓑にして〝知の剣〟を打ち交わしていることがひと目見てわかったはずだ――彼らはたがいの盲点を突き、手を変え品を変え探り合い、ときには防御に徹した。相手もなかなかの強者だったが、ペノイヤーの守りが一枚上手であることは間違いなかった――やがて、しばらくするとふたりは笑い合い、肩をすくめてたがいに矛先を収めた。ペノイヤーはヘイスティから先ほどの男へ、さらに女性たちへ順に視線を向けた――彼がこれにより、そこにいる全員の意識をみずからに向けさせたことは見るからに明らかだった。誰もがうっとりと彼の話に聞き入っていた。年配の女性ふたりは彼を挟んで座り、彼の足もとにある踏み台に腰かけているモナは、片腕を彼の膝の上に乗せ、魅入られたようにその顔を見つめている。話の折々で、彼がモナの腕に幾度か片手を添えた――それなりに目につく仕草だったので、ヘイスティが居心地悪そうに身じろぎをし、ペノイヤーに声をかけようとしてためらった。どうやらこの大柄な男は――いや、嫉妬というほどの強い感情でもなければ憤慨しているのでもなく――不安に駆られていた、というのが、彼を見ていて僕の頭に浮かんだ言葉だった。

なにか奇妙なことが起こっていた――かすかに空気が張りつめ、調子外れの音色がうっすらと響いているような感じがした。むろん僕はマイルズ・ペノイヤーほど鼻が利くわけではなく、霊的な病を嗅ぎわけることはできないが、長いこと彼の側でこの手のものに関わってきたおかげで、他人よりはかなり感覚は鋭くなっていたので、僕に〈心療鞄〉を持ってここに来いといったペノイヤーはやはり正しかったのだ、と悟った。どうやら鞄の出番のようだ……。

僕は食べものを口に運びつつ、白装束の男の顔をこっそりと観察した。客間の明かりが、彼とその取り巻きの女性たちを照らしているその光景は――まさしく、弟子に説教をする神父そのものだった。それこそまさに彼の狙いなのだ！　イギリス人の目で忌憚なくいわせてもらえば、彼の法衣も、宝石類も、剃髪も、すべてが「ずいぶんと芝居がかっているな！」と鼻で笑い飛ばすようなしろものだった――だが笑い飛ばしていいとは思えなかったのは、話の内容から察するに、この男が単なる目立ちたがり屋ではないであろうことが明らかだったからだ。彼は長身で、体格がよく、ローマ皇帝像さながらに整った頭部をしていた。首はいくぶん肉づきがよかったが、引き締まった知的な眉に、目立つ高い鼻と突き出た下顎、そして黒々とした太い眉の下には、深くくぼんだ黒い瞳が鎮座していた。剃髪は明らかに人の手で剃られたもので——つまり自然に禿げた頭ではなかった。頭頂部は丁寧に剃りあげられ、形のよい頭蓋を囲むように丸く残した髪は黒々と豊かで、白いものはいっさい交じっていなかった。せいぜい四十五歳か、あるいはそれよりも二、三歳若いくらいだろう、と僕は見当をつけた。微笑みを浮かべて話すその笑顔は魅力にあふれていたが、僕は、それがいわゆるつくり笑いにすぎないことにも、この男が本来は笑みを浮かべたり気さくに話したりするような人物ではないことにも薄々ながら感づいていた。彼の突き出た顎や、威圧するように視線を泳がせるさまを眺めながら、僕がこの男に対して受けた印象は、凄まじく心臓が強く、傲慢かつ無慈悲で、おのれの目的との間に立ちはだかるものはなにものも容赦しない、というものだった……。

びくりと身が縮んだ。男がふいにこちらを見やり、笑みを浮かべたのだ！　周囲の女性たちに向けているような偽りの愛想笑いではなく、冷笑するような不遜な笑みだった……彼は、僕が探るような視線を向けていたことになどとうに気づいており、しかもそれを面白がっていた。この夜、それを見抜かれたのは二度めだった。僕はまるでベビーベッドで寝ているところを見つかった男子生徒のように、あまりのきまり悪さに思わず赤面した……すると彼が立ちあがり、ヘイスティ夫人に片手を差し伸べた。その小指には、ダイヤモンドの粒で囲まれた、巨大なスターサファイアの指輪がきらめいていた。

「夜も更けてきた——新たな客人どのもお疲れだろう」品のある話しかただった。「それにわたくしも、〈聖なる家(サンクチュアリ)〉へ戻るには少々歩かねばなりませんのでな。いやいや、ご婦人がた——車を出していただくには及びませぬ。こんな素晴らしい夜だ、もし差し支えなければ、庭から出て森を抜ける近道を使わせていただければなによりだ。それにわたくしには護衛もおりますのでな。クラー！」

この最後のひとことは鋭い呼びかけの声だった。すると椅子に座った人々の向こう側の茂みからいきなり人影があらわれ、僕は思わず飛びあがった――いずこかの土地の者らしき、黒い肌の痩せた髭面の男だった。灰色の長衣(ローブ)をまとい、頭には灰色や青、銀色や黒や藤色を用いた色とりどりの絹のターバンを巻いて、革製の鞘に収めたものものしいナイフを腰のベルトに挿している。火の灯った角灯(ランタン)を片手に、彼は音もなく主人の側に控えた。この不気味なふたりが並んだ光景はさらに異様で、ふいに身の縮む思いがした。僕はしらけ半分に思った。アロイシウス神父の作戦が、わざとこちらを驚かせて印象づけようというものなら、それは間違いなく成功だ――だがその目的はなんだ？　僕は前のめりに、引きつづき彼のようすを見守った。神父は婦人たちと僕に暇(いとま)を告げると、愛おしげにモナの肩に片手を置き、声をかけた。「ではまた明日、わが子よ――お休み！」そして、角灯を手にしたものいわぬ従者をしたがえ、彼はヘイスティと連れ立って芝生を歩いていった。彼らが暗がりへ消えていくと、先ほどのモナという少女が、ふいに衝動に突き動かされたようにそのあとを追って駆けだし、ヘイスティ夫人が感じ入ったように長いため息をついて僕を振り向いた。

「ほんとうに素晴らしいおかた――あの子が夢中になるのも無理はありませんわ！」うっとりとしたようすだった。「あんなおかたに……」

「確かに目を惹くかたですね」僕は慎重に言葉を選んだ。「お話を伺うかぎり、かなりご立派なかたとお見受けしましたが、あのかたはいったい――何者で、なぜ法衣やら十字架やら指輪やらを身につけているのです？　どこかの修道院の院長どのですか？」

　ヘイスティ夫人とミス・ウェッブが、まるで僕が冒瀆的な言葉でも口にしたかのように、ふたりして僕を見た。

「とんでもない！」ヘイスティ夫人が声をひそめた。「そんな……ありふれたものじゃないんですのよ。あのおかたは〈聖なる家〉の校長先生でいらっしゃいますの。この近くにある、とても素晴らしい学校ですわ――うちのモナも通（かよ）ってますの。入れていただけるなんてほんとに光栄で――なんでも数人の女生徒しか受け入れていらっしゃらないんですって。それが教育方針に合っているからだそうですわ」

　僕は思わず目を剝いた。校長？　アロイシウス神父が？　まったく、次から次へと驚かせてくれるものだ！

「しかし、どうして……」僕が口をひらきかけると、ヘイスティ夫人はけらけらと笑い声をあげ、僕に向かって指を振ってみせた。

「ええ、おっしゃりたいことはわかってますとも――殿方ってみんなそう！」彼女は声を震わせた。「ふたことめには〝どうしてだ〟〝なぜなんだ〟って……アロイシウス神父さまのなさることにどんな理由があるのかなんてあたくしに訊かれてもわかりませんわ。なにせあたくしの頭じゃ、神父さまのお知恵の半分にも追いつきませんもの。でもあのおかたが法衣をお召しになってるのは、ローマ・カトリック教会から叙任された司祭さまでいらっしゃるからだそうですわ。じっさいには司祭のお仕事はなさっていませんけれど。どの修道院にも属されていないんだとか……おひとりが性に合っていらっしゃるんでしょうね。ご自身で選りすぐった生徒に、独自の教育を与えていらっしゃるんですって……」

僕はふたたび違和感をおぼえた。離反した司祭が……信者を募ってみずからの異端宗派(カルト)をつくったというのか……いや、学校といっていたか……なぜ〝異端〟という言葉が頭をよぎったのだろう？ 気づくとペノイヤーがこちらをじっと見ていた。座ったまま、手に持った〈悩みの数珠(コンボロージャ)〉の金色にきらめくビーズを、細長い指で一粒ずつ滑らせて動かしている。

「それは珍しいですね！ 生徒は何人いるのです？」僕は当たり障りのない返事をした。「彼のもとでは何人くらいが働いているのですか、いつ頃からある学校なのです？ あのいでたちで、しかも『千夜一夜物語』から抜け出てきたような従者を連れているところを見ると、さぞ儲かっているのでしょうな！」

ミス・ウェッブがひゅっと息を呑み、ヘイスティ夫人が咎(とが)めるような視線を寄越した。やらかしてしまった。どうやらアロイシウス神父および彼にまつわるあらゆるものに対しては、平身低頭して慎重にことを運ぶべきだったようだ！ 僕は助けを求めてペノイヤーをちらりと見やった。僕とて、かの神父を褒めちぎっているこのご婦人がたに不快な思いをさせるつもりなど毛頭なかった。そんなことをしてもなんの得にもなりゃしない……だがつい、歯に衣着せぬジョン・ブラント*を演じるのがい

ジョン・ブラント イギリス陸軍の軍人（一九二二―四四）。少年時代の無鉄砲な行動が長じて勇敢さに変わり、士官として前線で活躍、部下からも慕われたが、イタリアで戦死した。

ちばん利口なやりかただと勘違いしてしまった。

ペノイヤーが近づいてきて、助け船を出してくれた。

「わが友人ラティマーが少々赤裸々すぎましたかな、どうか許してやっていただきたい」彼が微笑んでそういうと、ふたりの婦人たちの表情がすこし和らぎはじめた。「アロイシウス神父どのはなかなか奇抜なかたですから、彼を前にしてさまざまな疑問や憶測が湧いてしまうのはいたしかたないことです！　とはいえラティマーはわたしに負けじと教育問題に深く関心を抱いているものですから、おそらく——その——あのかたの勇気を称えたかったのでしょう。古い伝統を取り払い、想像力に乏しい現在の学校組織とは異なる、よりよい教育を若者に与えるのは並大抵のことではありませんからな。件の学校についてもうすこしお聞かせ願えますかな？　お忘れでしょうが、わたしもあのかたにお目にかかったのは今夜が初めてでして、ひじょうに印象深いかただとお見受けしたわけです」

それは間違いなかった——とはいえ、ご婦人がたの解釈とはだいぶ違っていたようだが！——ヘイスティ夫人は早速あれこれとまくし立てはじめていたが、さまざまな知られざる内情を明かしてくれるのならばありがたいところだった。そこへ、暗がりからふたつの人影があらわれた。ヘイスティとその腕にぶらさがった娘が、芝生を横切って僕らのほうへやってきた。

客間の窓から漏れる明かりの中に浮かんだふたりの姿を見て初めてはっきりと気づいたのだが、少女のワンピースはどこか古めかしい感じがした。すとんとした白いワンピースだが、長い丈は踝あたりまであり、袖口はゆったりと広く、首もとから裾にかけてプリーツが施されている。腰に巻いた白い革製のベルトにポーチらしきものをさげ、素足に革製のサンダルを履き、鳶色の長い髪を白の細いリボンで後ろでひとまとめにしたその姿は、ふと、どこか見知らぬ神殿の若い巫女を思わせた……。

「夜更かしが過ぎやしないかね、十四歳のお嬢さんにしては」ふたりが近づくと、ペノイヤーがいった。

「お師匠さまがいらっしゃってるのに、寝るだなんて」とんでもない、という口調だった。「まさか！」

僕はしげしげと彼女を眺めた――いましがたのやりとりが気になったのだ。ヘイスティは娘の肩に腕を回し、その顔をじっと見おろしていた。それを目にして、彼が娘をどれほど大切に思っているかということがふいに痛いほど伝わってきた。あの、魅力的だが少々思慮に欠けた再婚相手が彼にとっていかなる存在であるにせよ、初めての子であり最愛の娘であるこの少女こそが、彼の心の中で最も高い位置にあるのだ。彼女が口をひらくと、ヘイスティは優しく、愛おしげに、その肩に回した手に力をこめた。

「さあ、おまえはもう寝る時間だ」彼はそっけなくいった。「われわれもそろそろ休もうではないか！　ペンが早寝につき合ってくれるのはわかっているし、それに気の毒なそちらのかたも、長旅でさぞお疲れのことだろう。だが、すまないが階上に行く前に、椅子の片づけを手伝ってくれるかね？　食卓の片づけはご婦人がたにお願いするとしよう――普段ならヘッピーがやってくれるのだが、遅い時間のときは帰してしまうのでね」

ご婦人がたは、僕が喰い散らかした素晴らしい夕食の残りをてきぱきと片づけはじめた。ヘイスティとペノイヤーは、夫人のお気に入りの籐の長椅子の両端をそれぞれ持ち、似たようなものが収納してあるちいさな四阿のほうへ運んでいった。僕はその間に、アロイシウス神父が座っていた椅子を片づけることにした。椅子を持ちあげかけたそのとき、足もとに光るものがあった——刈り揃えられた芝生の上になにかが落ちている。屈んで拾いあげると、それは……かの面妖な司祭とやらが胸にさげていた、鎖つきの、宝石をちりばめた十字架だった。

見つけたことをヘイスティに知らせようと、僕は声をあげかけた——だが口をひらいた瞬間、なんとも奇妙な本能の疼きを感じ、僕はふたたび口を閉じた。だめだ！　どういうわけか、このことについては口外しないほうがよいという気がした……少なくともペノイヤーに見てもらうまでは。僕は十字架をポケットに滑りこませ、庭用の家具の片づけを手伝い終えると、家の主と夫人に就寝の挨拶をして、ペノイヤーとふたりで階上へ向かった——幸運なことに、部屋は隣どうしだった。あとで本人から聞いたところによれば、前もって彼がヘイスティ夫人にそのように暗示を与えておいたのだそうだ。ふたりで示し合わせて作業に当たるとすれば、たがいの部屋を行き来するのにいちいち廊下を往復したり階段をのぼりおりするのは面倒だったからだ！

僕が彼の部屋のベッドの端に腰をおろすと、ペノイヤーはすこし驚いたようにいった。

「おやおや、きみはまだ眠くないのかね？　いっておくが、このたびの厄介ごとについて夜が更けるまで話し合うつもりなどないぞ。まだ準備が整っていない」

「違うんだ」僕はいい、ポケットに片手を突っこんだ。「これを見せたくてね。ついさっき庭で見つけて、思わずヘイスティに声をかけそうになったんだが、その前に——きみに見せたほうがいいという気がして」

僕らは顔を突き合わせ、鏡台の上にある明るい照明の下で、件の十字架をじっくりと観察した。みごとな装身具だった――おそらくロシアの細工のもので、縦が六インチ、幅が四インチほどあり、表面にはスクエアカットを施した、黒葡萄のような濃紫色の巨大な紫水晶（アメジスト）が並び、石と石の間や石のまわりには、ブリリアントカットのダイヤモンドの粒が敷き詰められていて、さらに十字架が交差する部分には大粒のサファイアが四つもついていた。十字架には銀の鎖がついていた。なんとも風変わりな鎖だった。銀細工のちいさな円板と四角形の板が細い銀の留め金で交互に繫（つな）がれており、すべての円板と四角形の板にひとつずつちいさな意匠が刻まれていた。

ペノイヤーは拡大鏡（ルーペ）に手を伸ばすと、しばらくの間鎖を凝視していたが、やがて無言で僕に手渡した。彼と交代して意匠に目を凝らした僕は、驚きのあまりあっと声をあげた。四角形の板には、逆三角形の内側に円を描いた印――

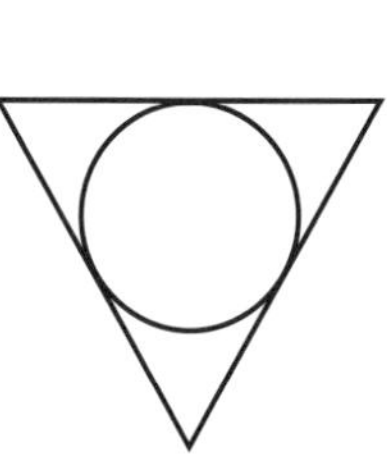

――そして円形の板には、よりにもよって、ごく平凡な猫の頭部が描かれているだけではないか！　十字架を支える鎖に猫の頭部とはこれいかに……。

僕は指を走らせて鎖の端をたどり、十字架を手に取って、裏返してみてぎくりとした――裏側に、驚くべきものが隠れていたからだ！　銀の土台には暁の女神のごとき裸身の女の像が刻まれており、両腕をひろげて立つその姿が、そのまま十字架の形をなしていた。女の頭の後ろからは、弧を描くように反り返った二本の角が覗いており、それぞれの端が天空を指していた。これは、頭（こうべ）に三日月を戴いた、一糸まとわぬ淫らな異教の女神、ウェヌス像ではないか……。

「なんてことだ、ペン！」僕はいった。「いったいどこに、こんなものを十字架の裏に忍ばせている司祭がいるというんだ？」

だがすでに、ペノイヤーの不可思議な瞳は、きらめく銀に彫りこまれた像をとらえていた。彼は引ったくるように僕の手からそれを奪うと、興奮した、勝ち誇ったとさえいえるような、うわずった声で語りはじめた。

「なんという僥倖（ぎょうこう）だ――まさかこんなものが見つかるとは、思いも寄らない、降って湧いたような幸運ではないか！」彼は留め金をじっくりと調べた。「丈夫な留め金だ！〈白き兄弟〉*がわれわれに手がかりを与えるべく力を注いでくださったにちがいない。これさえあれば、われらが尊きアロイシウス神父どのの裏の顔を覗くことができる――しかも本人には悟られることなく！」彼は僕を一瞥した。「どういういきさつでこいつがきみのもとにやってきたのかね、ジェリー？　これだけわたしとつき合ってきたのだから、これらの徴（しるし）がなにをあらわしているかくらいはきみにも当然わかるだろう？」

僕は十字架と、猫の頭部と三角形の模様が交互に組み合わせられた奇妙な鎖をまじまじと見おろした。

「きみのいうとおり、あの男はなにかまずいことに関わっていると思う」僕はいった。「だがこれがなにをあらわしているのか、僕にはまだよくわからない。逆三角形が邪悪の象徴だということは知っている。三角形の頂点は常に天を指しているべきだからだ——たとえば、卍（まんじ）の鉤はかならず右を向いているものだ。万が一左向きに描かれていれば、それは善ではなく悪を意味するものとなる。それと同じことだ。さらにこの裸婦——ウェヌス——だが、彼女は聖母マリア——すなわち純潔とは対極に位置する者だ。しかも頭に月を戴いている……いや待て、わかってきたぞ！　あの男はなんらかの異端宗派に属しているか、あるいはそうした集団を率いているかのどちらかにちがいない……なんてこった、学校ではなくて〝異端〟という言葉をついさっき思い浮かべたばかりだというのに……」

　僕が面喰らって黙りこむと、ペノイヤーが満足げな笑い声をあげた。

「いやはや素晴らしい！」彼はいった。「きみは自分で思っているよりはるかに賢いし、きみがおのれの内なる直感に素直に従うことを覚えてくれて、わたしは感謝してもしきれないくらいだ！　続けてくれたまえ！」

「この猫の頭は……ちょっと待ってくれ、猫が象徴するものといったら山ほどある」僕は眉根を寄せた。「この三つには関連があるはずだ……わかったぞ！　パシュ——またはバステト——すなわち〈猫の女神〉だ——猫は月を意味している——そして女が頭に〈三日月〉を戴いているということは——これが〈月の女神〉で——この〈悪の三角形〉の内側に描かれているのは満月だ」僕は顔をあげ、お

〈白き兄弟〉　神智学における、偉大な力で人類の精神的発展を導く存在。H・P・ブラヴァツキーにより広められた。

ずおずと、だが勝ち誇った表情を浮かべて友人を見やった。「こいつはなんらかの月信仰だ、そうだろう？　しかも白魔術というよりは黒魔術に近いものだ」

「大正解だ」ペノイヤーがいった。「ただきみが失念していることがひとつだけある――円板と四角形の板の数を、きみは数えていない。わが友よ、板はそれぞれ十枚ずつあるが、この十という数字は〈神秘数〉であり、月をあらわす数字でもあるのだ！　きみの指摘どおり、これは間違いなく月を崇める邪教であり、黒魔術そのものだ。生きたものにはかならずふたつの面がある――月信仰も然り（しか）りで、黒魔術にもなり得れば――白魔術にもなり得る。〈白きディアナ〉は恵みと眠りと休息と平和をもたらし――〈黒きネクロミス〉すなわち〈闇の聖母〉は狂気と恐怖と邪悪をもたらす。この学校とやらではそれを隠れ蓑に、月信仰の邪教集団が蠢いているのだ。だがなんのために、そしていったいなにがおこなわれているのか？　それを見いだすのがわたしの務めだ！　かの娘モナはそこに入り浸っているばかりか……ヘイスティの言葉を信じるならば、アロイシウス神父が彼女に並々ならぬ関心を寄せているという。だがなにも彼女のためばかりではない……彼女と同様に、いま巻きこまれているほかの少女たちのためでもあるのだ。なんらかの根深い理由がかならずあるはずだ――根拠があるわけではないが、凄まじく邪悪で危険な匂いがする」

彼はあらためて十字架をじっくりと観察していたが、ふと両眉をあげ、十字架の根もとの尖端部分についていた、巧みに隠されたちいさな銀色の輪を僕に示した。

「見えるかね？　これは、必要に応じて十字架を逆さに身につけるための輪だ！　まさしく黒魔術の徴（しるし）だ！」

彼は清潔なハンカチを出し、十字架と鎖を丹念に包んだ。

「今夜はこれを枕の下に入れて眠り、なにかわかるかどうか試してみよう。ひと筋縄ではいかんだろう、なにしろ相手はおそろしく知恵の回る男だ。顔を合わせたのは今夜が初めてだというのに、わたしが彼と同じく魔術の心得を持つ者であることをひと目で見抜いた……とはいえ、ありがたいことに、わたしの術は彼のものとはまったくの別物だ！　あの者の目的がなんであるにせよ、少なくともわたしが、彼自身にとっても彼の目的にとっても邪魔な人物だということはいずれ向こうにも知られることとなろう。ともかく——充分にとはいかないかもしれぬが、なにかしら有益な情報くらいは得られるはずだ」

彼は貴重な品を包んだハンカチを自分の枕の下に入れると、満足しきった表情でネクタイをほどいた。だが僕はまだ去りかねていた……。

「騒ぎになるんじゃないか」僕はいった。「そいつを無くしたことにあいつが気づいたら！　それに、きみがその十字架を調べていたことを悟られずに、どうやって奴に返すつもりだ？　あの男が秘術の使い手だというなら、十字架にきみの霊気が残っているのを感じ取られてしまうんじゃないか？」

「確かにそうだが、わたしが霊気を断てばよいのだ。それは明日の朝おこなえばよい！」ペノイヤーはきっぱりといった。「そのあとこれを銀紙に丁寧に包み、絶縁してからきみに渡す。きみは十字架自体に触れぬよう、銀紙の部分を持ったまま、中身だけ花壇の中に落としてきてくれ——万が一きみの霊気が残っていると、きみがこの十字架をわたしに見せたと悟られてしまうかもしれないからだ。それで例の庭師に——すなわちわれらが友人フレッド・ヒッグスに——朝のうちに見つけてもらおうという算段だ。彼にはそのようにはたらきかけておく。それなら十字架に残る〝気の指紋〟は気の毒なヒッグスのものだけとなり、かの神父どのにとってもほぼ手がかりにはなるまいよ！　さあ、きみも部屋に戻って眠りたまえ……今夜のきみの力添えにはほんとうに感謝している。わたしが何日もかけて探していたものをきみが見つけてきてくれた――ようやく出発点だ。これで前進できる」

だがその夜の眠りは、ペノイヤーにあまり情報をもたらすことはなかった。かの神父が自身の周囲に霊気の輪を張り巡らせ、周囲を嗅ぎまわる者を締め出していたのは明らかで、ペノイヤーがかろうじて持ち帰れたのは、冷たくて暗いものがそこにあり、その奥でなにかが激しく動きまわっていると同時に、凝り固まった邪悪がひそかに息づいているという、なんとも支離滅裂な感覚のみだった。それは、なにかひじょうに悪辣なことがおこなわれているという彼の直感を裏づけるものだったが、その正体がいったいなんなのか、見定めることはまったく不可能だった。だがわが友人は落胆したようすもなく、僕とふたりで朝食のために階段をおりていくときにも、なにやら楽しげに鼻歌を歌っていた。ヘイスティは廊下で電話の最中だった。僕らが通り過ぎると、彼はこちらに向かって軽く手を振ったが、すぐにやや苛立たしげな声が聞こえてきた。

「ですから神父さま、申しあげましたとおり、ヒッグスがこちらへ来たと同時に、朝の七時からいまも庭をくまなく探しておりますので！　昨夜（ゆうべ）お電話いただきましたさいにも、日が昇りしだいすぐに探させます、と申しあげたはずです……」

ペノイヤーが肘で僕を軽くつつき、にやりと笑った。僕らは食堂に入り、おのおの朝食を皿に盛った――ヘイスティ夫人は寝室で、モナと年配の家庭教師(ガヴァネス)はふたりとも一時間前に、古い勉強部屋でそれぞれ朝食をとっていた。僕にとってはありがたい取り決めだった。なにしろ僕は、朝食が社交のためのものではなく、食事だとはまったく思っていないからだ。そういうわけで、しばしのちにヘイスティが食堂へ入ってきたときには、僕らは座ってコーヒー片手に、がつがつと朝食をかきこんでいる最中だった。大柄な主人は血色のよい顔に不安げな表情を浮かべていた。

「どうかしたかね?」ペノイヤーがなに喰わぬ顔で訊ねた。

ヘイスティはますます表情を曇らせた。

「例のアロイシウスからの電話だ」彼は唸るようにいった。「昨夜(ゆうべ)、寝る間際にも電話をかけてきて、あのいまいましい十字架をどこかに落としたというんだ! ほんとうにうちの庭で落としたのか? 帰る間際にはあったそうだ。明るくなるまでは――角灯(ランタン)やら懐中電灯を持ってうろうろ探しまわっても、誰かに踏まれて壊してしまうのが落ちだから、探しても無駄だといったのに。今朝、来たらすぐに探しに行ってくれとヒッグスに覚書を残しておいたんだが、まだ見つかってない」彼は自分の皿に卵とベーコンを豪快に載せると、話を続けた。「帰り道で落としたにきまってる。昨夜もずっとあの十字架を首からさげていた――あんな大きくて派手なものが目につかないはずがない。庭には見当たらないのだから……」

「彼のいっていた近道とはどこのことです?」僕は訊ねた。「ひょっとしてそこで落としたのでは?」

ヘイスティは肩をすくめた。

「菜園の裏門から森を抜けると学校に出る」彼はいった。「だがアロイシウスがいうには、その道にはもう、自分のところから五、六人をやって夜明けからずっとくまなく探させているそうだ……」

「ずいぶんと必死だな」ペノイヤーがさりげなくいった。「見るからに、じつに凝った宝石細工ではあった。確かに、なんとも芝居がかっている。だが……」

「まさにあの男そのものではないか」ヘイスティがそっけなくいった。「ご婦人がたの前では口が裂けてもいえないがな！　どいつもこいつもあの男に夢中で、なにかといえば〝アロイシウス神父さまがこうおっしゃった〟〝アロイシウス神父さまがああおっしゃった〟〝あのおかたはなんて素晴らしいんでしょう！〟だ。はっきりいわせてもらえば、もう心の底からうんざりだ！」

思わず僕らは笑い声をあげ、彼はすまなそうに顔を赤らめた。

「すまん――つい……」

「いやいや、構わないとも。ジェリー・ラティマーにはなんでも話してやってくれ」ペノイヤーがいった。「確かに彼は作家だ――それは紛れもない事実だ。だがじつは高度な修練を積んだ霊能者でもあって、わたしの助手を幾度となく務めてくれているのだ……彼をこちらへ呼んだのも、まさにそれが理由だ」彼の射貫くようなまなざしがヘイスティの視線をとらえた。「彼の前では腹蔵なく話してくれていい。じつをいえば、きみがわたしに話したことをそっくりそのまま彼にも聞かせてやってほしいのだ――モナに関するきみの不安を漏らさず話し――彼にもいまの状況を完全に把握させてやってくれ」

ヘイスティは力なく頷いた。

「わかった。もはや誰でもいいから助言してほしいところだ――藁をも掴むとはまさにこのことだな！」彼はいい、重そうに腰をあげた。「食事は済んだか？　わたしはちょっと電話する用があるのと、森を通ってモナを〈聖なる家〉まで送ってこなけりゃならないので、三十分後に会おう。モナを学校の塀の扉の前まで送るのはいつもわたしの役目なんだ――それより先へはわたしは入れないのでね！」彼は険しい表情で唇を歪めた。「〈聖なる家〉は神聖な場所だとかで――親は決められた時間に、しかも正面玄関までしか立ち入りを許されていないんだ！　森に通じる裏門の前で待ち合わせよう。あそこなら盗み聞きされる心配がない。とはいえ、もう話すこともあまりないが」

「承知した」ペノイヤーが意味ありげなまなざしをちらりと僕に向け、いった。「では三十分後に――裏門の前で」

門に向かう道すがら、ペンから、銀紙に包んで外界のあらゆる霊気から絶縁した例の十字架を渡されたので、僕は、かの神父が昨夜菜園を通り過ぎたあとに歩いたであろう小径の傍らにあるタイムの茂みに、そっとそれを落としておいた……あとから聞いたところによると、ペノイヤーの思惑どおり、気の毒なヒッグスが然るべくして十字架を発見し、〈聖なる家〉までわざわざ返しに行ったのだが、そのあと彼は、〝今朝早くから、目の細けえ櫛で道じゅうさらったってのに！〟と、いったいどういうわけで見落としたのかとえんえんと悩んでいたらしい。

僕らが――というよりも僕が――菜園から〈安息の地〉の裏手の森へ続くちいさな緑色の門の前で二本めの煙草をふかしていると、ヘイスティが〈聖なる家〉の方角から木立を抜けて僕らのほうへやってきた。彼は、やつれた不安げな面持ちで、僕らについてくるよう手招きをした――だがそれがむしろありがたかった。針葉樹の香る木陰に移動できるならなによりだった。すでに気温があがりはじめており、真昼にはさぞ暑くなるだろうと思われたので、木陰のほうが心地よさそうだったからだ。裏門の外にはくっきりと道があり、それが鬱蒼とした森の奥へ続いていた。ヘイスティがそちらへ顎をしゃくった。

「これが近道だ――森を抜けると〈聖なる家〉に続いている。ここから行けば学校までは半マイルだが――表の道を回ると三マイル行かねばならん。〈聖なる家〉は、もとは〈ブレーマーサイド〉と呼ばれていた大屋敷で、そこに住んでいた一族が栄えていた頃、この〈安息の地〉には一族の未亡人だか執事だかが住んでいて――ともかく、なんらかの繋がりがあって――それでここに裏門と小径があるということのようだ」

彼は楡の木立の陰にある、居心地のよさそうな草深い土手を指し示した。土手はちょうどソファのような形をしていて、僕らはそれぞれに腰をおろした。彼は不愉快な仕事をさっさと終わらせてしまいたいとでもいうように、じつにぶっきらぼうで、投げやりとすらいえるような口調で話しはじめた。

「できるだけ簡潔に話そう――もう一度念を押しておくが、ラティマー、ほんとうに、話すようなことはもうほぼないんだ。とりあえず始めるとするか！　そもそものきっかけから話そう。おそらくペンから聞いているだろうが、わたしたちがここへ越してきたのは五年ほど前のことだ――都会ではもう充分に働いたから、田舎に引っこんで悠々自適の生活を送ることにしたんだ。キティもわたしも田舎暮らしが嫌いではないし、もともとこのあたりには馴染みもあった。探していたとおりの家が見つかって、初めのうちはなにもかもうまくいっていた」彼が咳払いをした。「モナはまだ九歳だった――おてんばで、自転車やらテニスやら、遊びという遊びに夢中の、ごく普通の明るい陽気な娘で……」

僕は目を丸くした。彼の話す娘のようすは、昨夜出会った、眠たげな目つきの太った少女とはまるで結びつかなかったからだ！　むろん彼がしているのは九歳の頃のモナの話で、僕が会ったモナはもう十四歳だ……だがいくら思春期を迎えたとはいえ、そこまで急激に変化するものだろうか？　僕はますます興味をそそられ、彼の話の続きに耳を傾けた。

「このあたりには子どものいる家庭も多く住んでいるので、モナにも同年代の友人が大勢できるだろうと思った――それが、ここに住む決め手のひとつでもあった――それまで熱心にモナの世話をしてくれていたミス・ウェッブもふたつ返事でこっちに来てくれることになったので、先ほどもいったとおり、初めのうちはすべてが順調だった。きっかり半年前に、あの忌まわしいペテン師があらわれるまでは！」

彼はそこで言葉を切ったが、僕たちが黙ったままなので、ともかく簡潔に話そうと必死に眉根を寄せつつ、続けた。

「じつをいうと、あの男があらわれたのはわたしが少々困っていた時期のことだった。ちょうどその頃、モナの友達がふたり――この近所の娘たちだが――フランス語に磨きをかけるべくパリの修道院附属学校へやられたばかりで、モナもぜひ行かせたい、とキティは躍起になっていた。初めはわたしも聞く耳すら持たなかった――可愛い娘をわざわざフランスなんぞにやって、洋服やら口紅やらのことしか頭にない、耳年増の、つくり笑いばかりするような気取ったえせ貴婦人になって戻ってくるところなど見たくもなかったからだ。そうでなくとも、宗教にかぶれて修道院に骨をうずめたい、などといいだすかもしれん。女には宗教にのめりこむという血が流れているからな、向こうもそれを承知の上で……」

「おまけに、モナには霊能者の血も濃く流れている――母親と同様に――つまり感化もされやすいということだ！」ペノイヤーが静かに呟いた。

ヘイスティはかすかに顔を赤らめて唇を真一文字に結んだが、あえて自分の意見は述べずに話を続けた。

「あの子自身のためには行かせるべきだとわかっていたが、ともかくわたしは行かせたくなかった。だが、ほかの言語はいざ知らず、少なくともフランス語は話せるようになってもらわねばならん。ミス・ウェッブからそれなりに文法の基礎や口述筆記は教わっているから、そこそこ読み書きはできるのだが、こと会話に関しては、ミス・ウェッブでは少々心もとないことくらいはわたしにもわかる。彼女の発音ときたら……まあいい、いわぬが花というものだ！　フランス人の若いオーペア*の女性をわが家に受け入れてはどうかとキティに提案してみたのだが、そんなことをすればミス・ウェッブが焼きもちを焼いて出ていってしまうかもしれない、と取りつく島もなかった。確かに彼女に出ていかれては困る。キティもあまり丈夫ではないし、彼女のようにあらゆる雑用を引き受けてくれるだけでなく、みずから進んでこんな田舎に何年もいてくれる存在をそうやすやすと手放すわけにはいかんのでな！　そうやって問題を棚あげにしていたところへ、例の――長年空き家だった――〈ブレーマーサイド〉に買い手がつき、少数精鋭の特別な学校が開校されるという話が飛びこんできたのだ。そしてあのアロイシウス神父が、みずからの〈聖なるサーカス〉を引き連れてやってきたというわけだ！」

彼はまるで面白がるように、乾いた笑いを浮かべた。

「いうまでもなく、あの男はどこへ行こうと波乱のもととなるだろうが――奴が来たことでわがまどろみの谷(ホロウ)に沸き起こった興奮といったら、まさしく信じがたいものだった！　あの男と彼を補佐する教師たちや使用人、それにあの学校の中心となる寄宿生の女生徒たちの一団があの場所に住みついてから数週間後のことだ、このあたりの全上流家庭に向けて、〝アロイシウス神父との集いの会〟とやらへの、ずいぶんとかしこまった招待状が送られてきた――するとご婦人がたはたちまち、群れをなして〈聖なる家〉に押し寄せたのだ！」

「さもありなん！」僕は興味津々にいった。「それでどうなったのです――あなたも行ったのですか？」

　ヘイスティは口惜しげにかぶりを振った。

「キティは行ったが、わたしは行かなかった――あのときわたしが行っていれば！　女房は完全に心を奪われ、夢中でこうまくし立てた。アロイシウス神父さまは素晴らしいおかただ、それに教頭だというあの女性も――シスター・セリーヌというフランス人だ――これまでの人生で出会った人たちの中でもいちばん親身になってくれた、さらにほかの先生がたも全員が魅力的で、寄宿生の女生徒たちもみなあか抜けていて、じつにお行儀がよくて、まるですべてが天の賜物(たまもの)のようで――まさしくモナのためにあるような場所だ、こんな機会は……めったにあるものじゃない！　と」

「もっと詳しく聞かせてくれませんか」僕がたまらずに詰め寄ると、ヘイスティは頷いて続けた。

「まず、そのシスター・セリーヌに図書室に案内されたそうだ。庭を望む広い部屋で、本がずらりと

オーペア　フランス語"Au Pair"（対等の立場で）を語源とする留学制度。留学生がホームステイ先の家庭で家事やチャイルドケアなどをし、家族の一員として生活する。

並べられ、フランス窓がいくつもあって、窓の外には石畳の柱廊(ロッジア)があり、さらにその奥には噴水と芝生がひろがっていた——そしてシスター・セリーヌから前置きの言葉があったあと、みな図書室から講堂のような場所へ招き入れられた。ああ、いい忘れていたが、このシスター・セリーヌとやらは全身真っ白な、見習い修道女のような法衣とベールを身につけていたそうだ。女性教師たちはみなシスター誰々と呼ばれていて、彼女と同じような法衣をまとっており、男性教師たちはブラザー誰々と呼ばれ、あのクラーという男と同じような、修道士の着る、ベルトのついた灰色の法衣を着ていたそうだ。女生徒たちは全員、昨夜モナが着ていたようなワンピースを身につけていた——あれが〈聖なる家〉の制服なのだが、ご婦人がたにはあれがじつに評判なのだそうだ。わたしとしては、家にいるときくらいは普通の服装でいてほしいのだが、モナ本人が、もうほかの服は着たくないという」

「教師は何人いるのです?」僕は訊ねた。

「十人だ」ヘイスティが答えると、ペノイヤーが僕にちらりと視線を寄越したのがわかった。「シスター・セリーヌと、校長のアロイシウスを含め、男が五人と女が五人。小規模の学校にしてはかなり多いようだ——聞いたところによれば、女生徒は二十五人から三十人くらいしかいないらしい——だが神父どのは、ひとりひとりに対する教育と注視の必要性をことあるごとに強調しているし、二十五人の生徒のために教師を十人雇う余裕のある学校だというならば、まあそれに越したことはない! 使用人は全員、あのクラーとやらと同じ、いずこかの土地の者らしい。どこから来た連中なのかは知らないが——どうやらみなそれほど頭は回らないようだ!」

「講堂でのできごとをラティマーに話してやってくれないか」ペノイヤーがいった。「奥方がこと細かに話していた、と聞いたが」

「そうだ、女房はそれ以来何日も、口をひらけばそのことばかり話していた」ヘイスティは苦々しげにいった。「奴はおそらく、さぞ巧みな演出をしたにちがいない！　キティの話によれば、講堂の壁にはさまざまな青や紫の――どれもみな落ち着いた濃い色だったそうだ――日除け布がかけられ、窓もすべて隠されていて、月の色をした丸いランプがいくつか灯っていた。部屋の奥は一段高くなっていて、その上には紺青色の天鵞絨布（ビロード）がかけられた祭壇らしきものがあり、祭壇の上には、サファイアと真珠と紫水晶（アメジスト）をちりばめた巨大な銀色の〈球体〉が置いてあった。キティによれば、それは世界をあらわしているのだそうだ……」

「世界をあらわしているのではない。月をあらわしているのだ」ペノイヤーがいった。「些細なことだ。続けてくれたまえ！」

「球体の両脇には銀の燭台があり、蠟燭に火が灯っていた」ヘイスティは続けた。「さらに、対になった紫色のガラスの花瓶が置いてあって、それぞれに白い花が生けてあったそうだ――ムーンデイジー*だったとキティはいっていたが、祭壇に飾る花としてはあまりふさわしいとは思えん。どこかで香が焚かれていて、室内はしんと静まり返っていた。するとどこからともなく合唱が響きわたり、祭壇の奥のカーテンが真ん中からひらいて、中から正装したアロイシウスが姿をあらわし、半時間ほど説教をおこなった――講義、と彼はいっていたそうだが――新旧の宗教に加え、民間伝承を匂わせ、さら

ムーンデイジー　キク科の多年草。和名フランスギク。

に神秘や驚異、降りそそぐ光や振動、宇宙の影響や惑星の根拠……と、その手のものを節操なく交ぜ合わせた、いうなればえせ魔術の戯言（たわごと）だった。聴衆が男ばかりだったならばみな鼻にもかけなかっただろうが、ご婦人がたはまるで甘いジャムでもかきこむように奴の話を鵜呑みにし、興奮して鼻息も荒く講堂をあとにすると、みなわれ先にと、自分の娘をぜひあの学校にやって、あの校長のもとで学ばせたいと躍起になったのだ……まったくもってふざけた話だ！」

彼は怒りに顔を歪めると、厚底の革靴の踵（かかと）で憎々しげに地面を踏みにじった。

「つまり、これが始まりだった！　わたしには、ずいぶんと芝居がかっていてばかばかしいとしか思えなかったが、キティはカトリック教徒なので、奴が宗教について語る姿にいたく感銘を受けていた。とはいえわたしも、とりあえずモナを外国へやらずに手もとに置いておけるならば、そうした環境のもとに預けるのも悪くはないのではないかと思いはじめていた。女が信仰心を持つことは――むろん限度はあるが――別に悪いことではないからな」

ペノイヤーは悪戯（いたずら）っぽい光を瞳にたたえて僕をちらりと見たが、特にそれ以上はなにもいわなかった。不安を抱えた父親はさらに話を続けた。

「わたしは、教頭を務める例のフランス人のシスター・セリーヌが、教師としてひじょうに高い能力の持ち主であることを知った。彼女はソルボンヌ大学の卒業生で、文学士号を持っており、哲学の分野でも教授資格（アグレジェ）を持っているそうだ。残りのシスターたちはガートン学寮*出身で、男性教師に至っては、五人のうちふたりがオックスフォード大学を優秀な成績で卒業し、もうひとりのドイツ人教師はボン大学卒の博士号持ちだという。おまけに女生徒たちの中には留学生も大勢いるので、週に三日はいやでもフランス語とドイツ語を話して過ごさねばならない……ということは、モナを外国へやらずとも、そこで語学力を磨けばよいのではないか、という気もしてきて、わたしは葛藤しはじめた。アロイシウス神父の外見は確かに少々珍妙だが、だからといって、せっかく差し出された機会をこの手で潰してよいものか？　と」彼は咳払いをした。「だが決断をくだす前に、いま一度アロイシウス神父とその取り巻きたちについて詳しく知りたいと思った。そこでプリマスの主教に手紙を書き、状況を包み隠さず説明して、アロイシウス神父がご自身についておっしゃっていることを疑う理由があるわけではないのだが、親心というもので云々、としたためた。親の義務として、彼を信頼してよいという裏づけがほしかったのだ――だがあまり手応えはなかった。主教秘書から届いたのは紋切り型の返事だった。いわく、件のアロイシウス神父なる者に関する詳細、すなわち彼がどの修道会の所属であり、どこで修練と教育を受けたのか、といったことがらを貴方よりお知らせいただけぬかぎり――アロイシウスに直接訊ねればすむことだが、それはまず無理だ――ローマ・カトリック教会の規律上、当方としてはお調べすることはできかねる、と。ウエストミンスターの大法官庁にも手紙を書いたが、返事は同じだった……」彼は長いため息をついた。

「アロイシウス神父本人から得られた情報としては――といっても、言葉の端々から推測するしかないのだが――どうやら外国暮らしが長かったようだ。このあたりの者で、彼に会ったことがあり、しかもあちこちに旅をした経験のある者によれば――わたしにはそんな経験はないがな――奴は少なく

ガートン学寮　ケンブリッジ大学の女子学生専用学寮。一八六九年に設立された。

とも四か国語を操り、ヨーロッパをかなり知りつくしているらしい。シチリア島やギリシャやルーマニアで修道院やなにやらを転々とし、そこで学んだり隠遁生活を送ったりしたことがある、とも漏らしていた。だがどの話も曖昧で、彼が生まれ故郷や学歴、〈聖なる家〉を始める前に属していた修道会の名前といった、みずからに関するものごとを詳しく語ることはけっしてない。詮索好きの連中が何人か、奴に詰め寄って細かい話を聞き出そうとしたが、口を割らせることはできなかった。まるで石鹸のかけらのごとく、ぬるりつるりとかわされてしまうのだ！　ウエストミンスターからもなにひとつ答えが得られなかったことで焦りを感じたわたしは、ついやけになって、友人のひとりであり、イエズス会士でもある小教会の司祭をこの地に呼び寄せ、ふたりを、すなわちほんものの聖職者と――まあ、あくまでもわたしの見解だが――えせ聖職者とを対峙させたのだ――だがあまり成果はなかった。オフリン神父は――それなりに切れ者なので――言葉少なに腰をおろすと、われらが白装束の友人と面と向かって話し、ときおり鋭い質問を投げかけた――だがやはりというか、いずれの質問もはぐらかされてしまった。その後、あの男が帰ったあとにオフリンに印象を訊ねたところ、彼は怪訝そうにかぶりを振り、いったのだ。『あの神父の外見が派手だろうがなんだろうが、それはわたしのあずかり知らぬところだ。ゆえに、あの者は忠実なる教会の信徒ではない、などと断言する権利はわたしにはない』と！……まったく、聖職者などという連中は結局たがいを庇い合うばかりだ！　八方塞がりで、わたしは追いこまれた。最善の方法が見つからないのならば、すこしでもましな手を打つよりほかなく、わたしにはもうそれ以上、モナをあの学校へやらない口実を思いつくことができなかった――なかでも、フェンウィックが娘をすでにあの学校に入れていたのが大きかった。レディ・フェンウィックはキティの親友でね。そういうわけで――モナはあの学校に通うことになったが、それ以来、わたしは一瞬たりとも心の安らぐときがないのだ！」

「なぜです？」僕は問いただした。

ヘイスティはためらい、やや恥じ入ったような顔をした。

「ばかげた話に聞こえるだろうが――どれほど必死に打ち消そうとしても――ずっとある感覚が拭えずにいる。今回のことにまつわるすべてが――なんというか、どこか釈然としないのだ」彼は呟いた。「だがほかにいいようがない――その感覚はいまも変わらないばかりか、ますます強くなっている！あの〈聖なる家〉そのものが仮面――あるいはまやかしではないかという、そこはかとない不安を感じずにいられないのだ。たとえていうなら、立派なテントがあり、表側には道化や踊り子や風船や花火といったありとあらゆる愉快なものが描かれている。だがひとたびテントの端をめくって中に入れば、そこにはまったく別のものが隠れている。なにか――恐ろしいものが……」

ペノイヤーが意味ありげな視線をちらりと僕に寄越し、僕はさらに興味をそそられ、ヘイスティを見やった。この、率直で気のよい、いかにも男らしい男には、見た目とは裏腹に、この世ならぬものを見る目がそれなりに養われているらしい……。

「むろん」彼は慌てたようにつけ加えた。「初めからいまほど明確に感じていたわけではない！　だが妙に不愉快で、不安な気分にずっと苛まれていた……とはいえ、モナをフランスへやるのがいやならば、この話に飛びつくのが最も楽な方法だったことは認めざるを得ない……」彼が黙ってしまったので、僕はさらに質問を重ねた。

「まあ」彼はいった。「親というものはわが子のこととなると頭が固くなるものだ——〈聖なる家〉がごくありふれた方針のもとに運営されている学校ならば、わたしとてどれほど気が楽か。だがわたしには、あの場所にあるすべてが歪んでいて芝居がかっているように見えるのだ！　成長期の少女たちに噛み応えのある肉や魚を食べさせずに牛乳や野菜ばかり与えたり、素足で生活させたり、髪を長く伸ばさせたり、ブラウスとスカートではなく、例のおかしなギリシャふうのぞろりとした服を着せたり、おまけに授業はただ朗読するのではなく、すべてに旋律をつけて詠唱するようにいわれ、読み書きや算術のかわりに、星々や占星術や図形について学ぶんだそうだ。しかも——信じられるかね？——夜はそれぞれがカーテンのない部屋で、床に硬いマットレスを敷き、その上で猫のように丸まって眠らなければならないというのだ！」

　僕は思わずぽかんと彼を見つめたが、ペノイヤーは驚いていないようだった。

「それは、生命力の循環を整えるとされる姿勢だ」彼はいった。「ゆえに、霊能力を鍛える学び舎(や)の中には、睡眠中の異世界との通信や瞑想をその姿勢でおこなわせる場合が多々ある。ピタゴラスもこれを推奨しているし、プリニウスもこう述べている。『祈りの間は身体を丸めよ、すなわち〝全身を円環とする(トートゥム・コープス・キルクマギミール)〟のだ』と。だがそれを推奨する女学校とは——もはや普通の女学校ではあるまい！　それで？」

「そうだ、女生徒たちは全員、そのように寝るよう教わったらしい」ヘイスティがいった。「ある夜、部屋にいたモナが、自分のベッドからマットレスを引きずりおろして窓辺の床に敷き、カーテンを全開にして、いったのだ——月の光を顔に浴びながら眠らなくちゃならないの、神父さまがそうおっしゃったから、と。あのときのヘッピーの顔といったらなかった。ミリアムなら、けっしてあのようなことは許さなかっただろう――彼女は月の放つ霊気にとりわけ敏感だったのでね。さらにもうひとつ奇妙なことがあった」

彼はポケットに片手を突っこんだ。掌にはひと握りの枯れ葉が乗っていた。見たところ半常緑樹の葉のようで、細長い、たとえていうなら月桂樹の葉をちいさくしたような形をしており、嗅いでいると頭がぼうっとしてくるような、どこか不思議な、けっして不快ではない香りがそこから漂っていた……。

「ある日のことだが、娘が特別な薬草(ハーブ)のぎっしり入った亜麻布の袋を持ち帰ってきた」彼はいった。「そしてそれを枕にするのだといいはった――またしても神父さまのお導きだと！　その薬草には眠りをもたらす効果があるのだそうだ――だが娘は生まれてからそれまで、不眠に悩まされていたようすなどいっさい見せたことがなかった。これはきみたちに見てもらうため、先日娘の入浴中にこっそり部屋に入って枕の中から取ってきたものだ。これがなんだかわかるかね？」

その匂いを嗅ぎ、ためつすがめつしていたペノイヤーがかすかに眉根を寄せた。

「これはディクタムナス*と呼ばれる、ギリシャの高山植物の葉だ」ややあって彼が口をひらいた。「わたしの知るかぎり、これはディクティ山の斜面にしか生えていない――少なくともそういい伝えられ

ディクタムナス　ハーブではオレガノとして知られるシソ科の多年草。消化促進、疲労回復、鎮静、鎮痛などの効果がある。

ている——植物だ。このディクティ山というのは、月を祀った山だ。ギリシャ人は、この葉を薬にも魔術にも用いている。眠りを誘い、痛みを、とりわけ出産の痛みを和らげるとされている……かつてクレタ人の女性は出産のさい、摘んできたこの葉のベッドに横たえられたそうだ」彼はじっと考えこむように、乾燥させた葉を見つめると、先ほどの言葉をしみじみと繰り返した。「ディクタムナスだと！　いったいどういう目論見だ？　続けてくれ、ヘイスティ。ほかには？」

「そうだな」ヘイスティはいった。「話は尽きないとも——なにしろ、およそ必要とも思えないような奇妙な規則やら約束ごとやらがまだまだ山ほどあるのでな！　まず、女生徒はたとえ午後のお茶の時間だろうと、ひとりきりで〈聖なる家〉を出ることは禁じられている。めったに外には出られないうえに、外出時にはかならずシスターのひとりがついてくるのだ。ある意味、〈聖なる家〉に閉じこめられているも同然だ！　じっさいにモナが一度か二度、ふたりの女生徒をわが家のお茶に招待したことがあったが、そのときにも若いシスターのひとりが彼女らにつき添ってきた——シスター・メリッタとかいったな。キティはその子たちのことを、なんてお行儀がいいんでしょうとか、立ち居振る舞いが上品だなどと褒めちぎっていたが、わたしは内心驚いていた。十代前半の少女たちにしては異様なほど無口で、どうやら発言する前にはかならずシスター・メリッタに伺いを立てているようだったからだ。むろん、単に恥ずかしがっていただけかもしれない。だがあの子たちがモナとともに、シスター・メリッタとキティを客間に残して庭に出ていったので、わたしはそのようすをしばらく眺めていたのだが、庭に出ている間ですら、少女たちはずっと気を張っているように見えた。庭をそぞろ歩いては、ときおり言葉を交わし合うだけで——くすくす笑い合ったり、笑い声をあげたり、冗談をいい合ったりすることもなかった。それがわたしにはじつに不自然に見えた。女生徒たちはみなあんなふうなのか、とモナに訊ねると、そうだ、という答えが返ってきた。全員がみなあのようにおとなしいそうだ——だがモナは、わたしにいわれるまでそのことにまるで気づかなかったという。しかも屋外にはしょっちゅう出ているらしいが、スポーツはいっさいおこなっていないようなのだ！　それよりもリズム教育や造形運動——というのがなんなのかは知らないが——あるいは平衡バランス運動などのほうが——少なくとも神父どのにいわせれば——ゴルフやテニスといった本来のスポーツよりも、成長期の少女たちにとってははるかにふさわしいものなのだそうだ！」彼はここで言葉を切ると、さらに深刻な声で続けた。

「だがわたしがほんとうに不安になりだしたのはモナの変わりようだ！　あの子はこの半年で信じがたいほど変わってしまった。あの学校に通いはじめるまでは、葦の茎のようにほっそりとしていて——母親に似て、瞳はきらきらと輝き、頰は薔薇色で、明るく生命力と喜びに満ちあふれていた——だがいまや、快活だったあの頃とは裏腹に、眠そうな目をしてだらしなく太っている。思い違いなどではない——確実に——思春期を迎える年頃になったからというだけではすまない、もっと重大で深刻ななにかが娘に起こっているのだ！　むろん、キティとミス・ウェッブは単なる思春期の変化だといって譲らない。アロイシウス神父とその取り巻きのシスター・セリーヌにそういわれたからだそうだ——みなわたしのいうことなど、笑い飛ばすか、それに対してひどく腹を立てるかのどちらかだ」彼は絶望をにじませ、両腕をひろげた。「だがわたしはけっして間違っていない！　わたしはあの子の父親だ、自分の勘が正しいことくらいはわかる！　この数か月で娘はすっかり変わってしまった——まるで別人のように！」

　ペノイヤーが僕に向かって頷き、いった。

「彼のいうとおりだ。モナの変わりようはわたしにとっても衝撃だった。率直にいわせてもらえば、これがただごとではないと感じたのはまずそれがきっかけだった。まともな変化ではあり得ない」

「娘はかつての、楽しいことに対する意欲さえ失ってしまった」失意の父親は続けた。「常に無気力でぼんやりして、いいわけをしては寝てばかりいる！　日を浴びるのも嫌がるようになった――以前はあれほど日なたを好んでいたのに。いまでは、ほうっておけば一日じゅうでも家の中にいるし、たとえ外へ出ても、かならず日陰を歩いて黒いサングラスまでかけている……もう二度と太陽の光など浴びられないんじゃないだろうか。いつも上の空で、人の話すらろくに聞いていないのだ！　それでいて、あのいまいましい神父がそばにいるときだけは元気になる――昨夜も見ただろう？　娘は、まるで太陽の方角を向こうとする花のごとく、あの男に釘づけなのだ……まるで催眠術にでもかけられているかのように！　不健全きわまりない。それをひしひしと感じるのだ。だがあの救いがたい女どもは奴にのぼせあがっていて、娘をさらにけしかける始末だ。わたしはただ黙って見ているしか……」

　彼はふと黙りこみ、きまり悪そうに顔を赤らめた。

「すまん――少々口が過ぎたようだ。キティを悪しざまにいうつもりはなかったのだが、つい……」

彼が涙目ですまなそうに僕らを見るので、ペノイヤーは屈みこみ、彼のごつごつとした、赤らんだ拳にそっと自分の手を重ねた。

「構わんよ」彼はいった。「われわれはことのしだいに気づいている――だがあちらは気づいていない、ただそれだけのことだ。続けてくれたまえ、きみが例の神父どのと面と向かって話したときのことをラティマーに話してやってくれ」

「面と向かって?」僕は身を乗り出した。「なにを話したんです?」

「うむ」ヘイスティがいった。「それからしばらくして、娘に訪れつつある身体的変化とはまた別に、さらに深刻な悩みが頭をもたげはじめたのだ」

彼は申しわけなさそうにペノイヤーをちらりと見やった。

「ほんとうのことをいうと、ラティマー、モナは、霊媒師だった母親の資質を受け継いでいるのだ——不運にも、とわたしは思っている。ペンが違う意見だということは承知している。あの子は生まれてまもない頃から、そういったものが視えたり聞こえたりしていたが、わたしはそれをけっして認めなかった。それらの存在を頭ごなしに否定するつもりはないが、その手の話はもともと好きではなくてな……白状してしまえば、たぶん怖いのかもしれない。娘は、そんなことなどすっかり忘れて育ってくれているとばかり思っていた。わたしはミス・ウェッブと力を合わせ……」

「忘れさせることなどできるわけがない」ペノイヤーがぽつりといった。「できるのはせいぜい、陰からひそかに力を制御することくらいだろう。あるがままの力を受け入れ、みずからのものとして慈しむのではなく、一生その力を隠して生きていくことはけっして不可能ではない。だが以前もいったとおり、きみはそこで間違いを犯した、ラン。きみの奥方に対しても、娘に対しても。ともかく続けてくれ」

ヘイスティは不愉快そうに唇を真一文字に結んだが、やがて話を続けた。

「それで、モナは〈聖なる家〉に通いはじめてしばらくすると、授業時間が終わっても学校に残ったり、夜になってから、夕食後に学校へ戻ったりするようになった——神父さまが〝特別指導〟をしてくださるんだそうだ。わたしは戸惑いを隠せなかった。娘はまだ通いはじめて数週間というところで、備えるような試験もないはずだったからだ——そもそも、なぜほかの女生徒たちを差し置いて、娘だけが特別な訓練を受けることになったのだ？　その指導は週に二、三回ほどあり、どうやら神父と一緒に個室のような場所にこもって長時間過ごしているようだった……」

「まさか……」僕はいいかけたが、ヘイスティはかぶりを振った。

「いやいや——そういうたぐいのことではない！　モナの話によれば、その部屋には常にシスター・セリーヌも控えていて、それ以外にもひとりかふたりの教師がついていることもあったそうだ。一度など、教師たちが全員揃って来ていたこともあったらしい！　だが、個別指導にしてはそれも妙な話だったので、わたしはたまりかね、娘を問いただした。そこで聞かされた話に、わたしは思わず身がすくみ、頭を掻きむしらずにいられなかった……」

「彼女はなんと？」僕は訊ねた。

「聞いてくれ。娘がいうには、初めてその部屋に行った日に、いきなり寝台に横にならされたそうだ。すると教師たちや女生徒たちが手を繋いで寝台をぐるりと取り囲み、そこへかのアロイシウス神父がやってきた。彼は娘の額に両手を乗せると、意味不明の言葉をなにやら口にした。たちまち娘は眠ってしまったそうだ……目が覚めると、まわりの者たちは興奮したようすで口々になにごとか喋っており、浮かれたように歓喜の声をあげていた。シスター・セリーヌは、いましがたまでなにかを書きつけていたかのように、ノートと鉛筆を片づけていたそうだ。また別のときには椅子に座らされ、アロイシウス神父のあとについて耳慣れない言語の詩を唱えさせられたあと、まわりの者たちが詠唱する中、頭に油を注がれ、葡萄酒を飲まされたこともあったようだ。水を注いだ水晶の鉢を覗きこまされ、なにが見えるか話せといわれたことも何度かあったらしい……満月の夜に庭に連れ出され、ほかの者たちが、娘を取り囲んで踊りまわったり儀式めいたことをおこなったこともあったそうだ。そんなものが特別指導だというのなら、わたしとしては気に喰わないし、とうてい賛成しかねる！」ヘイスティの血色のよい顔が怒りで黒ずんだ。「そこでわたしは、神父に個別面談を申しこむ手紙をしたためた……だが信じられるかね？　奴は会うなり、わたしをいいくるめようとしたのだ。このわたしを！」

彼はペノイヤーから僕に、それからもう一度ペノイヤーに視線を戻した。驚きと怒りがない交ぜになったその表情は、彼の悲壮な胸の内を知らなければ滑稽にすら見えただろう。〈悪の権化〉の手に捕らえられた、気のいいお人よしの哀れなジョン・ブル*……。

「どのような話をされたかなど口にしたくもないが、奴は悪魔さながらに、まことしやかな話を並べ立てたのだ！　モナが話していたことはいずれも自分が編み出した独自の教育法であり、生徒の精神力を覚醒させ凝縮させるためのものなのだ、だがそれを用いることになにか不都合が？　と。自分の指導方法が異端であることは認めるし、むしろ異端であることを誇ってもいる、だがそれがもたらすであろう成果には揺るがぬ自信があるのだ、と奴はいったのだ！　モナは間違いなく有望な生徒だか

ジョン・ブル　典型的なイギリス人像を擬人化した呼びかた。

ら、親であるあなたには、自分が今後も彼女を特別扱いすることにぜひとも同意してもらいたいし、そうなるだろうと信じている——だがあくまでも平凡な教育をお望みとあらば、いたしかたない、おっしゃるとおりにいたしましょう、と」

「そのとおりになったのですか？」僕は訊ねた。

「わからん」ヘイスティは認めた。「ともかくそれ以来、モナをどれだけ問いただしても、ごく平凡な教師から教わるごく平凡な授業のことしか口にしないのだ！　だがとうてい……」

「とうてい信じられたものではない」ペノイヤーがいった。「モナがきみに秘密を漏らしすぎたことを恐れたあの男は、彼女がその〝特殊訓練〟なる集会を訪れるたびに、そのさいの記憶をすべて彼女の頭から消し去っているのだ」彼は眉をひそめた。「特殊訓練、とはまさによくいったものだ。奴は間違いなく、あの子の霊能者としての非凡な資質に目をつけ、すぐさま訓練に着手したのだ……」

「わたしも、そうではないかと思っていた」ヘイスティが口を挟んだ。「話している間は、単なるいいわけだと思いつつ奴の話に耳を傾けていたが、あの場所をあとにしたとたん、いつの間にか煙（けむ）に巻かれ、手玉に取られてしまったことに気づき、またしても不安がむくむくと湧いてきた……」

「そう感じているなら、娘さんには学校をやめさせてあの男から引き離し、フランスへやってしまったほうがよかったのでは？」僕は無遠慮にいった。

　ヘイスティは悲しげなまなざしで僕を見た。

「まさしくそうすべきだった」彼は沈鬱な声でいった。「だが先ほどもいったとおり、わたしの嫌悪感だけを理由にことを進めるわけにはいかなかった。それにいまも話したが、腹立たしいことに、抗（あらが）おうとしても、奴の歌うような声色でやすやすと眠りに誘われてしまう——もはやどれほど娘を連れ戻したいと願っても、それが可能だとはとても思えないのだ！　モナばかりか、キティとミス・ウェッブまであの男に取りこまれてしまい、味方がひとりもいないいま、どうすれば娘を連れ戻せるのかまるでわからん！」

「学費の支払いをやめてみたらどうです」僕はいった。

ヘイスティは肩をすくめた。

「キティには自分の貯金がある」彼は唸り声でいった。「わたしがやめてもどうせ彼女が払ってしまうさ！　だめだ、その手は使えない」彼は情けなさそうにため息をついた。「だからペンが来てくれたときはほんとうにありがたかった。まさにあのときのわたしは、あの下劣な悪魔に対する凄まじいまでの不安と——そしてそう、恐怖とに——苛まれている真っ最中だった……」

「そこになにか手がかりがあるかもしれない！」ペノイヤーが見解を述べた。「だがもうあまり悩まずともよい。きみが話してくれたおかげで、ラティマーにもことのしだいが充分に把握できたことだろう——あとはわれわれに任せたまえ。じっさいになにがおこなわれているのか、それに対してなにができるのかを探ってみよう。きみはゴルフにでも行くか、すこし遠出でもしてくるといい。わたしはラティマーと話があるのでね」

ヘイスティが頷き、庭のほうへ大股に歩き去ると、ペノイヤーは僕に向き直った。

「さて、われわれは」彼はいった。「とりあえずすこしばかり足を伸ばして、噂の〈聖なる家〉の周囲でも探ってみるとするか！」

近道、というのはあながち嘘ではなかった。むせ返るような松林の中を十分と歩かぬうちに塀があらわれた。蔦(つた)に覆われた、灰色の石造りの背の高い堅固な壁――かつての〈ブレーマーサイド〉の古屋敷、すなわち現在の〈聖なる家〉を取り巻く塀だった。僕らがたどってきた小径は、石塀につくられたちいさな裏口の、緑色の扉に続いていた――扉は南京錠と鎖で固く閉ざされていた。

ペノイヤーは考えこみながら、しばし塀を見つめていた。幾重にも絡み合った蔦の茎は足がかりとしては打ってつけで、塀の傍らには、あつらえたように枝の低い木々が何本か生えていた。僕らはふたりとも痩せていて身体もそれなりに動いたので、二分と経たぬうちに、男子学生よろしくふたりで塀のてっぺんに並んで腰をおろし、塀の向こう側の景色を見わたしていた。だが景色という言葉はあまりふさわしいとはいえなかった。景色という言葉は本来ひろびろとした風景を指すはずだが、僕らが腰かけていた場所から見えたものといえば、鬱蒼と茂る木立の壁だけだったからだ。木々の足もとに生えた低木や灌木すら、長い年月の間放置されていたせいで、周囲の木々とさほど変わらない高さにまで生長していた。幅十二フィート、高さ十六フィートほどある茂みには、石楠花(しゃくなげ)や月桂樹、莢蒾(がまずみ)に岩梨(いわなし)といった植物が生えており、どれも豊かに生い茂って、思い思いに枝を伸ばしていた。その茂みの間を、曲がりくねった、苔むした細い小径が走っていた――母屋の近くの庭は手入れされていたが、このあたりは、どうやら何年間も手つかずのようだった。

「あのご立派な神父どのは、母屋まわりの庭にはずいぶんと手を入れているようだが、その周囲はどうでもいいとみえる！」ペノイヤーが意見を述べた。「まるで、見えている部分だけを掃除して、食器棚や写真立ての裏側には手を出さない怠け者のメイドさながらだ！　来たまえ。とりあえず探りを入れてみよう」

「こんな真っ昼間に？」僕はいい返した。「ここに足を踏み入れられるのは選ばれた数人だけなんだろう！　僕らがうろついていたらひどく目立つんじゃないか？」

「この荒れ放題の場所から出さえしなければ見つかりはしないだろう。まずこのあたりに人は来ない」ペノイヤーがいった。「それにじっさいのところ、庭に忍びこむなら夜よりも昼のほうがおそらく安全だ。日中ならば、あの神父どのとそのお仲間は生徒たちの訓練とやらで手一杯のはずだから、館から出てくる心配はない！」

「眠っている間に――きみが幽体でここを訪れたほうが安全じゃないか？」僕は訊ねた。

僕としてはなかなかよい提案だと思っていた。ペノイヤーにはその希有な才能があり、修練も積んでいて腕は確かだったし、幽体で訪れた場所についての詳細な記憶を持ち帰ることができるだけでなく、めざした場所に迷わず行ける能力があることも知っていたからだ――だがペノイヤーはかぶりを振った。

「今回も、生身の身体でいるほうが安全なのだ」彼はいった。「言葉にするとじつに妙だがな！　あの男は幅広い知識を駆使して、魔術を操る同類を嗅ぎわけようとしている。おそらく、というよりも確実に、昨夜わたしと顔を合わせてからずっと、幽体で近づいてくる者がないかと神経を尖らせているはずだ――だがさすがの彼も、まさかわたしがわざわざ生身の身体で塀を乗り越えて茂みをうろつきまわっているとは思うまい。じつは昨夜、あの十字架を枕の下に入れて眠ったさいに、幽体でここを訪れたので、庭のあたりまではだいたい見当がつく。だが母屋には入れず、あの男に近づくことはできなかった。どちらにも〈別次元〉に繋がる結界が張られていたからだ。入り口をつくろうと思えばできなくはなかったが、そのようなことをすれば、ここにいるぞ、とわざわざ大声でひけらかすようなものだ。だからやめておいた。つまり心配は無用だ。万が一大急ぎで逃げねばならなくなったとしても、この真下に、塀を跳び越えるための踏み台がわりになりそうなベンチがあるから大丈夫だ！　さあ行くぞ」

彼は軽々とベンチに降り立つと、そこから地面に着地した——僕は、正直にいえば少々怖じ気づいていたのだが、ままよとばかりに彼に続いた。

話のとおり、ペノイヤーがすでにこの庭を訪れていたのは一目瞭然だった。彼は小径を数ヤードほど進んだあたりで道をそれると、生い茂る灌木の間へ踏みこんでいった。僕は少々臆しながらも、毒を喰らわば皿までよと彼にぴったりとついていき、やがていつの間にか別の小径に出ていた。先ほどの道よりも古く、雑草がはびこっている。おそらく庭師が使うための道だろう。低木や灌木の陰を通り、敷地の反対側にある鉢植え用の小屋だとか四阿（あずまや）だとか、そういったたぐいの場所に続いているにちがいなかった……あとから知ったことだが、この小径の先には温室や冷床、堆肥の山や道具小屋といったものがあり、道自体はまったく使われていないように見えたものの、それらには間違いなく人の手が入っている形跡があった。ペノイヤーはすたすたと迷いなく進んでいくと、数分後、緑の葉が鬱蒼と茂る真ん中で足を止めた。葉を透かした奥に、ひろがる芝生がはっきりと見えた。芝生の奥には大理石を敷き詰めた道が延びており、同じ大理石でできた、低い縁石に縁取られた一段低い水盤があって、その中央に噴水が湧き出ていた。さらにその向こうには古代ギリシャふうの柱が並び、ガラス屋根の柱廊(ロッジア)を支えていた。みごとなパッラーディオ様式*の館だった。

　ここがヘイスティの話していた〝図書室の窓の外〟であり、柱廊の柱の奥にかろうじて見える部屋こそ、まさにシスター・セリーヌが校長の客を招き入れた図書室であろうことは明らかだった。

　午前中の休み時間のようだった。眺めていると、いずれも十六歳にも満たない、しかもそのうちの数人はかなり幼い少女たちの一団が館から出てくると庭にちりぢりになり、芝生の上をうろうろしたり、柱廊の陰で読書をしたり、大理石の縁石に腰かけて噴水の水に両手を浸したりしはじめた。全員が素足で、制服らしき継ぎ目のないギリシャふうの白いワンピースをまとっている。だがその中にモナの姿はなかった――だが僕らがいるのはかなり離れた場所だったので、どこかに紛れているのかもしれなかった。なんと微笑ましい光景だろう、と初めは思った。だがふと奇妙な違和感をおぼえた。その違和感の正体がなんなのかなかなかわからなかったが、ふいにあることに気づき、さらにヘイスティの言葉がよみがえった――少女たちが静かすぎるのだ！　普通、十代前半の子どもたちが二、三十人、一斉に授業から解放されれば、教室に閉じこめられていたことへの強烈な反動から、大声で笑ったり、お喋りをしたり、なにかしら喚いたり、ふざけ合ったり、はしゃぎまわったり、あるいはそれ相応のことをするものだ――だがこの少女たちの振る舞いは、まるで催眠術にでもかけられているかのよう

パッラーディオ様式　イタリアの建築家アンドレーア・パッラーディオ（一五〇八―八〇）の設計から派生した、十八世紀ヨーロッパの建築様式。古代ギリシャ・ローマの神殿建築を範とした。

だった。無表情で、まるで生気がないのだ……。

「これが」ペノイヤーが僕の耳もとでいった。「キティ・ヘイスティやその友人のレディ・ヘンウィックといった愚かな奥方連中が、〝じつにお行儀がいい〟などといっているものの正体だ！」ペノイヤーは鋭い目を鷹のように細め、少女たちの一団のほうへ顎をしゃくった。「見たまえ！　あれはモリー・ヘンウィックだ――モナの大親友で、以前は一瞬たりともじっとしていない悪戯っ子だった。ところがいまはどうだ！　ほかの女生徒たちと同様、魂を抜かれたかのごとく無気力ではないか――まるでギルバート＆サリヴァンの〝二十人の恋患いの娘たち〟*さながらだ！　おや、教頭のシスター・セリーヌのお出ましだ――月の女神セレネというわけか！　ここでもまた〈月〉――よく憶えておきたまえ、それがこの場所すべてを取り巻く中心思想だ……」

修道女のような長い白の法衣をまとい、頭に白い頭巾を被った――その頭巾は、エジプトの彫像によくある、亜麻布を折り重ねた頭飾りを彷彿させた――長身で痩せ型の、険しい表情の女性が日射しのもとにあらわれた。女生徒たちと同様に素足で、片手に握りしめた、奇妙な形をした小ぶりの銀色のものが陽光に照り映えている。彼女が柱廊を出て噴水のある水盤を通り過ぎ、芝生の上に立つと、女生徒たちは全員その場で静かに立ちあがり、命令がくだされるのを待つかのようにそのままじっと待った――ここにいる少女たちが、いわゆる平凡な女生徒たちとどれほどかけ離れているか、またしても僕は目の当たりにすることとなった。

みなに好かれている女性教師が姿をあらわせば――モナによれば、シスター・セリーヌは神父の次に、しかも彼にさほど劣らず人気があるのだそうだ――普通はちょっとした大騒ぎになるものだろう！

人見知りをしない子なら駆け寄って腕にぶらさがり話しかけるだろうし、内気な子でもそっと側に寄っていって、笑いかけてもらえたり言葉をかけてもらえれば嬉しいと思うのではなかろうか……ところがここの女生徒たちはまさに自動人形(オートマタ)よろしく、その場で立ちあがり命令がくだされるのをただ待っていた。

「自動人形(オートマタ)とは――まさにいい得て妙だ」僕がそう思い浮かべたとたん、ペノイヤーがその言葉を拾い、僕に耳打ちした。「ここにいる少女たちはゾンビそのものではないか――まるで意志を奪われたまま生きているかのようだ！　命令に従わされているのは確かだが……毒あるいは薬を盛られているのか、なんらかの術をかけられているのか、はたまたその両方なのか、ともかくまともでないことは間違いない！　おや、彼女はなにをするつもりだ？」

ふたりで茂みの陰に隠れつつ、僕は絡み合う枝の隙間に目を凝らした。シスター・セリーヌがなにか話していたが、遠すぎて内容は聞き取れなかった。彼女が話している間に、女生徒たちは黙々と列をつくり、二列に並んだまま じっと立っていた。やがてシスターが片手に握りしめた銀色に光るなにかを高く差しあげ――あらためてよく見ると、それは小型の銀のトライアングルだった――銀色の棒でそれを叩いた。細く鋭い音色が響きわたり、それに応えるように、少女たちが嘆き悲しむような奇妙な声をあげた。それは詠唱のようでもあり、泣き声のようでもあり、哀愁に満ちた、震えるような甲高い声だった――耳をつんざくその奇妙な響きを聞いていると、心の防壁が突き破られて、震えな

〝二十人の恋患いの娘たち〟　喜歌劇『ペイシェンス』（一八八一年初演）第一幕の、もの憂い曲調の歌。

がら途方に暮れたまま……丸裸で恐怖のどん底に突き落とされたような心地がした！

　それらの音とともに、二列に並んだ少女たちが一斉に、どこか古典舞踊を思わせる動きで両腕を斜めに差しあげながら、前へ進んでは一歩さがり、また一歩前へ出るという動作を繰り返しはじめた。その間もずっと、あの奇妙な、嘆き悲しむようなか細い声をあげつづけている……真っ昼間で空は晴れわたり、陽光が降りそそぐ最高の日和だったが、まるで空がみるみる曇ってすべてが異様な空気に包まれたように思えた。僕は取り乱しそうになり、慌ててペノイヤーの腕を摑んだ……いったい僕はどうなってしまったんだ？　すると耳もとでペンの力強い声がし、彼が右手の親指と、人差し指と中指の二本をそれぞれ僕のこめかみに当て、挟みこむように強く揉みほぐした。霊媒となった者をトランス状態から覚醒させるときに用いる技だ――ふいに空気の澱みが晴れ、僕はもとどおり、列になった少女たちが不思議なリズムで動いているようすを、目の前にある緑色の葉の隙間から見つめていた。だが音はいっさい聞こえなくなっていた！　あの不気味な歌声から僕を守るため、ペンが一時的に耳を塞いでくれたのだ……。

　彼は常に携帯しているノートを一枚破くと、そこになにやら書きつけた。

〝すぐに塀の向こうへ逃げろ。今朝ランと会った小径の脇で待て。急げ！　耳の封印はさほど保たない！〟

　急かされるまでもなく、僕は脱兎のごとく走った――心底怯えていたからだ！　ベンチの助けを借りて塀を跳び越え、十分後には、ソファの形をした土手で背を丸めて休みつつ、たったいま見聞きした奇妙なできごとを何度も思い返していた。耳はすっかりもとどおりになっていた。

いまだ動揺も混乱も、そして少なからず恐怖も収まってはいなかったが、それでも懸命に考えを巡らせていると、ペノイヤーが傍らにあらわれた。紙切れを手に笑みを浮かべている……彼はそれを差し出すと、僕の隣の草の上に腰をおろした。紙の上にはメモらしきものやら図形やらが記されていた。

「なぜそんなに嬉しそうなんだ？」僕は思わず訊ねた。「これは暗号かなにかか？」

「そうではない」ペノイヤーがいった。「単なる走り書きにすぎん――内容はどうでもいいのだ！　重要なのは――それがアロイシウス神父の筆跡だということだ！」その声は喜びにあふれていた。「彼の所有物でありながら、彼が保護をかけようとはしないものをどうにかして手に入れたいと思っていた……早速今夜それを使って〈静寂の国〉を訪れ、探りを入れるつもりだ」

「こんなもの、どうやって手に入れたんだ？」僕は訊ねた。

ペノイヤーの説明はこうだった。僕が去ったあと、彼はゆっくりと慎重に低木の林を抜けて館に近づき、建物の側面にある植えこみに身をひそめた。昨夜、幽体で訪れたさい、そこに大教室があることと――かつては〈ブレーマーサイド〉のビリヤード室だった部屋だ――その隣に、神父専用のちいさな書斎があることを突き止めていた。モナが話していた〝特別指導〟がおこなわれているのはおそらくその部屋か、あるいはそこでないとすれば、どこか別の場所に、心霊的な意味での特別な準備が調えられた秘密の部屋があるはずだ、とペノイヤーはいった。

だが日中、このちいさな書斎ではかの神父が職務に就いていることが多かった。さらにいえば、彼がみずから授業をすることは稀で、たまに講堂で講義をおこなうくらいだった……彼は常に、神秘や魔術をうまく取り交ぜた講義をおこない、若い生徒たちはみな夢中になった……さらに彼はあれこれと実演もしてみせていた。いずれもみな彼が、みずからの指導のもとにある成長期まっただ中の知性や人格を、より彼の意志に従順となるよう育てあげるためのものだった。実演には種々さまざまあり、それぞれがどのようなものだったのか僕には見当もつかなかったが、あとでモナから聞いた話によれば、そのひとつでは、暗くした部屋の中に明かりや球体がいくつも回転していて、映写幕のようなものの上に色とりどりの光が映し出され、耳慣れない単調な音楽が流れていたという。午後の授業でいったいなにがおこなわれていたのか、結局モナからもはっきりとした説明は得られなかったが、彼女の話によれば、講義のあとは女生徒全員が放心状態となり、気持ちも混乱していて、みな異様な眠気を訴えていたそうだ。だがみないつしか、次の講義を心待ちにするようになっていたという。あたかも薬物中毒患者が、みずからの愛してやまない毒をひたすら求めるかのように……。

話が横道にそれてしまったが、ともかくペノイヤーから聞いた話を続けよう。神父は白い綾織りの布で仕立てた法衣をまとい、真珠で飾った銀の十字架を首からさげて、黒い頭蓋帽で剃髪を隠し、開け放った窓の傍らにあるテーブルで書きものをしていた。青色の長い羽ペンを用い、なにかの勘定をしているらしき彼の姿を、ペノイヤーは立ったまましばし観察し、その目鼻立ちの整った、傲然としたおもざしから察せられる人となりを分析しながら、彼の目的とはなんなのか、じっさいのところモナをいったいどうするつもりなのか、と必死に考えを巡らせた。だが突拍子もない考えまで引っ張り出してきても、真相にたどり着くための手がかりすら見いだせなかった……。

ペンは全身全霊で〈白き兄弟〉に救援信号(SOS)を送った。どうにかして相手に知られることなく、あの端整な仮面の奥にひそむ、華麗で邪悪な、無慈悲な魂に触れる方法を授けてはくれないものかと……

するとどうだろう、〈彼ら〉がその願いを聞き入れ、応えてくれたのだ！

書斎の扉をノックする音がし、神父が苛立たしげに「入れ！」と答えると、彼の側仕え（そばづか）のクラーが入ってきた――フレッド・ヒッグスが紫水晶（アメジスト）の十字架を持って訪ねてきた、という知らせであることは明らかだった。

アロイシウス神父は満足げな声をひとつあげると、引ったくるように十字架を奪い取り、紫色のガラス瓶に半分ほどの高さまでガラス玉の詰まったペン置きにペンを突き刺すと、椅子を引いて大股に部屋を横切った――お手柄のヒッグスに礼をいい、心づけを与えてやっているようだった――それまで書いていた紙は机の上に置かれたままだった。三分と経たぬうちに、開け放った窓から悪戯なそよ風が吹いてきて、何枚もの紙がめくりあげられ、窓の外の、茂みの間に散らばった……そしてペンは上機嫌で、お宝を丹念に札入れにしまい、茂みを抜けて裏門へ戻ってきたというわけだ！

「よし――手がかりを摑んだぞ！」彼は険しい声でいった。「これで奴の狙いを突き止められる……治療する術（すべ）はかならず見いだせるはずだ」

「奴はヘイスティ夫人宛てに、十字架が戻ってきたことに対する礼の手紙を書くはずだ」僕はいった。「そいつも役立てられないか？　中身は無理でも、封筒くらいはたやすく手に入るだろう」

ペノイヤーはかぶりを振った。

「奴にはすでにかなり警戒されているのでな！」彼はいった。「泥棒を捕らえるには泥棒をあてがえ、*

泥棒を捕らえるには泥棒をあてがえ　〝毒をもって毒を制す〟の意味。

というではないか――われわれと顔を合わせてからというもの、奴はこちらになにひとつ引き出させまいと、完璧に守護を施したもの以外、この〈安息の地〉にはけっして持ちこまぬよう細心の注意を払っている。奴は充分承知しているのだ、その人物と密接に関わったことのある物体がどれほどの心霊的価値を持ち、いかに多くを語り得るかを！　わたしかきみがあの十字架に触れているかどうかを確かめるため、十中八九、奴はフレッド・ヒッグスを問いただしているにちがいない。気の毒なフレッド、さぞ困り果てていることだろう！　だがいずれきみにもわかる、わたしのいいぶんが正しいと」

ペノイヤーが、彼のいう〝〈静寂の国〉への旅〟をするところは、以前にも何回か見たことがあった――というよりも、じっさいには、彼がそれをおこなっている間の見張り役を僕が担っていた。彼が自分の肉体から離れている間は、突然の覚醒がけっして起こらぬよう、外部からのあらゆる妨害を防ぐ必要があるからだ。深いトランス状態から唐突に引き戻されることは危険きわまりなく、その者の肉体および精神に深刻な損傷を与えかねない。いわば難攻不落の霊力の壁で囲まれたペノイヤーのアパートの部屋でおこなうのであれば見張りなど必要ないのだが、まったくの他人の家で、この方法を用いて〈彼方におわす兄弟〉との接触を図るとなると、見張りは是が非でも必要だった――そしてその役割を任せてもらえたことが、僕としてはとても誇らしかった。

やがて家の中が静まり返り、誰もが眠りについたその夜、僕は〈心療鞄〉に常に入っている、祈禱用のペルシャ絨毯(じゅうたん)を床の中央にひろげた――できるだけ部屋を広くするため、先にふたりでベッド枠を壁に立てかけておいた。そして、彼が頭を乗せられるよう、こちらも〈心療鞄〉に常に入っている象牙彫りの箱枕を絨毯の上に置き、ベッド脇の読書用ランプだけを残して、明かりをすべて消した――まばゆい光が薄暗いルビー色になるよう、ランプには赤く染めた柔らかい絹地の布をかけた――僕がそれらの準備をしている間に、ペノイヤーは浴室に行って全裸になり、頭のてっぺんから爪先まで水を浴びたあと、濃紺の柔らかい毛織の長衣(ローブ)をまとい、頭巾を被って、結び目のある紐を腰に巻いた。こういう場合に備え、彼が常に用意している衣服だ。彼は部屋に戻ってくると、僕の調えた支度に目を留め、満足げに頷きながら、しばらく無言で室内を見わたしていた。彼はこざっぱりとして、神経を研ぎ澄ましているように見えた――おそらく、僕が感じていた以上に。僕らは朝からなにも食べていなかった。こうした場合にはかならずそうする必要があったからだ。面倒な質問を避けるため、僕らは数マイル先の景勝地であるトレリーセンまで長い散歩に出て、夕食どきをとうに過ぎても戻らずにいた。ミス・ウェッブがどうしても持っていけというのでピクニック・ランチだけはとりあえず受け取り、手つかずのまま持って帰ってきたが、この一日の間に、何度蓋を開けてしまおうと誘惑に駆られたことか！　だが、まさにいま直面しているような重要な心霊作業の前に断食しておくことがどれほど重要か、もう僕にもさすがにわかっていた。僕の役割は、ペンに力を供給するための単なる霊力源というだけではない――穢(けが)れのない、強力な力の源でいなければならないのだ。

わが友人が〈彼方におわす兄弟〉と接触を図るためには、得られるだけの力をすべて手に入れ、ときにはそれを維持せねばならないのだ！　霊力を引き出そうにも、霊媒となる者に飲食物という不純物が交じっていれば、そこから得られる力の質は落ちてしまう。清らかな早瀬に泥が詰まって水を濁らせ、澱ませるかのごとく……。

マイルズ・ペノイヤーの助手を務めるにあたり、そうした厳格なしきたりに歯向かいたくなったことも過去には幾度かあった。だが今回の件はあまりにも興味深く、是が非でも役に立ちたいという気持ちが勝り、僕は空腹すら忘れて、ペノイヤーがコップ一杯の冷たい湧水を飲み干すのを見ていた。彼はトランス状態に入る前にかならずそれをおこなう。そしてかすかな笑みを僕に向け、長衣をかき寄せると、祈禱用絨毯の上に仰向けに寝転がり、箱枕を頭のちょうどよい場所に引き寄せた。

「扉に鍵をかけてくれ、ジェリー」彼はいった。「そしていつもどおりに、あの低い椅子にゆったりと寛いで座っていてくれ。手も足も組んではならない――力の流れが遮られてしまうからな。今夜はできるかぎりきみから力を引き出したい。ひょっとするときみは明日、動けなくなってしまうかもしれんがね！」ぼうっと照らす赤い明かりの中で、横たわった彼の黒い瞳が温かな光を帯びた。「この部屋の周囲に防壁を巡らせたうえで、この屋根の下にいる全員を、より深い眠りに誘っておいた……それを破ろうとする者、そしてそれができる者は、われらが友人アロイシウス以外にまずいないだろう。それに、あちらもわれわれ以外の者に構っている余裕などあるはずがない！　ともかく、相手が誰であろうとけっして扉を開けるな。承知しているだろうが、わたしが自分の身体に戻ってくるまで、この部屋に何人たりとも入れてはならない。わかったかね？　よろしい！　幸運を祈る！　では、戻るまでしばし失礼する……」

彼は最後に僕に笑顔を向けると、両腕を身体の脇に伸ばし、足を揃えて目を閉じた――そして、赤い光に包まれた部屋は、完全なる静寂に包まれた。

僕はいわれたとおりに椅子に腰をおろした。靴とジャケットを脱いでカラーとネクタイを外し、暑い六月の夜ではあったが、念のためにガウンを羽織って首にスカーフを巻いた。経験上、霊能力がはたらいている間は氷のような冷気が立ちこめることがわかっていたので、膝掛けと、熱いお茶を満たした魔法瓶も手の届くところに置いてあった。

ペノイヤーは身体の外にいるのでどれだけ寒くなろうが一向に構わないのだろうが、僕はいやでも自分の身体に留(とど)まらなければならない。ペンが自分の身体に戻るまでにいったい何時間かかるのか見当もつかなかったので、その間すこしでも楽に過ごすための工夫は僕にとって必要不可欠だった！

そうしてどのくらいそこに座っていただろう。僕のいる場所からでは、ベッド脇のサイドテーブルに置かれたちいさな置き時計は見えなかったし、毎度のことながら、僕の視線はわが友人の顔に釘づけになっていた。彼はゆっくりと、確実に、生きている身体を残したままそこを離れていった。やがて彼の身体は生ける殻となった。たったそれだけだった。マイルズ・ペノイヤーたるものは――マイルズ・ペノイヤーでもあり、これまで彼の人格がまとってきた、長いリストができるほどの、数多くの名だたる名前の持ち主たちでもあるそれは――やがて薄くなって消えていき、残されたのは、僕の足もとのペルシャ絨毯の上に力なく横たわる、生気のない動かぬ身体だけとなった。呼吸もあまりにもゆっくりで、ほんとうに息をしているのかどうかすら判別しかねた。顔は縮んで深く皺が寄り、だいぶ老けて見えた。さらにその姿がしだいに、まるで高貴な顔立ちをした、壮麗な、千年の時を生きたいにしえの王のミイラじみてきた。濃紺の毛織の長衣に包まれた痩せた身体の両脇にだらりと添えられた両手ですら、常日頃の彼の手ではなく、痩せこけて爪が鋭く尖っているように見えた……そして僕はふと気づいた。いま僕が目にしているのは、ほんとうの年齢のマイルズ・ペノイヤーなのだ！

と。この、息をしているのかすらわからない、華奢なものいわぬ身体に、彼がこの世で過ごしてきた全生涯の縮図があらわされていた……彼はまさしくそのすべてを、同胞たる人間たちのために尽くしてきたのだ！　それはあたかも、彼の数多なる人生の背景となったすべての時代が、このたったひとつのちいさな萎れた身体に集約しているかのようだった……。

　すると突然――あまりの不意打ちに、僕はびくりと身を縮めた――彼が、まるで僕には見えない扉をノックするかのように、片手をあげる奇妙な仕草をした。すると、なんということだろう――内なる耳がすでに充分に鍛えられていたのか、ほんのかすかではあったが、僕にもノックの音が聞こえたのだ！　まるで、あらゆる侵入者を防ぐために固く閉ざされたいにしえの扉から響いてくるような、遠く、虚ろな、深遠なる音だった……。

　ふと空白が訪れた。格子窓が開けられ、中にいる〈彼ら〉がノックの相手を確かめたのだ、ということがなぜだかわかった――すると宙に浮いていたわが友人の手が、見たことのない〈敬礼〉のような形に動いた。またしても空白があり、マイルズ・ペノイヤーのおもざしにかすかに微笑みが浮かんだので、相手が彼の〈敬礼〉を目にし――彼の姿を認めたのだとわかった。すると〈扉〉がひらいた！　三たび空白が訪れ、彼が耳慣れない言語で、なにかひとことふたこと呟いた――どうやら合い言葉のようだった。彼が内側に入ると〈扉〉の閉じる音がし、そのまま長い空白が続いた。おそらく、中庭や廊下や階段といった――〈外界への扉〉と〈協議室〉との間にあるものを通り過ぎているのだろう、と思われた。やがて、彼はふたたび先ほどと同じ〈敬礼〉の身振りをし、〈挨拶〉の言葉を口にした――待ち受けていたのは〈白き兄弟〉だった――そしてなにやら長々と話しはじめた。彼がなにを話していたのか、などと僕に訊いても無駄だ。なにせ彼はまたしても、僕のまったく知らない言語で話していたからだ——地球上ではもはや用いられなくなって久しい、豊かな響きを持つ美しい言語だった。

返事を待っているのか、彼はときおり黙ってはまた話しはじめた。僕は、象牙の箱枕の上にある、皺だらけの憔悴した顔に次々と表情が浮かんでは消えるのをひたすら見つめていた。モナについて助言を求めているのだろうとは思ったが、彼が眉根を寄せたり、かぶりを振ったり、熱心に耳を傾けたり、なにか賞賛や激励の言葉をかけられてはにかむように微笑んだり、語気を強めたり、恭しく首を傾げたりするたびに、僕も一喜一憂せずにはいられなかった。耳を傾けているうち、不思議なことに、ひろびろとした部屋の心象風景が見えてきて、それが地下であることがなぜだかわかった。床はモザイク模様と大理石でできており、四方の壁には色鮮やかな豪華絢爛たるタペストリーがかかっていて、笠つきランプの繊細で柔らかな光が室内を照らしていた。部屋の一角の一段高い場所を囲むように、まるで玉座のような、背の高い、彫刻の施された金箔張りの椅子がずらりと並んでいて、それぞれの椅子に、頭巾を被って黄色の長衣をまとった者たちが座っていた。彼らの前には青無地の長衣を着たマイルズ・ペノイヤーが立っており、指の長いほっそりとした両手で身振りを交えながら、真剣なようすでなにやら熱弁していた……僕が見たその光景はほんの一瞬の閃きにすぎず、まばたきとともに去ってしまったのだが、少なくともこのとき僕は。本来わが友人の領域である〈秘やかなる秩序の協議室〉において彼が〈白き兄弟〉と語り合う姿を一瞥することを許されたのだと悟った。そこであらためて腰を据え、おとなしく彼の帰りを待った。

それほど待たされはしなかった。ペノイヤーはしばらく静かに横たわったまま、与えられた指示に対して理解したことを示すように幾度か頷いた……やがて彼が挨拶のしるしにふたたび右手をあげ、朗々とした声でなにかひとことというと、僕の内側のどこか深い部分で、扉の閉まる音が響きわたった。〈協議〉は終わったのだ……。

数分もしないうちに、わが友人は眠りから覚めたように静かに目を開け、欠伸(あくび)をすると、身震いをして起きあがった。僕は熱いお茶のカップを手に慌てて駆け寄った。幽体で旅をしたあとは、なにはなくともまずこれだった。傍らに膝をついて座ってみると、彼の顔からは、あのなにもかも超越したような、老人めいた見た目はすっかり消え去っていたが、瞳の色は暗く、まなざしは深刻だった。唇にカップを当てがってやると、彼は感謝のしるしに頷き微笑んでみせたが、それからしばらく黙りこんだまま、唇を引き結んで歯を喰いしばり、険しい表情で目の前を見つめていた。

急かさないほうがいいのは承知していた。旅をすませた彼が完全に回復するまでにはいつも五分から十分はかかるので、僕はその間に、一日じゅう持ち歩いていた昼食の蓋を開け——中身を持って戻ってきた。蓋を開けたいという誘惑に負けなくてほんとうによかった！　僕はもう死ぬほど腹が減っていた。ハムサンドは乾いてパンの端がめくれていたがまだ充分に食べられるし、ありがたいことに、ペノイヤー用にチーズやトマト、ビスケットが数枚に林檎が二、三個、それに上品なフルーツケーキも数個入っていたので、二分としないうちに、僕らはいそいそとそれらを頬張りはじめた。だが、それでもペンが深刻な表情を浮かべたままなので、僕は思いきって問いを投げかけた。すると彼は頷いた。

「ああ、求めていたものは手に入った。今朝、助力と助言を請う緊急のメッセージを送ったところ、

〈白き兄弟〉がそれに応えて全員を招集し、協議の場を設けてくれた」

「僕も見た――ほんの一瞬だけだったが」僕はいった。「豪華絢爛な部屋だった――〈協議室〉なのか〈謁見室〉なのかは知らないが――そこに、黄色の衣をまとって頭巾を被った者たちが、一段高い場所を囲むように座っていて、きみが彼らに向かって話をしていた」

ペノイヤーはかすかな笑みを浮かべた。

「ほんとうに頭巾を被っていたわけではない――つまり、わたしにはそうは見えていなかった」彼はいった。「きみにそう見えたのは、きみがまだ〈熟練者〉ではないからで、〈白き兄弟〉のおもざしはまだきみの視界からは閉ざされたままなのだ。だがきみが、一瞬とはいえ〈彼ら〉の姿を垣間見たことは知っている――そう計らってほしいと頼んだのはこのわたしだからな。ついでにもうひとつ許可を得ておいた。きみを――生身の身体で、というわけにはいかないので、じっさいにはきみの幽体を、だが――現場に連れていき、今回のモナに関する一連の事件の結末を見届けさせてやってほしい、とね」

僕は目を輝かせた。

「やった！　それじゃ、相手の正体も、どんな手を打てばいいのかもわかったんだな？」

ペノイヤーの表情は曇っていた。

「正体はわかった――そして、かのアロイシウス神父がなにをしようとしているのかも。奴がこの世界にもたらそうとしている恐るべき邪悪の存在を知り、わたしはいまだ悪寒を禁じ得ない……失敗することを考えるだに寒気がする！」彼は深く息を吸った。「まさか……奴が〈闇の力の君〉そのものだったとは。なんという企みを！　なんという悪魔の悪知恵、不浄きわまりない陰謀であることか」

彼が林檎を噛み砕きながらふたたび考えこんでしまったので、僕は忍耐力を総動員して辛抱強く待った。過去の経験から、こうなるとせっついても無駄だということはわかっていたからだ。自分のタイミングが来れば話してくれるだろう――だがそれまではどうあっても無理なのだ。ふと彼がわれに返り、淡々と語りはじめた。

「すべて片がついたら――きみにはなにもかも話そう。いいかね――これからいうことは、明日に備えてのきみへの指示だ。キティ・ヘイスティに、わたしは軽い日射病になってしまったので、今日は一日部屋で休みたいといっていた、と伝えてほしい――わたしは重大な試練に立ち向かう準備をせねばならない。つまり、また断食をしなければならないのだが、もはやその口実をひねり出している暇はないのだ。今回はきみに同行してもらう必要はないから、空腹でいなくともよいが、赤身の肉と煙草と酒には指一本触れないように、いいね？　待ち受けているのは厳しすぎる戦いだが、この戦いはあの子を救うためだけのものではない。禍から世界を救うための、前代未聞の戦いでもあるのだ！　明日はモナの誕生日だ――まさに明日の夜、かの悪魔はあの哀れな少女を利用して、ある〈儀式〉をおこなおうとしている！」

彼は床から立ちあがると窓辺へ行き、カーテンを開けて外を覗いた。夜明けの、冷ややかな銀色の光が空を照らしていた……彼はカーテンを閉じると、ベッドのほうを見た。

「とにかくたくただ――きみも疲れたろう。絨毯と箱枕をどけてくれないか――すこし眠るとしよう」

翌日は一日じゅうそわそわしていたので、僕のようすが変だと誰かしら気づいていたかもしれなかった。ペノイヤーのいいわけを夫人にうまく伝え、できるかぎり普通に一日を過ごすべく、午前中はヘイスティとゴルフを一ラウンド回り、午後は昼寝をしたり、夕方のティータイムにはヘイスティ夫人とその友人たちと和(なご)やかにたわいのないお喋りをしたり、ミス・ウェッブが――彼女はあれこれと仕事を抱えていたが、その中でも、庭の手入れをしているときがいちばん楽しそうだった――花壇の雑草を抜くのを手伝ったりもした。午後六時頃、モナが〈聖なる家〉から戻ってきたので、しばらくの間は彼女の近くにいた。だがモナはどこか浮き足立ち、心ここにあらずといったようすで、結局すぐに、宿題があるからといって自分の勉強部屋に引っこんでしまった。

それ以降、彼女は姿をあらわさなかった。夕食どきに、ミス・ウェッブが心配そうな表情で、お嬢さんは頭痛がするので夕食は抜きにしたいといっている、と告げた……もはや虜(とりこ)となってしまったあの哀れな少女が、いままさに準備を調えているペノイヤーと同様に、今夜に備えて支度に勤しんでいるであろうことは想像に難くなかった。待ち受ける〈儀式〉について彼女がどこまで聞かされているのかはわからなかったが、この特別な儀式に向け、かなり前から訓練を受けてきたのだから、知らないはずはない！

そうこうしているうちに長い宵が過ぎていき、そしてついに、一家全員がそれぞれの部屋へ引き取ったことを確かめると、僕はようやくペノイヤーの部屋の扉をノックした。彼は暗い色のシャツとズボンを身につけて窓辺の椅子に腰をおろし、ハンカチで結わえた包みを傍らに置いていた。床には祈禱用のペルシャ絨毯が敷いてあり、ランプにはふたたび赤い布がかけられていた……僕がぽかんとそれを見つめていると、彼がかすかに笑みを浮かべた。

「それはわたしのためじゃない――きみ用だ」彼はいった。「だが無理に箱枕を使わなくてもいい――まだその訓練はしていないからな。かわりに普通の枕を使いたまえ。わたしが〈聖なる家〉に行っている間――幽体ではなく、生身の身体でだ――きみはそこに横たわっていてくれ。わたしは、アロイシウス神父なるこのたびの〈敵〉と生身の身体で対峙しなければならない、なぜならあちらも生身の身体でやってくるだろうからだ。必要なものはすべてここに揃えた」彼はハンカチの包みを軽く叩いた。「だが出発の前に、きみをこの絨毯に寝かせてトランス状態にし、〈第三の目〉をひらいていくつもりだ。そうすればきみは幽体となり、わたしについてきて一部始終を見ることができる」

彼は小指から指輪をするりと外した――彼がよくつけている、緑色のスカラベをあしらった指輪だ。「邪魔はまず入らない。この部屋には、件の悪魔以外のものを通さぬよう守護の輪をかけておいた――とはいえ奴はわたしの相手で手一杯だろうよ」

「すべてきみに任せるとも」僕は素直に従った。「不安だけれどね。ペン、なぜ今回の件では、きみにも――あるいは〈彼ら〉にも――そこまで危険な状態になるまでに芽を摘んでおくことができなかったんだ？　もっと前に……」

「それは」ペノイヤーがいった。「呼ばれたのが遅かったからだ！　もっと早くあの男に接触できていたなら、奴がモナを虜にする前に、さっさと娘をフランスへやってしまえとヘイスティに警告しておいたのだが。たとえていうなら、傷が膿まないよう防ぐのと同じだ――予防は可能だが、手当ては早いうちにせねばならない。傷口に毒素が回ったあとでは、手術が可能になるまで待つしかない——膿がすべて出つくすまで、切開はできないからだ！　つまり、この〈霊的〉な膿にメスを入れて邪悪なものを取り除くには、〈儀式〉の夜を待つ必要があった。不安を感じる必要はない——〈白き兄弟〉はわたしとともにある。すべてうまくいくはずだ。この指輪をつけていたまえ——これがきみとわたしとを繋いでくれる。身体が側になくとも、これがあればきみから霊力を引き出すこともできる……万が一しくじれば元も子もないが、とにかく得られるだけの力を得たい。さあ横になれ」

すでに彼からは凄まじい力が放たれていた。僕はすぐにいわれたとおりにしたが——口にするだけはしてみた。

「だがペン——それではきみが危険だ。どうか僕も連れていってくれないか？」

「連れていくとも——可能なかぎり最善の方法でな」わが友人はいった。「だがきみを生身の身体で連れていくつもりはない！　勇敢なのは結構だが、ジェリー、きみの肉体はきみの意志に反してすくんだり震えたりするかもしれず、それが命に関わる場合もあるのだ。たちまち奴にわれわれの存在を気取られてしまうにちがいない……一瞬でも怯えを見せれば、とたんにこちらは不利になる。さあ……横になって眠りたまえ」

最後の記憶は、額の中央にあてがわれたペノイヤーの細い指の感触だった……脈打つような不思議な感覚が、急速に眠りに落ちていく感覚と交ざり合い……詠唱のようでもあり、祈禱のようでもある耳慣れない言葉でなにごとか呟くペノイヤーの声が響き……やがてすべてが過ぎ去って、僕は眠りに落ちた。

永遠に眠っていたような気がしたが、おそらくじっさいにはほんの数分後に僕は目覚め、ペルシャ絨毯の傍らに立って、深い眠りについている自分の身体を見おろしていた。

ペノイヤーの冒険についていくために、トランス状態から幽体、すなわち魂だけを身体から離脱した状態にさせられたのはこれが初めてではなかったので、外側に立って自分自身を眺めたことはいままでにも幾度かあった——だが何度見ても、想像していたものとはあまりにもかけ離れた自分の姿に、そのたびに凄まじい衝撃を受けてしまう！　身体の内側で過ごしているかぎり、自分の目でほんとうの自分を見ることはけっしてなく、そうと自覚することもまずない。なぜなら、鏡に映っている顔は反転された像であって、そのままの姿を映し出したものではないからだ——僕はつかの間、自分自身の姿をしげしげと眺めていた。悲しいかな、思っていたよりも老けているし、器量もよくなければ、期待していたほど利口そうにも見えない！　右手の小指では緑色の指輪がきらめいており、そこから引力、すなわち僕を呼び寄せようとする霊力が放たれているのを感じた——そのとたん、いったいどうやって移動したのかすらわからぬまま、僕はいつの間にかペノイヤーの傍らに立っていた。屋外の菜園には月光が降りそそぎ、ずらりと植わった六フィートほどの高さの豆の木が影を落としていた。

ペノイヤーが僕を見て頷いた——それぞれ生身の身体と幽体ではあったが、彼の能力のおかげで、僕の姿が彼には見えていたし、心の声で話もできた——なにを待っているのだろうか、と思いはじめたそのとき、二階の窓が音もなく開き、モナがひょいと顔を出した。彼女は用心深くあたりを窺うと、片足を窓枠にかけてよじのぼり、何度も繰り返しているとおぼしき慣れたようすで、部屋の窓のちょうど真下にある、壁ぎわに建てられた道具小屋の平らな屋根の上に降り立ち、そこからひらりと地面に飛びおりた。上は袖なしの、膝丈の黒っぽい校内着を身につけ、その下には足首まであるブルマーを履いていたので、慎重にあたりを見まわしている彼女の顔だけが白くぼんやりと浮かんでいて、ともすれば僕らの周囲の陰に紛れてしまいそうだった――やがて、庭には誰もいないようだと安心したのか、彼女はちいさな門への小径を早足で歩いていくと、木立の陰に消えていった。

ペノイヤーはひとことも発さずにその跡をつけはじめた。黒っぽい服装で木立の陰を行く彼女の姿は、幽体の僕と同じくらい見えにくかったはずだが、彼がなぜ見失わずについていけたのか、僕には見当すらつかなかった。だがまもなく、ペンとしては別に見失っても構わないのだ、ということに気づいた。彼にはわかっていたのだ。これまでも、家族が寝静まっている間に何十回となくそうしてきたように、モナが、心に直接呼びかけてくるかの神父からの声に応えてまっすぐに〈聖なる家〉をめざしていることを。それをあえて泳がせ――いわば、わざと手出しをせずに始まりを見守っているのだ。モナ・ヘイスティには前々から術がかけられており、彼女がその力によって、〈聖なる家〉という名の暗い謎の中枢へ呼び寄せられていくのはこれが初めてではないことは明らかだった。だがなんのために彼女が呼ばれているのか、なぜ入学してすぐに、ほかの女生徒たちを差し置いて特別に目をかけられることになったのか、まだこのときの僕には皆目わからなかった。ほどなく僕はその理由を知ることとなった。しかも、じつに衝撃的な形で！

幽体で動きまわることにもそれなりに慣れてはきたが、やはりまだ、僕がひと筋の煙よろしく低木の茂みや枝の間を通り抜けているのに、ペノイヤーのほうは生身の身体のままで、躓(つまず)いたり手探りしたりしながら進んでいるというのはなんだか妙な気分だったし、彼が暗がりで右往左往しながらようやく塀をよじのぼり、灌木の茂みを慎重に分け入って、噴水の向こう側の、できるだけ館に近い場所——すなわち開廊（ロッジア）の端から二十フィートほどの場所に降り立つ姿を見ていると、緊張感も手伝ってか、むしろ笑いすらこみあげてきた。

　ここで彼は、こんもりと茂った忍冬（すいかずら）の陰に身を落ち着けると、荷物の包みを開ける間は離れていてくれ、とそっけなくいった——たとえ僕でも、彼の荷物を覗き見ることは御法度のようだ。

　そこで僕は、すこし離れた場所にある科（しな）の木の陰まで行った。神父が心の目を凝らしてこちらを見れば、おそらく僕は見つかってしまうだろうが、まずそれはあり得なかった。奴の意識は、ほんとうに恐れるべき相手であるペノイヤーだけに向けられていたし、それはこのあとも変わるはずがなかったからだ……僕は自分のいる場所から、目の前の光景をじっくりと見わたした。なんらかの儀式または祭儀の支度が着々と進められているのは見るからに明らかだった！　館の中はぼうっと明るく、かすかな動きがあって、噴水の縁石沿いにはちいさな青いランプが点々と灯っていた。そして、顔を出したばかりの月から銀色の光があふれんばかりに降りそそぐ中、噴水と館に挟まれた大理石の道の上に、なんとも奇妙なものが置いてあるのが見えた——銀か、あるいはそれに似た白い輝きを持つ金属でつくられた、舟の形をした寝台だった。オコジョの白い毛皮でこしらえた、皺ひとつない薄手の覆いがかけられ、弓形に反った端の部分にはそれぞれひとつずつ、やはり青い明かりがぶらさがっていて、柔らかな毛皮の上には緑色の葉がちりばめられていた。あのときの、〝ディクタムナス〟という香りのある草だ。眠りを誘（いざな）い——産みの苦しみに作用するという香草ではないか。僕はますます戸惑い、胸騒ぎをおぼえた……。

だが悩んでいる暇も分析している暇もなかった。じっと見ていると、館の中から甲高くか細い笛の音がしはじめ、さらにそこへ、かすれたようなカラカラという音が重なりだした。聞いているだけで背筋の寒くなるような音色だった……そして月光の降りそそぐ中、なんとも異様な一団があらわれ、噴水のほうへ歩み出てきたのだ！

先頭はシスター・セリーヌなる女性だった。だが彼女は、かつてヘイスティ夫人やレディ・ヘンウィックをはじめとする人々の心を虜にした、あの尼僧のようなゆったりとした純白の法衣姿ではなかった！　まとっているのは青い長衣だった——夕暮れの空の色で染めあげたような濃青色で、ベルトには月長石(ムーンストーン)と半球状の真珠(ブリスター・パール)を交互に繋げた飾り紐を用い、同じ宝珠でつくられた、〈邪悪の象徴〉である逆三角形の内側に月が描かれた徴(しるし)を首からさげ、風変わりな形をした先の尖った銀色の頭飾りにも、同じように真珠と月長石があしらわれていた——のちにペノイヤーから聞いた話によれば、これらの儀式用長衣と頭飾りは、ネクロミスに仕える巫女のいでたちなのだそうだ。片手には、エジプトのアンク十字に似た、上が輪の形になった十字架を握りしめていた——そのとき、先ほどから笛の音とともに聞こえてくる奇妙なカラカラという音の出どころに気づき、僕は愕然とした。あれは——シストルム*ではないか！　なぜすぐに気づかなかったのだろう。古くはアトランティスの時代から現代に至るまで、太古より神聖な儀式にも邪悪な儀式にも用いられつづけてきた、ガラガラヘビのよう

シストルム　古代エジプトの打楽器。ガラガラのように振って鳴らす。

な耳障りな音色をたてる、あの異国の楽器に……。

続いて、彼女につき従う巫女たち、すなわちメリッタとルナとアルテミスとシレーヌが、笛、トライアングル、フルート、シンバル、とそれぞれ異なる楽器を手にあらわれた。同じように青い衣を身にまとい、額の部分に〈徴（しるし）〉のついた簡素な銀の額飾りをつけている——そしてその後ろに、女生徒たちが長い列をつくっていた。

二十人の少女たちが、十人ずつで二列をなしていた。みな素足で、幼さと純潔をあらわすかのごとき純白の衣に身を包み、髪を長く伸ばしている。足並みを揃えて歩きながら歌っているのはまさしく、つい先日この庭で耳にした、あの詠唱のようでもあり祈禱のようでもある、奇妙な泣き声めいた調べだった。そのあとから、先ほどの女生徒たちよりもさらに幼い少女たちがもう十人、まるで自動人形（オートマタ）さながらに、手を繋ぎ合いながら今度は一列で連なってやってきた。少女たちはみな練習どおりに、数歩前に出ては一歩さがり、また前進するという、あの変てこな、儀式のための舞踊らしきものを踊っていた——その列が近づいてくるにつれ、少女たちの目が虚ろであることに気づいた。夢遊病か、あるいは（後者だということはあとからわかったが）催眠術をかけられているにちがいない！　そしてしんがりを務めるのは、五人の男性教師たちのうちの三人だった。これまで教師の皮を被っていた〈秘教の修道士たち〉だ。眼鏡をかけ、髪を短く刈った白皙（はくせき）のドイツ人教師と、髭面のフランス人教師、もうひとりの国籍は不明だった。三人とも黒い長衣をまとい、サファイアをあしらったベルトを締め、銀色にきらめく〈徴（しるし）〉を首からさげている——そしてそれぞれの手にはやはり、古い異国の楽器が握られていた。小太鼓（テイバー）にシターン、*それに禍々しい形をした細長い太鼓……。

異様な行列は噴水と寝台のまわりを――まるで、その寝台が神聖なものであるかのように遠巻きにしながら――三周した。詠唱はあいかわらず続いていたが、ありがたいことに、あの不気味に響くか細い声を耳にしても、幽体でいるいまは、生身の身体でいたときのようにひどいことにはならなかった。聞いているうち、その調べに〈不協和音〉が用いられていることに僕は気づいた。長時間聞いていたら、音の振動によって人間の奥深くにある真髄の部分が破壊されてしまうようなしろものだ……だが僕の心は萎縮し、震えていたものの、けっして動じることはなかった。

　行列が噴水のまわりを三周したあと、三人の男たちと四人の女たちは直立したまま、大理石の道の際（きわ）までさがるとぴたりと動きを止め、いっぽう少女たちは、噴水の反対側に半円を描くように並んで立った。一列で進んでいた幼い少女たちを最前列に、そのほかの少女たちはその後ろ、そして中央にシスター・セリーヌが立っていた。

　みな両の掌を天に向けたまま、彫刻さながらにぴくりとも動かず、その瞬間、すべてが死に絶えたような静寂が訪れた――やがて館の中から、全員が待ちわびた一団が姿をあらわした！〈大祭司〉と侍従たちとその生贄――すなわちアロイシウス神父と、残りふたりの〈修道士〉、そしてモナ・ヘイスティだった。

　モナは一糸まとわぬ姿で、身につけているものといえば、幼い乳房の間にさげた、白蝶貝（しろちょうがい）を彫ってつくった巨大な〈徴（しるし）〉と、長く伸ばした髪を飾る、やはり白蝶貝を彫ってこしらえた、三日月を中央

シターン　中世以降、西ヨーロッパに流布した、マンドリンに類似する弦楽器。

にあしらった銀の額飾りだけだった！　目を閉じ、まるで夢の中を歩いているかのように見えた――じっさい、そのとおりだったのだが――そして彼女の背後にかざされたふたつの手からは、少女を導き支配するための邪悪な力が放たれていた。両の掌を前に向けた、〝アロイシウス神父〟なるものがそこにいた。

月明かりに照らされたその姿は巨大で、まるで噴水のまわりに集まった者たちの上にのしかかっているように見えた。まとっている長衣とマントの布地は夜の雲のごとき濃紫色で、奇妙な記号らしき模様が、光沢のある銀と青の糸で立体的に刺繍されている。頭には司教冠(ミトラ)にも似た、かなり高さのある銀の頭飾りを被っていた。頭飾りには宝石がふんだんにちりばめられ、まるで月光をまとったかのようにきらめいているばかりか、正面には見たこともないほど巨大なサファイアまでついている！　マントには宝石をあしらった、ティーカップの受け皿ほどもある留め金がついていて、さらにベルトと靴にも宝石がちりばめられており、胸には巨大な十字架が――ただしいまは逆さに――ぶらさがっていた。彼のその姿は、月光と、ちいさな青いランプの揺らめく光を受けて、一歩進むたびにきらきらと輝き、息を呑むほど幻想的だった。その後ろから残りふたりの〈修道士〉たちが、自信に満ちた足取りで並んでやってきた。ほかの修道士たちと同じ黒の法衣をまとい、それぞれが手に持った吊り香炉を揺らしている。香炉からはむせるような強い香りの煙がもうもうと立ちのぼり、まるで痩せた蛇が身体をくねらせるように、みるみる月夜に溶けていった。この禍々しい香りには覚えがある！　記憶の彼方に眠る、遠い祖先が経験した陰惨な思い出がよみがえってくるような気がして、僕は思わず身震いをし、生身の身体でこの試練に飛びこむことを禁じてくれたペノイヤーの賢明な判断に心から感謝した……。

噴水を囲む一団が頭を垂れる中、少女は変わらぬ足取りで、静かに銀の寝台の傍らまで来ると、その上に横たわった。手足をまっすぐに揃えて横になったその姿は、さながらミイラのようだった。〈大祭司〉がふたりの侍従をしたがえ、寝台の向こう側へ移動して噴水との間に立つと、そこへシスター・セリーヌなる女性が加わり、薄気味の悪い音楽はさらに激しく鳴りわたった。参列者たちの声もますます甲高く、恍惚とした響きをまといはじめた。まさに〈儀式〉が始まろうとしているのだ！　月が見守る中、合唱がさらに激しく、歓喜するように熱を帯びると、大祭司がゆっくりと畏ったようすで、まずひとりめから、次にもうひとりからひとつずつ吊り香炉を受け取り、寝台の上を横切るように五回、さらに頭から足先方向に五回揺らして香を焚きこめた。

僕には聞き取れなかったが、彼はなにごとかを呟くと、セレネ、すなわちセリーヌからガラス瓶に入った聖油を受け取り、眠る少女の額に、両の乳房に、両膝に、両の掌に、両方の足の裏に、そして最後に臍のあたりに香油をすりこんだ。その間も、あのぞっとするような不気味な音楽は、その周囲でむせび泣くように甲高く響きわたっていた——やがて、すべての音がふいにやみ、神父が静寂に向かって話しはじめた。今度は僕にもはっきりと聞き取れた。

「われらはここに汝を迎える、〈神聖なる生贄〉よ、その身を捧げ犠牲となるべくわれらが〈闇の聖母〉に選ばれた、幸いなる尊き〈処女〉よ！　いまここに、選ばれし祭司たるわが手により、汝の〈神聖なる十の場所〉に〈神聖なる十回〉の聖別を施した。この聖別の儀式により、それを司る祭司たるわれは、汝により、また汝を通じて、汝、およびこの太古の〈儀式〉において汝より産まれるであろうすべてのものに対し、完璧なる絶対的な力を得ることとなる！　額を浄(きよ)めしは、汝の心をわれにのみ導き支配するためなり、乳房を浄めしは、汝の乳が人の子に与えられることなく、この〈儀式〉によって生を享(う)ける〈かのもの〉にのみ与えられるものとするためなり、両の膝を浄めしは、汝がわれと、われの仕える主(あるじ)にのみ跪(ひざまず)くものとするためなり、両の足を浄めしは、汝がわれの導く道のみを歩むものとするためなり、両の掌を浄めしは、汝の手をわが命令にのみはたらかせるものとするためなり、そして臍を浄めしは、その中心たる部分に汝がけっして人の子を宿さず、われが祈り求めた〈かのもの〉のみを宿し、やがて生まれくるそのものが、歓喜とともにわれらのひれ伏す〈黒き女神〉の名において〈現世(うつしよ)〉を支配するためのものなり！」

　彼が言葉を切ると、ここで突如としてシストルムの、あのガラガラヘビのような甲高い音色が響きわたった――それを皮切りに、言葉ではとてもいいあらわしがたいあの音楽がふたたび轟きはじめ、それとともに、アロイシウス神父を名乗る者が両手を空に差し伸べ、割れんばかりの声で、おのれの崇める女神である〈神秘なる者〉、〈影の月の女神〉ヘカテの名を傲然と呼ばわった！　彼が不浄なる祈りを叫んだとき、その〈邪(よこしま)なる言葉〉が、痺れつつある僕の耳にはっきりと届いた。

「歓呼せよ、イエヴォ、イエヴォ！　称えよ、アルカ＝メリネー、〈天の聖母〉、〈支配者たる女神〉、〈月に生まれしネクロミス〉よ！　万歳！　ここにあるは選ばれし〈器〉、〈汝の意志〉と〈汝の太古の儀式〉の力により胎(はら)むべきもの、いずれこの女より、〈世界〉を破壊する〈かの者〉とそれに随するもののすべてが生まれきたる！〈誓約〉は交わされた、〈器〉はただ待ち受けるのみ、〈未来〉はわれらのものなり、〈汝により選ばれし者〉はわれらのもとに降臨し、われらとともに生きるものなり！〈闇の神々〉の名において、汝の名において、おお、〈母なるネクロミス〉よ、かの者を降臨させたまえ！

アルム！　アルム！　アルム！」

　砂利の浜辺に波が引いては打ち寄せるような音とともに、全員が一斉に、この最後に繰り返された言葉を声のかぎりに叫んだ。静まり返った庭にそのこだまが響きわたる中、僕はひたすら目を凝らした……というのも、見よ、寝台に横たわった少女の身体の上になにかが浮かんでいるではないか！　あまりにもおぼろなそれは、生身の身体でいる間には一度として見たことのないものだという気がした……だが幽体であるいまの僕の目は、生身の身体でいるときよりも鋭くなっており、けっして見間違いなどではなかった。

　銀の寝台は最も月明かりの当たる場所に置かれており、白い光が煌々と降りそそぐ中、少女の意識のない身体からまるで薄い蒸気が渦を巻いて立ちのぼっているかのように、妖しい空気の揺らぎのようなものが寝台の真上にたゆたっていた。それは沸騰している薬罐(やかん)の湯気にも――あるいは、霊媒の身体から心霊体(エクトプラズム)が分離しはじめ、霧のように立ちのぼるさまにも――似ていた。一片の薄い靄(もや)は、少女の身体からすこし浮いたあたりで膨らんで雲めいたものとなり、やがてその雲の中にかすかに輪郭が浮かびあがって、ひとつの顔が形をなしはじめた……それを見た僕の魂は凄まじい悲鳴をあげた！

　僕の霊視力がさほど強力でなく、このとき召喚された〈実体〉を漠然としかとらえられなかったことはいまだにありがたく思っている。つい先ほど唱えられた忌まわしき〈神降ろし〉の力によって、術をかけられた少女の純潔なる肉体には、たちまちにして、しかも確実に、それは降臨しつつあった……僕が目にしたのはほんの一瞬の翳(かげ)りにすぎなかったが、たったそれだけとはいえ、その後数週間にわたり僕を悪夢に悩ませるには充分だった！　幽体である自分の身体が、まるで通り過ぎる風に巻かれたようにかき乱され、わずかに震えるのを感じて、僕は怖じ気づき、吐き気がしはじめた……まさにそのときだ、それが起こったのは！　ふいに〈光〉が差したかと思うと――ペノイヤーが寝台の傍らに立ち、〈黒き魔術師〉と対峙していた！

　この瞬間から僕の記憶は少々揺らぎ、混乱している。しかも、燦然とそこにあるわが友人の存在に思わず目が眩んでしまったため、細かい部分まで憶えていることはとてもできなかった――ともかく、彼の全身が光を放っていたことだけは憶えている。頭の周囲には後光のようなまばゆい光が幾筋も差し、まとっている長衣が流れる金色の水のごとくその身体を覆っていた――そしてご覧あれ、その傍らには、彼を取り巻くように、選ばれた者しかその姿を拝むことの許されない〈彼ら〉の姿があった。その存在を前にしては、〈悪しき者〉は生きながらえることのできない〈彼ら〉の姿が！　僕はそれまで彼らの顔を見たことも声を聞いたこともなかったが、ふいに心の中に閃きが起こり、僕はそれが誰で、いかなる人物たちであるのかをたちまちにして悟った。老エウスタティウス*が〝炎さながらに裂けた舌のごとき〟といいあらわした……アグニシュヴァッタ*、または〈七人のクマラ*〉、すなわち〈炎の子ら〉だ！　いずれも〈太陽の父ら（ピトリス）〉として知られる者たちだ……。

〈彼ら〉はあかあかと燃える巨大な炎のごとく、ペノイヤーの周囲に浮かんでいた。ひとりが炎をなびかせながら、彼の頭上六フィート、あるいはそれ以上の高みを舞い、さらにその両脇をそれぞれ三人ずつが固めていた。いずれの者も巨大で、まばゆいばかりの白熱の輝きを放っていたが、まさにその輝きこそ〈純潔〉そのものであり、〈光〉であり、フォハト*であり、〈永遠なる炎〉にほかならなかった――〈闇〉も〈邪悪〉も、この〈神の力〉の前には、敗北を認めおのれの属する闇の世界へ逃げ帰らざるを得ないだろう！　必死に目を見ひらいてはいたものの、すでに僕にはわかっていた。神々の業であるこのまばゆい光景をこれ以上見つづければ、いくら幽体とはいえど、僕の視力はもう一瞬たりとも耐えられないだろうと――だがまさにその瞬間、すべてが終わりを告げた！

〈黒の魔術師〉を見やると、そのおもざしは怒りと恐怖に呆然となり、叫んだ形に口をひらいていた。彼は両手を振りあげ、黒く焼けただれた顔を覆った。彼を斃すべくあらわれた〈神々〉の放った光に焼かれたその顔を！　さらに彼のしたがえていたふたりの男が、雷にでも打たれたかのように焼き払われて崩れ落ちるのが見え、さらにセレネなる女も同じように倒れた。泣き叫ぶ声やすすり泣く声、悪態をつく声があちこちからあがり、人々がざわめき、混乱して怯えているようすが伝わってきた。すると凄まじい雷鳴が響きわたり……僕は意識を失った！

老エウスタティウス　ビザンツ帝国のギリシア学者、テサロニケのエウスタティウス（一一一五頃―一一九五頃）。晩年はテサロニケ大司教を務める。

アグニシュヴァッタ　ヒンドゥー神話に登場する〈父〉のうち「火を持たぬ者」。「火を持つ者」バルヒシャッドと対をなし、火を司る。

クマラ　インド神話では、創造神ブラフマーの精神から生まれた四人の賢者。H・P・ブラヴァツキーらの神智学では〈白き兄弟〉のリーダーとされる。

フォハト　ブラヴァツキーによれば、自然界における女性の生殖力。あるいは創造も破壊ももたらす宇宙の力。

気がつくとそこは自室で、普段の服に着替えたペノイヤーが僕の手をさすっていた。

「もう大丈夫だ」彼がいった……その顔は青ざめて疲れきっており、目の下には黒い隈ができていたが、晴れやかで、自信に満ちた穏やかな表情が浮かんでいた。「われわれは――わたしひとりが、ではない――戦いに勝利したのだ！　モナも無事に戻り、自分が寝室を出たことすら知らずにぐっすりと眠っている！」

僕はぽかんと彼を見つめた。

「まさか――どうやって？　ああ、なんてこった！　どうして僕は気絶なんか？　最後まで見届けたかったのに！」

「〈彼ら〉が出現したさい、きみが失神してしまうのではないかという懸念はあった」ペノイヤーはいった。「きみのように修練を積んでいても、相手が〈彼ら〉では、たとえ一瞬であろうと、その姿を直視することにきみ自身が耐えられないのだ――普通の人間が晒されるには、あの者たちの霊気はいわばあまりにも周波数が高く、あまりにも混じりけがなさすぎる。きみが気を失うくらいだ、あの悪人どもの巣窟がどうなったのかはあらかた想像がつくだろう！　気の毒なヘイスティが〈聖なるサーカス〉と呼んだ件の首謀者たちは全員、完膚なきまでに焼き払われた……〈炎の子ら〉が奴らを一掃し、館をなぎ払ったさいに、みな焼かれて萎び、存在を抹消されたのだ。きみが聞いた雷鳴がそれだ――土地の者たちは口々にこう噂するだろう。突然の夏の嵐だった、だがそういえば〈ブレーマーサイド〉には避雷針がなかったのだな、と！　こちらに来てみたまえ！」

彼は僕を窓辺へ連れていき、カーテンを開けた。僕は思わず息を呑んだ。ちいさな森が黒々とした稜線を描いているその向こうで、夜空があかあかと激しく燃えあがっていた……〈聖なる家〉が燃えているのだ！　これまでになされた、あるいは企てられたあらゆる邪悪が、赤い炎と煙によって浄化されつつあった……。

「直撃を受けたのは」ペノイヤーがいった。「館にある〈本殿〉、すなわちモナが最初に術をかけられた部屋であり、かの神父と取り巻きたちが不浄なる務めの大部分をおこなっていた場所だった。計画の全貌を知っていたのはおそらく、首謀者のアロイシウスなる男と、シスター・セリーヌなる女と、クラーと、吊り香炉を振っていたふたりの〈修道士〉の五人のみだったのだろう。いずれもみな、首謀者もろとも――雷（いかずち）に打ち据えられ――亡きものとなった」

「だがそもそも計画とはなんだったのか、僕にはまだわからないんだが」僕は不平をこぼした。

「奴らの計画とは」ペノイヤーがいった。「〈黒魔術〉の領域における最古の、そして最も恐るべき儀式――すなわち〈受胎の儀式〉をおこなうことだった。もし〈儀式〉が最後までおこなわれていたら――神とわが〈救い手〉たちのおかげでそれは免（まぬか）れたが！――十月十日（とつきとおか）ののちに、あの不幸な少女が人の皮を被った〈神のごときもの〉の母となることは誰にも止められなかっただろう。そして彼女の哀れな身体を介して肉体を得、この世に生まれ出たものによって、世界は〈闇の力〉に支配されていたかもしれない、いや、おそらくそうなっていたはずだ！　むろん彼女も出産のさいに、あるいはほどなく命を落としていただろう……アロイシウスとその取り巻きどもとしては、たとえそうなろうと一向に構わなかったのだ。ちなみにアロイシウスというのは彼の真実の名ではない――だがそれを口にするべきではないだろう。きみは知らずにいたほうがいい」

「まさか」僕は口をひらきかけた。「アロイシウスは……」

「ならん！」ペノイヤーがいった。「この種のことには肉体的概念は通用しないのだ！　きみの見た、モナの身体の上で形をなしつつあった、あの雲に似た〈おぞましきもの〉が彼女の胎内につくりだそうとしていたものは、たとえ肉体という殻をまとっていようと、普通の人間として生まれることも育つこともけっしてあり得ない。〈受胎の儀式〉によって宿った命とは、輪廻において霊が肉体を得る過程と同じく、禁断の儀式を通過することによって〈母親〉の胎内に心霊体(エクトプラズム)が宿ったものなのだ。それなら肉体もいっときのものであり、長くは保(も)たないだろうし触れる手応えもないはずだ、ときみはいうかもしれない――だが、かの有名なケイティ・キング*の肉体は普通の人間と変わらぬ手応えがあったそうだし、キリストが復活し、彼の心霊体(エクトプラズム)が肉体を得て堅固なものとなったさいにも、彼はそれが真実であることを示すため、聖トマスに、みずからの身体に触れさせたというではないか。彼は肉体の死を迎えたのちもしばらくの間、この堅固なる肉体で生きて動いていた。それが黒魔術であろうと白魔術であろうと、その術を熟知してさえいれば、まがいものの肉体が主(あるじ)の望みどおりに生きつづけることは間違っている、などという理屈は通らない――そしてじっさいにそのとおりになっている」

「モナはどういうわけで目をつけられることになったんだろうか？」僕は訊ねた。

「〈黒き神々〉は――〈白き神々〉と同様に――おのれの役に立つ媒介を常に探している」ペノイヤーがいった。「月の力のもとに生まれ、霊能者を母に持ち、みずからも霊能力を持つモナは、奴らの目的にまさしく打ってつけだったのだ！　ミリアムが亡くなり、連中はその娘であるモナに目をつけたのだろう――奴らは彼女を囲いこむために〈ブレーマーサイド〉を手に入れ、〈集団〉ごとこの地に根をおろした。この穢れた〈儀式〉をおこなうためには〈生贄〉の同意なくしては不可能だ。生贄となる者は霊感がなくてはならず、しかも六月生まれの蟹座、すなわち月を守護星とする星座生まれの処女でなければならない。これらの条件をすべて満たしたうえ、暗示にかかりやすく、教育係となる〈魔術師〉の支配下に置きやすい者を見つけるのは至難の業だ。〈黒き兄弟〉は、当てはまる者がどこかにいないものかと常に目を光らせていたにちがいない——それだけの根拠があるのであえていうが、過去十年間に少なくとも三人の少女が、この不浄なる企みによって犠牲となっているのだ！〈聖なる家〉は次々と名を変えながら、長きにわたり各国を転々としてきた——この国に来る前はシチリア島を拠点としていたが、神父の生徒だったひとりの少女の不可解な死について当局が不審を示したため、早々にその地を追われることとなった。そこでシチリア島を離れ、イギリスへ渡ることを思いついたのだ」

「〈受胎の儀式〉による出産は、普通の出産と同じ形で起こるのか？」僕は訊ねた。

「受胎は通常とは異なるが、それ以外はすべて同じだ」ペノイヤーがいった。「十月十日の間に、魔術によって宿った〈肉体〉はしだいに形をなし、日の光を浴びても差し支えないほどに成長する——そして普通の赤子と同じようにこの世に生まれ落ち、その瞬間に、創り手であるかの〈実体〉が憑依するのだ」

ケイティ・キング　少女霊媒フローレンス・クック（一八五六頃—一九〇四）が一八七三年に呼び出した女性の霊。実体化したといわれて話題になり、他の霊媒たちも彼女を降霊したと宣伝したため、存在の真偽が不明確になった。

「だがその〈実体〉とはいったいなんなんだ？」僕は訊ねた。

「今回のものが〈あちらの世界〉のどの階層から来たものなのかは、正確にはわからない」ペノイヤーはいった。「だがあれは――ほかの例に漏れず――人ならぬものの〈進化の過程〉において生まれた〈存在〉であり、人類の進化とはけっして接触してはならない、通常ならばけっして触れ合うことのないものだった！　かような怪物をこの世にもたらし、人間として人類の中に放つなど、極悪非道かつ恐ろしい罪にほかならない――だがアトランティスの衰退期にはこうしたことが頻繁におこなわれてきたことは事実だ。〈黒き神殿〉の神官たちは、頑強で無慈悲な奴隷をつくりあげ、みずからに仕えさせようとした」

「だがその〈実体〉とやらをこの地にもたらした連中は、いったいそれでなにをしようとしていたんだ？」僕は訊ねた。

「奴らの目的は――連中が常に抱いている望みそのものだ」ペノイヤーがいった。「地上にあるすべてのものを蹂躙（じゅうりん）して支配し、〈黒き神々〉に捧げんとしているのだ！　そこに生まれた〈存在〉は奴らの思いどおりになる完璧な道具だ。人であって人にあらず、ゆえに愛や礼節や忠誠心、優しさや思いやり、献身といった人間的な感情という概念は微塵も持ち合わせていない……そのような感情が生まれるはずなどあろうか？　奴らはそうした範疇に生きているものではないのだ！　今回のことはまさしく、魂を持たぬ〈存在〉がこの世を牛耳る瀬戸際だった――人の皮を被った、無慈悲で冷酷きわまりない、それでいて知恵がはたらき、強靱で、ある種の人間を虜にする魅力にあふれた、人知を超えた〈もの〉が！　心の弱い者や性悪な連中、野心に燃える者たちは残らずかの〈存在〉の虜となり、奴の望む場所へ引きずりこまれていたことだろう——人類を滅ぼすべく〈黒き兄弟〉に操られたフランケンシュタインの怪物に！　ひとことでいえば、ヒトラーを最悪にしたようなものだ」

「ヒトラーもそうしてこの世に生まれたというのか？」僕は訊ねた。

「いや、そうではない」ペノイヤーはいった。「ヒトラーは確かに悪辣で、残忍な腐った輩だったが、少なくとも人間ではあった……だがこのたびの相手はまったく人にあらず、どれだけ生きるのかすら見当もつかない！　いいかね、肉体というものは、人間的感情や悲しみや苦痛、愛や罪がもたらす緊張や不安によって摩耗するものだ。だがこの〈存在〉は人の世界には属さず、肉体すら普通の人間とは異なっていて、人間らしい反応とはいっさい無縁だ、ゆえに無限に生きる可能性もないではない……考えるだに恐ろしいことだ！　しかしありがたくもその運命は阻まれ、奴はおのれの属する世界へ送り返されて、世界にはふたたび平和が戻ることとなった」

　僕は身震いをした。

「もう考えるのはよそう」僕はいった。「ただこれだけは教えてくれないか。首謀者たちは〈聖なる炎〉によって一瞬にして焼き払われたといったが、ほかの者たちはどうなったんだ？」

「ああ、少女たちはその場にくずおれ、気を失っただけだ」ペノイヤーはいった。「アロイシウスが倒れ伏したとたん、奴の力がわたしに流れこんできたので、片がつくまでしばらく、彼女らにもモナと同じく眠っていてもらったのだ！　土地の者らしき使用人たちは燃えさかる館から悲鳴をあげながら慌てて飛び出してきて、さらに残りの教師たちもわたしの足もとに這いつくばり、泣き叫びながら必死に許しを請うた。彼らの中には、単なる道具としてかの悪魔に命じられるがまま動いていただけで、なにをさせられているのかすら知らなかった者もいるだろうことはわかっていたから、わたしはいってやった。今後はわたしの──ひいてはわたしの後ろ盾たる〈彼方におわす兄弟〉の──教えに従い、このたびのことはけっして口外せず、禁じられたおこないには二度と手を出さないと固く誓うならば、きみたちにはやり直す機会を与えよう、と。彼らはみなその条件を呑んだ──とはいえ、みな心底震えあがっていたので、拒絶などできるはずがなかったがね──そこでわたしは彼らに指示を与え、いった。一語一句違わずいうとおりにするならば、もはやきみたちを追いはすまい、と。だがいっぽうで、そのうちの三人は──ドイツ人とフランス人、それにシスター・メリッタという女だ──あまりにも深入りしていたので自由を許すわけにはいかなかった。そこでこの三人には見張りをつけ──誰を見張りにつけたのか、などという野暮なことは訊かないでくれ！　それをきみに話すつもりはない──とある〈悔悛の家〉へ送った。そこでなら、ひじょうに厳格な指導と監視のもと、いずれ彼らにも、みずからの犯した邪な罪を贖い、新たな門出を迎えることができるだろう」

「しかし」僕はいった。「まだ……」

「わかっているとも」ペノイヤーがいった。「モナのことだろう。そう、わたしはそれらをすませたあと、残りの三人の女性に、わたしはこれから森を通ってモナを連れて帰るので、彼女に服を着せてやってほしいと頼んだ──むろんモナはまだ朦朧としていたが──そして、モナが無事にベッドに入って眠ったのを見届けしだい、ほかの少女たちについても、かけられた術を解いてやるだけでなく、これまで刷りこまれてきた不浄な儀式に関する記憶もすべて消してやると約束した。その頃にはもう、館には激しく火の手があがっていたから、少女たちに対しても、きみたちは無理やり起こされていきなり芝生に連れ出されたせいで、まだ目も覚めていないし煙で頭がぼうっとしているのだろう、とでもなんとでもいいわけは通用した。みな明日にはそれぞれの家に戻り、教師たちもそれぞれの道を行くにちがいない。〈聖なる家〉はもはや過去のものだ。館は単なる殻にすぎない。灰になるまで焼きつくされ……浄化されたということだ」

「モナの今後はどうなる？」僕はいった。「この半年間に起こったできごとの将来への影響はないのか？」

ペノイヤーはかぶりを振った。

「そうだな――影響はおそらく避けられん」彼はいった。「このたびの不浄なる〈儀式〉のせいで、彼女はもはや子をなすことはできないだろう――数か月にわたり〈月の巫女〉としての訓練を受け、そのための食物を与えられ、それとして扱われてきたという事実は消えないからだ。〈月の巫女〉は石女(うまずめ)となるのがならわしだ。その能力を〈女神〉に捧げ、永遠の処女(おとめ)として生きねばならない。しかも……かの悪魔による呪い(まじない)は強力だった。奴が、彼女の乳房や腹に聖油を注ぎ、〝この者より現世(うつしよ)の子が生まれることのなきよう〟と念じていたのをきみも憶えているだろう。結婚も難しいかもしれない。だがいっぽうで、徹底的に修練を受けたことによって、彼女の霊能力は格段に強くなったはずだ。力が増す原因となった不浄なるできごとについての記憶がいっさい失われていたとて、強い霊力はそっくりそのまま彼女のものとなる。僭越ではあるが、彼女を救い出しその運命を委ねられた身としては、彼女が宿命を突き詰めるまで導くつもりだ――本来ならば彼女の母親がたどるべきだった宿命の道へ。ランとの愛を選んだミリアムは宿命に背を向けた。だが……さすがに二度は裏切られまい！」

彼は力強い、自信に満ちた声でいいわたすと、勝ち誇った炎を宿したまなざしで、もはや鈍い輝きに変わりつつある、空を染める赤い光を見つめた。

「修練のために彼女をわたしのもとへ寄越すよう、ランに打診するとしよう。断られはすまい——頃合いを見計らい、彼には今夜のできごとの真相を話すつもりだ。モナは霊能者に——しかも世界有数の霊能者になるだろう！〈真実の光〉を見いだすべく、彼女のもとに何千という人間が押し寄せるはずだ。〈黒き兄弟〉がおのれの目的のために鍛えた武器は、いずれ彼ら自身に向けられる武器となる——またしてもこの言葉が証明されたな。〝神のなさりようは謎めいている、その手際のなんたる奇跡であることか〟」

ロスト・ヴァレー行き夜行列車

オーガスト・ダーレス
岩田佳代子 訳

The Night Train to Lost Valley

August Derleth

夕暮れに浮かぶ街の明かりを見ているとなぜか、かつて「地方回り」をしていたころの記憶が蘇ってくる。馬具や革製品を扱う巡回販売員――当時はドラムを叩いて客集めをしていたので「ドラマー」と呼ばれていた――という仕事は、世紀の変わり目を過ぎたばかりの当時はうんざりするほど変化に乏しかった。奇妙なことに、ニューハンプシャー*の丘陵地帯を走る路線沿いにはあまり明かりがなかった。ブライトン発の支線はヘンプフィールド、ダーク・ロック、ゲイルズ・コーナーズを通って終点のロスト・ヴァレーへ至る。ロスト・ヴァレーまで行って仕事をし、ブライトンへ戻ってくるには、そこで折り返す小さな田舎列車に乗らなければならず、しかもその列車はいろいろな意味で唯一無二の存在だった。旧態依然とした機関車に石炭車、そこに荷物車が連結されたが、客車が二輛以上つながれることはめったになかった。

その夜行列車を利用していたのは、他に選択肢がなかったからだ。ブライトンを夕方出発し、翌朝戻ってくる列車。馴染めない荒れた土地。やはり馴染めない人々。なんとも計り知れず、時代から取り残された感が多々見受けられた。しかしけっして寂れていると言うつもりはない。ただ、この国のあちらこちらにまだ一八九〇年代の面影がしぶとく残っていた新世紀の最初の十年間でさえ、めったに目にすることがなかった、古い風習が受け継がれていた。とはいえ、そんな馴染めない状況にもかかわらず、そこは美しかった。それは否定できない。いたるところに木々が鬱蒼と生い茂り、陰鬱で薄気味悪さをたたえていた風景が、朝、ロスト・ヴァレーをあとにする復路では、息をのむような眺望となって目の前に現れてくるのだった。

あの支線はなぜロスト・ヴァレーまで敷設されていたのか。つねづね疑問に思っていた。無数の巨木の間を抜けて路線が延びていった際、町としてはかなり大きな見返りを期待していたのだろう。巨木を囲むようにつくられた広大な遊歩道を見れば一目瞭然だ。だが思ったほどの見返りが得られなかったのもまた火を見るよりも明らかだった。なにしろ町は依然として小さく、家々は密集し、木々は多く、本通りすら木々に覆われたままだったから。木々の間を縫うように延びる道はすっかり埃にまみれていた。しかしいくら住民がわずかとはいえ、農業地域の中心に位置する町ゆえ、一店、堂々たる馬具店を擁しており、だからこそ季節ごとに注文を取るべくロスト・ヴァレーへ赴くのは大きな意味のあることだった。

列車はいつもブライトンの待避線で停車していた。蒸気を上げ、発車準備を整えた状態で。式典なり足を伸ばしての買い物なりでコンコードまで行く人たちがいるときは客車を二輛にしなければならず、そんなときは二輛とも満席だった。だが概してロスト・ヴァレーまで出かけていく人間はほとんどいなかった。私が地方を回る回数は比較的少なかったことを考えるに、その七十マイルほどの旅路

ニューハンプシャー　アメリカ北東端の州。ニューイングランドの一部をなす。

をただ一人の乗客として過ごした頻度はかなりのものだったろう。ともに乗っていたのは車掌と制動手(ブレーキマン)と機関士と機関助手のみ。乗務員の顔ぶれは十年にわたってほぼ変わらなかったため、やがて気兼ねなくつき合えるようになっていった。

車掌のジェム・ワトキンズは年配で細身、いささか腰も曲がっていた。キレのある風刺の効いたユーモアを好み、それがなぜか明るい小さな目とまばらなヤギ髭に合っていた。他の乗務員に比して車掌と懇意にしていたのは、列車がゲイルズ・コーナーズをあとにしてロスト・ヴァレーに着くまでの二十数マイルの間、彼が客車にやってきて座りこみ、話をすることがよくあったからだ。制動手も。ただしこちらは私以外乗客がいないときに限ってだったが。長身で、苦虫を嚙み潰したような顔をした制動手の名はトビー・コルター。口は重かったが、天気の話となると饒舌になり、中でもロスト・ヴァレー周辺の天気にまつわる話題には事欠かないようだった。一方、機関士アブナー・プリングルと機関助手シブ・ウェイトリーとの距離はこれほどまでには縮まらなかった。言ってみれば、挨拶をして一言、二言交わす程度の関係だ。それでもいつも愛想よく応じてくれた。四人とも丘陵地帯、それもロスト・ヴァレーかその周辺の出身で、かの地のしきたりに通じていた。

奇妙なしきたり——古(いにしえ)の事象や忘れ去られて久しい古い風習と結びついた、不条理で奇妙なしきたり。だが果たしてロスト・ヴァレーではどの程度まで忘れ去られていたのか。一度ならず考えた。とはいえ、あれが私のロスト・ヴァレーへの最後の旅でなかったなら、あの町と古い風習とのつながりに思いを馳せることなどなかっただろう。それについては疑問の余地などない。いつも思い返すのはきまってあの最後の旅とその晩のことだ。いくら考えてもいまだに困惑し、判然とせず、忘れられない驚きに満ちていた。それ以外はいずれも――往復の旅路も、車掌や制動手とのよもやま話も、町の人たちも、ロスト・ヴァレーで取れた大口の注文も、自然が織りなす美しい景色の大半でさえもが――結局のところいつもと変わらない懐かしい思い出だが、あの最後の旅だけは違った。

鮮明に記憶しているにもかかわらず、つねにつきまとう不審の念。帰するところあれは本当にあったことだったのか。夢だったのだろうか。まさに夢のような出来事だったし、夢から覚めたあとのようなぼんやりとした感じも残っていたからだ。あまりにも非現実的なことを前にすると、えてして人は自分の感覚を疑わずにはいられなくなる。逆に、それが現実だと自分を納得させるだけの証拠を意識して探すほどの、現実さながらの夢を見ることもある。夢か現実かはどうでもいい。あの晩、ロスト・ヴァレーでは何かが起こった。列車と乗務員と私自身までもがかかわっていた何かが。いつまでも思いを馳せずにいられない記憶、混沌とした疑念の記憶を残した何かが。そこには、私が気にしたこともなければ、あえて考えようとしたこともなかった意味があったのかもしれない。

私は事務職への異動が決まっていたので、あれが最後の旅になるのはわかっていた。だからあの旅そのものが特別だった。しかも列車までが定刻前に出発した。十年にわたってあの列車を利用してきたが、これまでにただの一度もなかったことだ。前代未聞の事態だったが、三十分以上前にブライトン駅に着いていたおかげで乗り遅れずにすんだ。さもなければロスト・ヴァレーへ行くのは翌日の列車を待たなければならなかっただろう。だからしばしば考える、あの晩私が目にしたことは、翌晩にも起こったのだろうか、と。

定刻前の発車は、あの晩経験した一連の釈然としない出来事の始まりに過ぎなかった。たとえば、一輌しかない客車へ向かおうと機関車の前を通りつつ、機関士アブナー・プリングルに手を振ったときのことだ。普段は泰然自若としている機関士が滑稽なまでにうろたえ、手を振り返してはきたものの、いかにもおざなりで渋々だったことに驚いた。あまりにも意外な反応だったので、十歩も行かないうちに、自分が見誤ったに違いないと考えた。だがそうではなかった。車掌のジェム・ワトキンズも、私を見るや不快な驚きと困惑の表情を交互に浮かべたからだ。

「ミスター・ウィルソン」車掌はためらいつつ声をかけてきた。

「会えたのに嬉しくなさそうだな、ジェム、冗談抜きで」

「行かれるんですか、今夜」

この時点ですでに私は客車に乗り込んでおり、車掌は片手に制帽を持ち、もう一方の手で頭を掻きながらついてきた。

「今年はいささか遅きに失したが、もちろん行くとも」車掌と目が合う。車掌は、よりによって私が来ることをまったく予期していなかったか、私にだけは会いたくなかったと思っている。そんな考えをどうしても拭い去ることができなかった。「だが私を乗せたくないなら、はっきり言ってくれたまえ」

車掌は唾を飲み込んだ。細い首の喉仏が上下する。「明日にすることはおできになりませんか」

「今夜だ。実はこれが最後の旅でね」

「最後の旅？」力の入らない声で繰り返す。「つまり――わたしらとあそこで暮らしていかれるおつもりで」

「いや、そうじゃないんだ。事務職に異動になってね。次からは新しい担当者が来るが、彼にもよくしてやってくれるとありがたい。いつも私にしてくれたようにね」

妙なことに、最後の旅と聞いて車掌はわずかながら態度を軟化させたような気がした。車掌も残念に思ってくれるのではないかと自惚れていたのかもしれない。だが、必ずしも喜んでくれたわけではなかった。心底喜んでもらおうと思ったら、私は一人下車し、ロスト・ヴァレーに向かう列車と乗務員たちを見送るしかなかっただろう。私とて、なぜこんな態度を取られるのかわからず困惑はしつつも、他のときならおそらくそうしていたのではないだろうか。だが今は昇進を控えており、営業としての最後の仕事をやり遂げるためには一分たりとも時間を無駄にしたくなかった。そこで座席についた。本当は気になって仕方がなかった車掌の様子——客車の通路に立ったまま制帽を両手でもてあそびつつ、どう言ったものかと悩んでいるような様子にも、どこ吹く風を決め込もうとした。

「あのあたりの者たちはこの時期かなり忙しいんです」車掌がようやく口を開いた。「ミスター・ダービーからの注文は郵送してもらうのが一番じゃないかと思うんですが」

「最後の挨拶もしないでかい？　ミスター・ダービーはお気に召さないだろう」

車掌は腕時計に目を走らせてから、ほとほと閉口した様子で持ち場へと身をひいた。それから数分後、結局列車は定刻三十分前から四分遅れで駅をあとにした。乗客は私一人だったので、車掌が戻ってくるのはわかっていた。彼が客車に入ってきたのは、ブライトン駅を出てまだ二マイルもいかないうちだった。今度は制動手のトビー・コルターも一緒だ。揃いも揃って気まずそうに顔を歪めている。

「二人で話したんです」車掌がゆっくりと告げるかたわらで制動手がしかつめらしくうなずく。「今夜はゲイルズ・コーナーズに泊まって、ロスト・ヴァレーへは明日の朝行かれたらどうかと思うんですが」

思わず声を上げて笑った。なんともあからさまではないか。「いいかい、ジェム、私の目的地はロスト・ヴァレーなんだ。他のどこでもない。それにゲイルズ・コーナーズにはいつも翌朝立ち寄ってるだろう、忘れたのか？　年に二度のこの旅を十年も続けてきて、君はその間一度だって行程を変えろなんて言わなかったじゃないか」

「だが今年はいつもより遅い、ミスター・ウィルソン」制動手が言った。

「確かに。だから今急がなかったら、二日までにボストンに戻れないんだよ。いいかい、今日は四月の三十日で、ボストンに向かう前にゲインズビルにも寄らなくちゃならないんだ。ぎりぎりなんだよ」

「今夜はミスター・ダービーに会えませんよ」車掌が告げた。

「どうして」

「今夜はいないからです。だからですよ」

「それなら彼には明日の朝会おう」そうは言ったものの、あの馬具店で昔ながらの薪ストーブを囲み、とりとめのない話をしながら夜を過ごせないのは残念だった。あれこそ田舎町ならではの楽しみなのに。

車掌は私の切符を切り、制動手は戸惑いの一瞥を残して客車をあとにした。車掌はもう諦めたようだった。腰をおろして、流れていく景色を眺めている。大地からは最後の陽光が去りつつあり、かわりに東の空、丘陵の窪みには青と紫のもやのような薄明かりが集まり始めていた。ブライトンからはおそらく十マイルほど、ヘンプフィールドはもうすぐだ。そのときまでに私の心は違和感でいっぱいになっていた。予期せぬ定刻前の発車から車掌の信じ難い態度に至るまで、この旅のあらゆることに対する違和感で。

　列車は、手つかずの自然が増えていくあたりを走っていた。この時間帯の眺めはことのほか美しい。最後の陽光は依然として丘陵の頂上を照らす一方、谷間からは濃い夕闇が湧き上がってくる。それでいて頭上の柔らかな水色の空はこの上なく澄みわたり、そこに点々と浮かぶ小さな巻雲（けんうん）は驚くほど真っ白だ。天と地の表情があっという間に変わっていく時間。真っ白だった雲はたちまち撫子（なでしこ）色に変わり、そのすぐあとには下側が真紅に、上側は灰色がかった薔薇色になり、やがて薄紫色に染まる。頭上に広がる空の青さも濃さを増していき、檸檬（レモン）のような鮮やかな黄色と青緑色の混じる残照を下に見ながら、錆浅葱（さびあさぎ）色と菫（すみれ）色へと変わっていく。西へ向かう列車の客車の窓から、刻々と移り変わる世界の眺めを心ゆくまで堪能した。これほど趣（おもむき）のある景色を眺めることはもう二度とないだろうと思うと、深い感謝の念が湧いてきた。

　ロスト・ヴァレーへはひたすら丘陵地帯を進んでいく。ゲイルズ・コーナーズを超えて四マイル程度までは、それとはわからないほどの緩やかな上りだが、ロスト・ヴァレーの十六マイルくらい手前からは下りになる。それまでの上りとは比べ物にならない急な下りゆえ、ロスト・ヴァレーは間違いなく、ゲイルズ・コーナーズの先にある一段と高い丘陵地帯がつくりだす小さな谷間に位置していた。列車はヘンプフィールドでしばし停車。どうやら郵便物を下ろしたらしい。その後はどこにも停まることなく走り続けた。ヘンプフィールドに停車中、定刻前に着いた列車を見て駅長が驚いていないかと必死に窓から外をうかがったが、驚いていたとしても、それをあらわにはしていなかった。車掌は窓から身を乗り出し、今夜は晴れそうだなどと一言、二言駅長と会話を交わしてから、再び私の向かいの席に腰をおろした。そのあとは、無力感にとらわれたような胡散臭げな視線をちらちらと投げてくるだけだった。

そのあまりに不自然な口数の少なさがいつしか気になってきた。「ジェム、ミセス・パーキンズの具合はどうだい。もうだいぶ歳だし、この前行ったときはとても具合が悪そうだったが」

「ああ、亡くなりましたよ」驚くほど痛ましげにうなずく。「二月でした」

「気の毒に。ビール夫妻のところの足の悪い赤ん坊は？」

「不憫ですよ、ミスター・ウィルソン、不憫です」そのとき車掌は奇妙な顔をした。あまりにも奇妙だったので、一瞬、何か言うつもりなのかと思った。が、どうやら考え直したらしく、「不憫です」と繰り返しただけで終わった。

「今夜ミスター・ダービーに会えないのは残念だな」私は続けた。「店に集う人生の大先輩たちとあの薪ストーブを囲んで話をするのが楽しみなのに」

車掌は何も言わない。

「ミスター・ダービーは今夜どうしてるんだろうな」

「まあ、今ごろは冬場の営業も終わってますからね、ご存じのとおり。きっと帳簿をまとめたり諸々の準備をしたりで大忙しでしょう」

「だろうな。だがもっと早く、四月の初めに会ったことがあるが、そのときは店は閉めてなかったぞ」

「ミスター・ダービーはもういい歳じゃないですか」思いもよらない激しい口調だった。

それを最後に車掌は口を閉ざした。ブライトンを出て以降、列車はかなり速度を上げており、沿線の各駅を定刻より四十五分ほど早く通過していったのだが、どの駅長にも驚いた様子は見受けられず、そのことについてゲイルズ・コーナーズを過ぎてから戸惑いつつ口にしたときに、ようやく答えてくれただけだった。

「この時期は定刻より早いのが普通ですから」そして再度、あの奇妙な顔で困惑した一瞥を投げてきた――私が何かを知っているのにあえて黙っていると思っているような顔、それをさっさと話して、この重苦しい雰囲気をなんとかしてほしいと願っているような顔だった。

やがてロスト・ヴァレーが見えてきた――いや、濃くなっていく闇の中、私にはそれがロスト・ヴァレーだとわかった。一かたまりになった明かりはさして多くない。小さな集落にある建物はせいぜい三十軒ほどだし、明かりはその集落の住人のためではなく、丘陵の奥で商売をする人たちのためのものだ。列車が停まると、年老いたヘンリー・パースリーの姿が見えた。ランプに照らされた部屋で、乗降場にまで流れ出している黄色い光に包まれながら、背中を丸めて電鍵*を打っている。ほっとする眺め、心地いい温もりを感じる眺めだった。

だが、私が列車から光の中へ降り立つやいなや顔を上げてこちらを見たヘンリーからは、期待していたいつもの挨拶は得られなかった。あんぐりと口を開けたままじっと見つめられる。その視線はや

電鍵　無線通信でモールス符号を打つ装置。

がて車掌に向けられた。それもとがめるような視線が。ようやく落ち着きを取り戻して挨拶をしてくれたのはそのあとだ。ヘンリーは部屋から出てくると、車掌に小声で話しかけた。どうやら車掌が何かを忘れたことを責めているようだった。

駅をあとにし、通り沿いに歩いていく。ダービー馬具店に明かり一つ灯っていないことを確かめてから通りをわたり、町で一軒だけの二階建ての家へ向かう。未亡人のミセス・エマソンとその娘アンジェリンの家にして私の定宿だった。そこでも、同じように当惑と驚きで迎えられ、一瞬、今夜ばかりは締め出されるかと思ったが、アンジェリンが大きく扉を開けて中に入れてくれた。長身で浅黒い肌に黒い瞳、片耳の下に炎のような傷痕がある娘だ。

「この春は遅いお越しなんですね、ミスター・ウィルソン」アンジェリンが言った。

そうだと応じる。「だがこれが最後の旅でね」と告げて、理由を説明した。

ミセス・エマソンは探るようにこちらを見ていた。「お食事まででしょう、ミスター・ウィルソン。なんだかもやもやした顔をしていらっしゃるわ」

もやもやしていた。だがその理由を話さなかったのは、この母娘も何も教えてはくれないだろうと思ったからだ。なぜならしょせん私はよそ者だから。さほど閉鎖的でなくても、小さい町はどこも同じで、「よそ者」が住民から信頼を得るのは容易ではなく、二十年以上を要することもある。そこで、食事をしていないことだけを告げた。

「でしたら召し上がらないと」

「面倒をかけるつもりはなかったんです、大丈夫ですから、どうかお構いなく」だがミセス・エマソンはいっさい耳を貸さず、娘にすぐさま食事の用意をさせ、自身は苦味のあるお茶を持ってきてくれた。曰く、ベルガモットとミントを自ら煎じたものとのこと。ミントのいい香りはしたが、苦味は普通のミントよりかなり強く、母娘が揃って居間をあとにした隙に、大きなシダが植えられた鉢にそのお茶を捨てた。シダが枯れたりしないよう祈りながら。いずれにせよ、それなりの量を飲んでいたので、口の中には嫌な味が残った。それをミセス・エマソンが戻ってくるや訴えると、すぐに昔ながらの甘いココアを出してくれた。

「あまりお好きじゃないかもとは思ったんですけれど、あれも健康にはいいんですよ。でもこれでお口直しなさってくださいね」

確かに嫌な味が消えた。その上、味も量も文句なしの食事をとったことで、すっかり気分もよくなった。腹が満ちると、その日、ブライトンの駅から始まり、ここへ至るまでに次から次へと遭遇した諸々による疲れが押し寄せてきた。時刻は九時。けっして夜更けてはいなかったが、もう寝床へ行きたかった。すると女主人たちは、私がもう何年も楽しみにしてきたいつもの心のこもった態度で部屋へと案内してくれた。

寝床に入ったとたん、異様なほどあっという間に眠りに落ちた。

そこから先のことは、現実にあったことなのか定かではない。夢だったのかもしれない。だがあとで起こったいくつものただならぬ出来事をつなぎ合わせると、私のなけなしの常識を遙かに凌駕する結論に至るのだった。もっともそれまでの私は、自分の常識がなけなしだなどとは思ったこともなかったが。あの晩の出来事は、理解を超えた鮮烈な夢だったのかもしれないし、そうではなかったのかもしれない。

それは私が目を覚ましたところから始まった。突然頭痛に見舞われて目覚めると、ミセス・エマソンが淹れてくれたあのお茶の強烈な苦味と熱さが口の中に蘇ってきた。水を飲もうと思い、起き上がってズボンと靴を履き、シャツを着て、暗闇の中を手探りで階下へ下りていく。だが階段を下り切る前に、なにやら家の外が騒がしいのに気づき、足を止めて様子をうかがった。ものすごい数の人が駅の方へ向かって歩いている。しかも通りの先に目をやると、駅には列車が停まっていた。私の乗ってきたロスト・ヴァレー行きの夜行列車が蒸気を上げているではないか。だが何よりも奇矯だったのは、全員が全員、とんがり帽子を被り、黒いマントを身につけていたことだ。中には松明(たいまつ)を持っている者もいた。

窓に背を向け、マッチを擦る。その明かりで見えたのは、階段下で開けっぱなしになっていたトランク。衣類があたりに散乱したままで、まるで誰かが大慌てで出ていったかのようだ。その中に黒いマントととんがり帽子がある。亡くなったミスター・エマソンのものだろう。佇んだまま見下ろしているうちにマッチの火が消えた。

外はどうなっているのか。あの人たちは皆、どこへ行くのか。男性も女性も子どもたちも。まるでロスト・ヴァレー中の人間が町から出ていこうとしているかのようだった。

暗闇の中で手を伸ばし、黒いマントに触れる。それを持ち上げて肩からかけ、首もとでしっかりと留める。これで首から足先まですっぽりと覆われた。さらにとんがり帽子を被ったら、覆面よろしく顔も隠してくれた。

それから、とてつもない衝動に駆られるまま扉を開け、群衆の中に紛れた。皆が列車へ向かい、皆が乗り込んでいる。だが、ロスト・ヴァレーからは一方向にしか発車できないはずの列車は逆方向を向いていた。しかも駅よりも先の方、転車台のさらに先で停まっている。通常なら、朝、この転車台で向きを変えてブライトンに向かうのだが。客車の明かりはついていなかったが、火室からの明かりと、乗り込んだ面々が手にしていた六本ほどの松明の眩いばかりの光とで、夜の闇の中、機関車は異様な輝きを放っていた。さらに前照灯は前方の森を照らし出している。その方向を見て驚いた。新しいレールではないが、新たに敷かれたに違いない軌道が、ロスト・ヴァレーの先の暗い丘陵地帯の奥へと伸びている。

それだけのものを目にしてから、明かりのついていない客車に乗り込んだ。黙した人でいっぱいだ。だが、それだけだった。混み合った客車内の明かりがつくこともなければ、誰一人として口を開かない。信じられないような沈黙の空間。何かしらの言葉が発されることもなければ、人の声すら聞こえない。一度どこかで赤ん坊の泣き声がしただけだった。人でいっぱいなのは客車だけではなかった。荷物車も石炭車もだ。機関車から客車後部のデッキに至るまで、人が列車にしがみついている。黙したままの群衆、ロスト・ヴァレーの全住民が、いっせいに一つの目的に向かって粛々と突き進んでいた。それも真夜中に。頭上の星と東の空低くにかかる黄色く輝く半月の位置から、十二時近かったのは間違いない。客車内には興奮と緊張と危うさが満ちていた。そして私も、そんな感覚に飲み込まれていくにつれ、鼓動が高まっていった。帽子を被ってマントをまとった面々が発する、どこか不安げな高揚感が伝わってくる。

ベルも警笛も鳴らないまま列車は発車し、人気のなくなった町をあとに暗い丘陵地帯へと入っていった。進んだ距離を見積もってみたが、せいぜい七マイルといったところではないだろうか。だが、トンネルのように枝葉を広げた何本もの巨大な老木の下を通り、数多の峡谷や狭い盆地を抜け、さらさらと流れる小川をいく筋もわたり、ヨタカやフクロウの悲しげな鳴き声を置き去りにして着いた先は、まさに闇の王国の中だった。列車がゆっくりと停まると、すぐさま乗客がいっせいに降りだした。皆依然として口を閉ざしたままで、空気も張り詰めている。しかし今度は乗車時と違い、松明を手にした者が先頭を行った。そのすぐ後ろにつこうと押し寄せた者が何人かいたが、あとの面々はじっと待ち、列をつくって続いた。私はといえば、彼らの並び方には何かしらの決まりがあるのかもしれないと不安を覚えたため、最後まで待ち、同じく最後尾を行く男性と歩調を合わせてついていった。やはり目深に帽子を被ったその男性は、機関士アブナー・プリングルに違いないと思った。これほど長身で恰幅のいい男性は他にいないだろう。

さほど進まないうちに、突如開けた場所に出た。松明を持った者だけが進み出て、奇妙な石像の下に並ぶ。いや、あれは本当に石像だったのだろうか。森の中、踊るようにゆらめく炎の明かりの下で見たので、断言はできない。だが、私には石像のように見えた。やがて、目の前にいた皆が石像前の地面にひれ伏す。一人立ち尽くす私。それから、松明を持った者たちのすぐ後ろを歩いていた数人が立ち上がり、ゆっくりとした律動的な踊りを始めた。そして一人が真っ直ぐに石像の足元まで歩いていき、何やら唱えだす。あれは間違いなくミスター・ダービーの声だ。ラテン語のようだが、意味不明な言葉も混ざっていたので、純粋なラテン語ではなさそうだ。そもそもよく聞こえなかったため、内容を把握することはできなかった。きっと神に呼びかけているのだろう。だが、どの神なのか。キリスト教の神ではない。あの奇妙な石像にも、そのそばに配された祭壇と思しきものにもキリスト教の影響は微塵も認められないからだ。まあ、あれを本当に祭壇と呼べるなら、の話だが。木を切り払い、草を踏み固めただけの場所。そのうちに、「大地の恵み」だの「アフリマン」*だの「贈り物」だのという言葉が聞こえてきた。

そして突然、石像の前で青い炎がきらめいた。それを感知するや、ひれ伏していた面々が立ち上がり、どこからともなく聞こえてきた音楽に合わせて思い思いに踊り始めた。いきなり闇夜に響きわたってきたその音楽は、森の住人の驚いた声を思わせる、フルートの音色のような甲高い音だった。音楽も人々の踊りもどんどん荒々しくなっていく。私も、抗えない衝動に突き動かされるままに踊りの輪に加わった。狂おしいまでに官能的な擾乱の中、一人で踊ったり、誰かと踊ったり。一度など、間違いなくアンジェリンと踊った。音楽は勢いを増し、やがて最高潮に達した。いたるところで大声をあげ、わけのわからない謎のような言葉を唱える人々。踊りは狂騒に満ちる一方だ。そのとき、ふっと音楽がやんだ。始まったときと同じく、唐突に。

その瞬間、石像の前にいた一人が進み出た。身を屈め、何かを拾い上げると、それを覆っていたものを一気に引き剝がす。次いで、拾い上げたそれを頭上高く掲げて三度回す。そしていきなり、石像

アフリマン　古代ペルシャ発祥のゾロアスター教における、光の善神アフラ・マズダーに対する闇の悪神。アンラ・マンユとも呼ばれる。

に投げつけた。それが上げていた大きな声が止んだ。何を投げつけた？　生贄にされたのはいかなる生き物か。毛皮も羽毛もなかったようだが。剝き出しだった白い肌。もしかして、赤ん坊か？

大きなため息が上がる。そして沈黙。石像前の青い炎がゆらめき、緑へ、さらに赤へと変わり、次第に小さくなっていった。

松明を手にした者たちが石像前から離れていく。帽子を被った面々も、彼らのあとから列を成していく。だが、この儀式を仕切っていた人物のもとへ近づいていった者が二人だけいた。そして、三人で石像の下あたりに屈み込む。それを尻目に、他の面々は黙したまま、停車している列車へと戻っていった。

車内には、今度も完全な沈黙が満ちていた。そのまま全員が乗り込むのを待つ。あらゆる場所に人がしがみついていて、立錐の余地もない。やがて列車はロスト・ヴァレーへと戻るべく再び走りだした。先刻町を出てから一時間くらいだろうか。正確なところはわかりかねたが、この不気味な夜の前には、時間など何の意味もないように思えた。ただ、月はすでにかなり高くなっていた。おそらく二時間といったところか。そんなにも長い時間町を離れていたことが信じられない気がした。

私は細心の注意を払って、客車の扉近くの座席についていた。これで早々に列車から退散して宿に戻り、帽子とマントをとって、ミセス・エマソンとアンジェリンが帰ってきたときには自分の部屋にいることができるだろう。そしてこっそりと列車をあとにし、暗闇に紛れた。おかげで、母娘が玄関の扉を開け、やがて閉めたときには、再び寝床の中にいられた。

だが、本当に寝床から出ていたのだろうか。

翌朝はどうしようもない疲れを覚えて目が覚めた。しかし起きたときのロスト・ヴァレーは、いつものよく知るロスト・ヴァレーだった。いったいどこからが夢だったのか。

朝食の席でミセス・エマソンから、あのお茶は口に合ったかと聞かれた。合わなかったと告げる。

「わたしもですよ。頭が痛くなりましたわ。ひどい味でしたわね」

「あら、わたしはこっそり隠れて飲んだわよ」アンジェリンは言った。

馬具店へ行くと、オーガスト・ダービーがいた。いつもと変わらずかくしゃくとしていて、愛想よく迎えてくれる。ゲルマン人を思わせるふっくらした顔にたっぷり口髭を蓄えた、陽気な目の好々爺(こうこうや)だ。

「お前さん、ゆうべ町にいたそうじゃないか。なんだってうちに寄らなかったんだ。わしはいたんだぞ。夜中の一時まで帳簿と格闘しとったよ」一点の曇りもない清々しい笑顔だった。「そのせいかな、今日は――体が重い。もう歳だな」

ミスター・ダービーは大量に注文をしてくれたばかりか、帰り際、これで会うこともないかもしれないと知るや、追加の注文までしてくれた。

私は、目を皿のようにして駅周辺を歩き回った。

が、町の先、森の奥へと続く軌道は見当たらなかった。何もない。そこに軌道が敷かれていた痕跡はかけらもなかった。列車は向きを変えて停車している。そのかたわらを通り過ぎる私を見て、車掌のジェム・ワトキンズが声をかけてきた。「どうも、ミスター・ウィルソン。そろそろ乗られますか」

「もうちょっとしたらな」

列車に背を向け、町へ戻り、ビール夫妻宅前で足を止める。扉をノックすると、ミセス・ビールが出てきてくれた。近くにいた夫君の姿も目に入る。が、どうしたことか。泣き腫らしたような顔をしているではないか。目は真っ赤で、唇も腫れている。その場に立ち尽くしていた夫君はすぐに奥へ行き、視界から消えた。

「やあ、ミセス・ビール。赤ちゃんの具合はどうですか」

こちらを見つめる目には、何とも言いようのない表情が浮かんでいた。すぐに視線を落としたので、それに倣う。視線の先にあったのは、彼女が持っていた、畳んだ赤ん坊の服だった。

「よくないの。ちっともよくないの。もう長くないんじゃないかしらね」

「顔を見てもいいですか」

しばし見入られる。「申し訳ないけど、眠ってるから。やっと寝てくれたところだから」

「残念だな」

別れを告げて、ビール宅をあとにする。しかし先刻ノックした際、実は目にしていたのだが、ミセス・ビールはたくさんあった赤ん坊の服を畳んで、しまっていたのだ――引き出しにではなく、居間に広げたトランクに。

駅へ行き、列車に乗り込む。車窓越しに見るロスト・ヴァレーの眺め。これで最後だ。たいていの巡回販売員がそうだが、営業先の町に行くと、その町のあれこれを当たり前だと思い込んでいて、他の旅人が見ればすぐに違和感を覚えるようなことにもまったく気づかないことがある。たとえば教会だ。この十年間、何とも思わずに過ごしてきたが、今ようやく気づいた。ロスト・ヴァレーには教会の類がいっさいなかった。

　些細なことだと言われるかもしれない。実際そうなのだろう。しかし些細なことも積み重なれば、大ごとになるのではないだろうか。七マイルもの軌道を敷くのにどれくらいかかるのか。一晩では無理だ。いや、二晩でもできるものではない。だが、何も一晩や二晩ですべての軌道を敷かなければならないわけではまったくない。おそらく軌道はもう何年も前からずっとそこに敷かれていたのだろう。つまり、駅から森の入り口を入ったあたりまでの四分の一マイル分ほどを隠しておけばいいわけだ。そうすれば、あとで使うときだけ出してくるのも、再度どこかに保管しておくのも簡単だ。

　そして、ロスト・ヴァレーのような時代に取り残された場所——たまにやってきてはせいぜい一晩泊まっていくくらいの私のような巡回販売員以外、よそ者など目にすることもない小さな町——には、ありとあらゆる古い風習が残っているのだろう。おそらくは魔術も。あるいは、異教の暗黒神の怒りを鎮め、大地からの豊かな恵みを確かなものとするための人身御供といった、古くからの言い伝えも。そんな場所で何が起こるかは誰にもわからない。だがそれでも、たいていの場所には少なくとも一つは教会があった。ロスト・ヴァレーとは違って。

　後日思い至ったのだが、四月三十日というのは、魔女たちが集う宴、ヴァルプルギスの夜だった。それにあの日は、ブライトンからロスト・ヴァレーまでの沿線で、列車が定刻より早く出発したことを誰もが当然のように受け入れていた。皆、その理由を知っていたのだろうか。いや、まさか。では私はどうだったのか。知っていたなどとはとても言えなかった。

いったいどこからが夢なのか。どこで終わるのか。さらに言うなら現実は？　現実もまたどこかから始まり、どこかで終わる。帰路、車掌ジェム・ワトキンズと制動手トビー・コルターはうるさいくらいよくしゃべっていたが、二人とも疲れた顔をしていた。だが、この車掌が松明の明かりのそばでヤギよろしく跳ね回って踊っていたなどとは、想像もできなかった。制動手のぎこちない踊りもだ。そしてミスター・ダービー。あの人のような声をした人間が他にいただろうか。私は知らない。しかしロスト・ヴァレーの住人を一人残らず知っていたわけではないし。とはいえ、ミスター・ダービーもミセス・エマソンもひどく疲れていた。いや、ミスター・ダービーは夜更けまで帳簿をつけていたからで、ミセス・エマソンはあの苦いお茶のせいで眠れぬ夜を過ごしたからだ。それとも、それはいずれも嘘だったのか。

いったい誰の夢の中にいたのだろう。自分の夢か。それとも彼らの夢だったのか。

ビール夫妻宅を訪ねなければ、あれは夢だったと信じて疑わなかっただろう。赤ん坊の服が畳まれ、トランクにしまわれていたのを目にしたからこそ、あの森の中でただの石の塊に生贄を投げつけた鮮明な記憶が蘇ってきて、疑念を抱いたのだろうから。ブライトンまでの帰路、車掌がいつものように親切にも支線の各駅で列車を停めてくれたので、下車してはそれぞれの地元にある馬具店で注文を取っていたのだが、その間もずっとこのことが頭から離れなかった。そしてついに、ヘンプフィールドで列車に戻り、あとはもうブライトンまで一気に走っていくだけという段になって、ビール夫妻の赤ん坊のことを口にした。

「ビール夫妻のところへ行って、赤ん坊の顔を見てくるつもりだったんだが」

車掌が賑々しく割って入ってきた。「いやあ、そうしなくてよかったですよ、ミスター・ウィルソン。あのかわいそうな赤ん坊はゆうべ亡くなったんです。お寄りになってたら、あの夫婦もたまらなかったと思いますよ」

だがビール家を訪ねたとき、赤ん坊はせいぜい二時間ほど前に寝ついたばかりのような口ぶりだったではないか。それなのに車掌はその赤ん坊がゆうべ亡くなったと言う。この陽光を浴びた客車の中で。結局この列車は、森の中で行われた古の儀式の一翼を担っていた、あの邪悪な列車だったのか。年季の入った機関車、石炭車、荷物車、きしむ客車から成る田舎列車。日に一度ロスト・ヴァレーへ行き、翌日戻ってくるだけの列車。夜間は必ずロスト・ヴァレーの駅で静かに停車していたのだろうか。それとも年に一度、ヴァルプルギスの夜だけは、闇の中へ密かに走っていったのだろうか。

ブライトンに着き、列車に別れを告げる。車掌のジェム、制動手のトビー、それに機関士アブナーと機関助手シブにも最後の挨拶をすると、皆、生涯の友のように握手をしてくれた。だがどうしたことか、ロスト・ヴァレーとだけはすっきりと別れることができなかった。見えはしないが、いつもひっそりと意識の周辺にいて、ふとしたことで記憶が呼び起こされると、瞬時に心の中に蘇ってくるのだった。ささやかな支線を走る田舎列車を目にしたときに。あるいは仮装パーティーやとんがり帽子の類を見かけたときに。あるいは夕暮れに浮かぶ街の明かりを見ているときに……。

その後一度だけ、間接的にだがロスト・ヴァレーの話を耳にした。

多彩な顔ぶれが集ったケンブリッジのパーティーでのことだった。パンチボウルのところへ行こうと、数人の輪のかたわらを通り過ぎたときだ。ロスト・ヴァレーという言葉が耳に飛び込んできた。思わず振り返る。その言葉を口にした人物には見覚えがあった。ジェフリー・キナン、ハーバード大学の聡明な若き社会学者だ。私は耳を傾けた。

「ロスト・ヴァレーというところは、遺伝学的に最も興味深い町ですね。どうやら何世代にもわたって近親婚が行われているようなんです。そのうちにあのあたりでは、遺伝的に劣化した人の数が増えていくはずです。遺伝学においては……」

その場を離れた。何が遺伝学だ。あれは、かの遺伝学の祖メンデルがこの世界に生まれ落ちる前から続く古いしきたりだったんだぞ。そう言って、話に割って入ることもできた。が、どうすれば証明できるのだろう。やはり夢だったのか、それとも現実だったのか。だが、遺伝学にしか興味のないキナンにかかればきっと、一言で片づけられてしまっただろう、悪夢だったと。

魔女

アイザック・バシェヴィス・シンガー

植草昌実 訳

The Witch (Di Makhsheyfe)

Issac Bashevis Singer (Yitskhok Bashevis Zinger)

「純粋な利己主義の文化の中にあって、利己主義者と呼びうる者はいるのか」マーク・マイテルズはふと、考えていたことを口に出した。だが、レナの自己愛は、誰の目にも明らかだった。実の母親にまで言われるほどに。マークの友人たちは声を揃えて、レナは自分しか愛していない、と言った。医師は彼女をナルシシストと断じた。

そう、マーク・マイテルズは、人生最大の過ちをおかした。だが、レナが他の誰かを愛する心配をせずに済む、というところに気を落ち着けた。

当のレナは今、朝食を終えたところだった。メイドのスタシャに寝室を片付けに行かせ、居間のソファに横になっていた――小柄で、ポンパドールにまとめた髪も目も黒く、頬骨は高い。彼女は三十七歳になっても、彼が初めて出会ったときのまま、少女のように見えた。

レナは子供をつくることを拒んだ。ことあるごとに、妊娠したくないし、この世界に子供一人増やす手間なんかこれっぽっちもかけたくない、とマークに言った。仕事をして家計の足しにする気もまるでなかった。寝る前でさえ、彼女はしきりに髪の乱れを気にし、絹の寝間着を皺にしたり鉤裂きをつくったりしないよう、彼に言った。彼がその小さな唇にキスをしても、彼女のほうから返すことはほとんどなかった。

　今、花柄のキモノと玉房のついた室内履きで装った彼女は、ほとんど日本人のように見えた。彼女はどこから見ても小さく、上品で、繊細だった。マークは彼女の姿に、骨董屋のショーウィンドウでたまに見る中国の人形を思い出した。

「レナ、行ってくるよ」

「え？　ああ、そう」

　彼は屈んで、彼女の額にキスをした。まだ朝方だというのに、口紅を濃く引いている。爪は伸ばして先を尖らせ、マニキュアの色も新しい。彼女は医師の奨めに従った朝食をとっていた。卵一つ、パン一枚、カップ一杯のブラックコーヒー。レナは一日のうちに何度も体重を計り、四分の一ポンドでも増えれば、そのぶんを減らそうと手を尽くす。彼女は一日をファッション雑誌を読み、ドレスの仮縫いや帽子の試着、あるいはスタニスラフの美容院で過ごす。ときどきはマルシャウコフスカ通り*に出かけて、ウィンドウ・ショッピングをする。バーゲンは見逃さず、アクセサリーなら——なぜなのか、マークには理解できないが——なんでも欲しがる。いつ開いてもオルゴールが「おはよう！」と歌う象牙のジュエリー・ボックスには、数えきれないほどの模造真珠のネックレスがさまざまな色に輝いており、目もあやなイヤリングやブレスレット、ネックレスのチェーンがひしめいているが、どれも似つかわしいのは仮面舞踏会くらいなものだろう。

マルシャウコフスカ通り　ワルシャワの南部を南北に走る大通り。

長年連れ添うあいだにマーク・マイテルズが知ったのは、レナはどこも子供らしくないのに、今なお子供であることだった――わがままで、すぐに機嫌を損ね、自分の気まぐれを許さない相手にはふくれっ面を向ける女の子だ。「一度の過ちが致命的」とマークがぼやくのも百度を越えた。だが、離婚は無理だろう。言いだしただけでレナは病気になり、義母は大騒ぎするだろう。いずれにせよ、妻の気まぐれには彼もとうに慣れてしまっていた。住まいにはいつも塵ひとつ落ちてはいなかった。スタシャがレナを怖れて、彼女の言うことにはなんでも従っているからだ。床はいつもぴかぴかにし、どの家具も毎日、埃を払って磨いている。レナは自分では指一本動かすことなく、行き届いた家事をしている。ありがたいことに、スタシャは田舎出の健康で気の優しい娘だった。毎日、朝の六時半には起き、夜遅くまで働いて、自分の時間は二、三時間だけ。日曜日は休みなので、教会に行くか、恋人と会うかしているのだろう。

　四十歳そこそこで長身のマーク・マイテルズは、私立のギムナジウム*で数学と物理学を教えている。公立学校採用の教科書に寄稿したり、学術誌に褒め言葉ばかり並べた書評を書いたりする副業がなければ、生活は成り立たないだろう。ピウツスキ*の軍には士官として属し、一九二〇年にはポーランド・ソビエト戦争*に出征して、その勇敢さを称えられ勲章を授与された。彼はどんなことでも巧みにやりこなす希な人材だった。外国語に通じ、ピアノを弾き、乗馬もでき、ワルシャワでも指折りの教師になるだろうと言われた。教え子たちは彼に心酔したが、マークがそれで無分別な挙に出ることは、けっしてなかった。まっすぐな姿勢と清廉な行状を、軍隊で身につけていたからだ。口数は少ないが、言うことは要を得ていた。教職員に対してだけでなく、生徒に対しても礼儀正しかった。代数学の公式や幾何学の定理を、数学が不得意な女子生徒たちにわかりやすく説明できるという事実ひとつとっても、彼の美徳がうかがえる。他の学校の校長から引き抜きの声がたびたびかかったが、自分が教師の仕事を始めたこのギムナジウムを、彼はあとにしようとはしなかった。

家を出る前に、マーク・マイテルズは玄関の鏡で身なりを確かめた。背筋の伸びた長身を包むコート、まっすぐなネクタイ、頭にぴったり合った山高帽。面長で唇は厚く、顎は細く、黒い眉の下には黒い目が光っている。そのまなざしからは、訓練を積みふるまい方をわきまえた者の自重と、確かな行いを守る強い意志をもつ者の落ち着きとがうかがわれた。友人たちは男女を問わず、教師は彼の天職だ、と褒めそやした。マーク・マイテルズは担当の教科に習熟し、気性は安定しており、好奇の目や中傷を招くこともなかった。パーティの席上では少々皮肉めいた口をきくこともあるが、酒を飲んでいるときでさえ、高潔な態度を崩すことはなかった。

そんな彼が結婚で失敗したことは否定のしようがない。たしかに、いずれは裕福な義母の遺産を相続することになるだろうが、当の本人はきわめて健康なうえ、吝嗇（りんしょく）でもあった。一九三〇年代初頭の

ギムナジウム　ヨーロッパの中等教育学校。
ピウツスキ　ポーランド建国の父にして初代首相、ユゼフ・ピウツスキ（一八六七―一九三五）。自力で軍隊を創設し、ポーランド・ソビエト戦争で戦った。一九二六年にクーデター「五月革命」を起こし、首相兼国防相となって政治の実権を握った。
ポーランド・ソビエト戦争　ロシア革命政府に対するポーランドの干渉戦争。一九一九年二月から二一年三月にかけ、ウクライナ、ベラルーシ西部、ポーランド東部などが戦場となった。

ポーランドは、将来の見通しが立てられるような世情ではなかったのだ。

　マーク・マイテルズほどの男ぶりであれば、浮気の相手にはこと欠かなかったろうが、知人たちは声を揃えて、彼は妻に忠実だと言った。レナは精神的にも肉体的にも、彼を満足させられるような女ではなかったのだが。ひどく落ち込んだとき、彼は親友の一人にこの悩みを打ち明けたが、その「秘密」はたちまち知れ渡ることとなった。欲求を追いやるために、マーク・マイテルズはよく長い散歩をした。夏にはヴィスワ川*で泳ぎ、就寝前にはウェイトトレーニングをしてから、手ずから風邪用の塗り薬を塗った。レナはこれに、浴室の床が濡れるとか書斎が散らかるとか文句を言い、喧嘩になることもあった。

　正直なところ、レナと彼との合わなさは、敵(かたき)同士といっても良さそうなほどだった。マークが読んだ本を褒めると、彼女は粗(あら)を探し、けちをつけた。舞台を見にいって彼が楽しんでいると気づくと、彼女は第二幕が始まる前に劇場を出たがった。数学も物理学も、科学にかかわることすべてを彼女は嫌った。好んで読むのはデコブラ*やマルグリットの大衆小説だった。好きな舞台はお涙頂戴ものだった。か細い声でクイ・プロ・クオ*でかかったミュージカルや風刺劇の劇中歌をうたっていることもあった。マークの好みでない食事をわざとスタシャに作らせることもあった――スープを小さなカップで出したり、ケーキにクリームを載せすぎたり、ココアをことさらに甘くしたり。マークは夕食後、空腹を覚えることさえあった。夜の長い散歩で、シフィエントクシスキ橋を渡ってペルツォビズナに行ったり、モコトゥフを通ってビラヌフに行ったりすると、彼はライ麦パンひと塊や、袋いっぱいの林檎を買ったものだった。

レナの自己愛は、寝室ではことにあからさまだった。生理の前後の何日間かは、マークを近寄らせなかった。ベッドでの会話は好まず、彼が何か言おうとすると、美的でないと思うのか、黙らせた。就寝前の一時間は鏡の前で、髪型や化粧や香水の実験をした。性交は獣じみて不潔だと、日頃から口にしていた。せざるを得ないときは、すぐに済ますよう彼を急き立て、済んだあとは痛いと文句を言った。結婚は天の賜(たまもの)、と昔から言うが、最初にそう言った人は自分の過ちを嘆いたのか、意地の悪い冗談のつもりだったのか……と、マークはときどき考えた。

2

マーク・マイテルズはギムナジウムまで歩いて通勤していたので、家を出る時刻を決めていた。車の渋滞が厭(いや)なだけでなく、授業の前に体を動かしておきたいからだ。

奇妙なことだ。生まれ育ったワルシャワが、彼の目にはときおり、異国のように映る。彼にはポー

ヴィスワ川　ポーランド最長の河川。南部のベスキディ山脈を水源とし、クラクフ、ワルシャワを通ってグダニスク湾からバルト海に流入する。

デコブラ　フランスの小説家、モーリス・デコブラ（一八八五―一九七三）。

クイ・プロ・クオ　一九一九年から三一年まで、ワルシャワで人気を博したキャバレー。ピウツスキを風刺する政治喜劇で評判を集め、しばしば当局の検閲を受けた。

ランド人とのつきあいがほとんどない。ユダヤ人はポーランドに八百年前からいるというのに、時にさえ埋めることのできない亀裂が、両者のあいだにある。だが、マークはユダヤ人とのつきあいも、ポーランド人と同様に、ほとんどなかった――長い外套と小さな帽子を身につけた、信心深い人たちはもちろん、若い人たちにも。建築技師だったマークの父は無神論者で、一人息子には信仰に関することを何一つ伝えなかった。父から聞かされたのは、超正統派（ハシディズム）*を見下したり、指導者（ラビ）たちの不正や狂信ぶりを非難したりする言葉ばかりで、何を信奉すべきなのか、さっぱりわからなかった。第一次大戦のあと、シオニズム*の声があがりはじめた。バルフォア宣言*が表明され、多くの開拓者（ハールーツ）がパレスチナに向かった。マークが教鞭を執っている学校も、ヘブライ語の授業時間を増やしたが、信仰に無関心な彼には、パレスチナは小アジアの荒地でしかなかった。彼にとっては、ユダヤ共産党とその活動への反感のほうが、より強かった。

　息子が信仰の道に進んだとしても、父が反対することはなかったことだろうが、マークはイエスには関心を抱かなかった。ワルシャワの同化ユダヤ人たちの中には、「モーセを信奉するポーランド人」と自称する者もいたが、マークが信じられるのは科学的に証明された事実だけだった。

　軍役時代の仲間の多くは昇格し、一九二六年にピウスツキが革命を起こしたあとは大臣の座に就いた。マーク・マイテルズは彼らとは距離を置き、再会の席を設けられても足を向けなかった。これ見よがしにサーベルを携える彼らのうち、かなりの数が反ユダヤ主義に染まっていたからだ。新聞は、政府寄りの〈ガゼータ・ポルスカ〉*さえも、ユダヤ人に辛辣な言葉を向けていた。ドイツでは、国民社会主義ドイツ労働者党が支持者を増やしていた。ソヴィエトではトロツキー派が逮捕され、百万人を超える自作農、いわゆる「富農（クラーク）」たちはシベリアに連行された。

マルシャウコフスカ通りを足早に歩きながら、マーク・マイテルズは自分を異邦人のように感じていた。だが、彼が故郷だと思えるところは、どこにあるのだろう？

グジボフを通るたび、苛立ちが募った。ユダヤ人がこの国の首都の真ん中に築いた居住区域（ゲットー）だ。ここでは、鬘（かつら）やボンネットを被った女たちが、*傷みかけた果物やヒヨコマメや、布で覆いをかけたポテトパンケーキを売っている。呼び売りの声は、悲しげな歌を早口に歌うかのようだ。黒や赤のあごひげをたくわえ、重い深靴（ブーツ）を履いた男たちが、肩をすぼめて静かに物売りをしている。葬列がよく通る——黒い、ぴかぴかの霊柩車を、黒い覆面をした馬が引き、哀悼の声をか細くあげながら、参列者が過ぎてゆく。こんなさまはバグダッドでも見ることはあるまい、とマークは思う。

喧噪に満ちた通りを駆けていく者たちがいる。ぼろ服をまとい、帽子を目深にかぶった若者たちが、どこかから盗んできた赤い旗を振って叫んでいる。「ソヴィエト連邦に栄光あれ！　ファシズムを叩

超正統派（ハシディズム）　十八世紀にポーランドで起こったユダヤ教の運動。万物に内在する神に祈ることを第一義とし、神秘主義的な性格が強い。
シオニズム　ユダヤ国家建設、ユダヤ文化復興を目指す運動。
バルフォア宣言　一九一七年、イギリスの外相アーサー・バルフォアが、貴族院議員ウォルター・ロスチャイルドに宛てた書簡に書いた、政府のシオニズム支持表明。
〈ガゼータ・ポルスカ〉　ワルシャワの日刊紙。一九二九年から十年間発行された。
鬘やボンネットを被った女たち　ユダヤ教徒の中でも敬虔派の人々は、女性の髪は男性の心を惑わすものと考え、既婚女性は髪を短く刈って鬘を被ったり、ボンネットで隠したりする習慣をもつ。

け！　労働者と農耕者にすべての力を！……」彼らは銃とゴムの警棒で武装した警察官たちに取り押さえられる。

ギムナジウムさえ昔とは変わっていた。高齢の教師は退職するか、解雇されるかしていた。どちらでもない教師は死んでいた。新しい教師たちのほとんどは民族主義者だった。ほとんどの女子生徒には、対数や三角法を教えたところで、何の役にも立たない。生徒の心は数学だけでなく、いずれ役に立つあれこれには向かってはいないのだから。だいたいが思っているのは、卒業して良い結婚相手に出会え、子供を何人も持つことだろう。すでにその肉体は成熟し、準備が整っていることを隠そうともしない。

そんな中でも、この子にはがんばって教えても無駄だな、とマーク・マイテルズが思う生徒がいた。自分ではベラと言っているが、出生証明書に書かれている名はバイラ・ツィパ・シルバシュタインだ。ギムナジウム入学前の第五学年から教えているから、どの生徒のこともよく知っている。ベラの父親はグノイナ通りの灯油や石鹸を売る商店に勤めている。きょうだいは五、六人いるはずだ。ギムナジウムは授業料を最低額にしているが、そのたかだか何ズウォティかも、父親にはろくに支払えなかった。娘が成績優秀であればよかったのだが！　ベラは遠く及ばなかった。第八学年だというのに、算数の基礎さえ理解していないようだった。実際、彼女はどの学科でも落第していた。第六、第七学年ともに留年しており、卒業は望めそうになかった。

校長はベラの両親と面談し、専門学校への入学を奨めた。だが、両親は長女を卒業させ、大学に行かせ、医師かせめては歯科医師にしたいと考えていた。

そのうえさらに、ベラは綺麗ではなかった――校内でいちばん不細工といってもいいほどに。頭は体と不釣り合いなほど大きく、太い眉の下の黒い目は仔牛の眼のようだった。鼻には段があり、胸まわりも腰まわりも重たげで、O脚なのはそのせいかと思うほどだった。ちゃんとした身なりをと母親が気遣っているようだったが、どんな服装もベラにはしっくりしなかった。女子生徒たちは彼女を陰で「あの変な子」と呼んでいた。

ベラに繰り返し数学の原理を教えるのが自分の義務だと、マーク・マイテルズは心得ていた。まずは公理から始めた。十グロシュ硬貨*が一枚ある。もう一枚足すと、金額は二十グロシュになる。他の硬貨を足すと、足したぶんだけ金額は増える。十グロシュ硬貨を使って買い物をすると、買った品物の値段を引いたぶんがおつりとして返ってくる。このような不変の公理、自明の理でさえ、ベラには理解が及ばないようだった。厚い唇を歯並びの悪さが見てわかるほどぽかんと開けたまま聞き、聞き終えると決まって、きまり悪そうに笑みを浮かべたが、その表情はマークには、人間の言葉をわかろうとしている従順な動物のように見えた。

ベラには、少なくとも一つだけ、過分なほど恵まれているものがあった――情緒だ。席についている彼女が、マークからその大きな黒い目を離すことはなかった。その目には、犬の眼にときおり浮かぶ、愛と崇敬が満ちていた。その目で彼を追い続け、彼の言うことを一語一句、その唇で繰り返した。マークに名を呼ばれると、ベラは青ざめ、身震いした。めったにないことだが、黒板の前に呼ぶと、ベ

グロシュ　ポーランドの通貨の補助単位。一ズウォティは百グロシュ。

ラは脚をがくがくさせて歩み寄り、マークは彼女が昏倒するのではないかとさえ思った。ベラは手にしたチョークを取り落とし、同級生たちはそのさまを笑った。

マークは一度、ベラに居残りをさせたことがあった。個別指導をしようとしたのだ。彼女を席に着かせ、起源から始めた。古代人はいかにして数を発見したか。自分の指からだ……マークはベラの手を取った。彼女の手は汗ばみ、震えていた。胸が動くほどの息をついた。彼女の眼差しに怖れと喜びを見て、彼は驚いた。私に何を見ているのか、と訝しんだ。

人差し指の先を彼女の手首に当てた。脈拍は高熱を出したときのように早く、強かった。マークは尋ねた。「どうしたね、ベラ。具合が悪いのかな」

彼女は手を振り払い、急にわっと泣き出した。撲たれた幼い女の子のように、顔をゆがめ、頬を涙で濡らしていた。

3

レナは体調をいつも気にしていた。薬を絶えず服用した。具合が悪い、と彼女が言いだしたとき、マークは真に受けなかったが、顔色が黄色っぽいのには気づいた。すぐに重病だとわかった——脾臓に癌が見つかったのだ。医師たちはレナには伝えなかったが、どうやら彼女は自分が余命幾許もないと察したようだった。専門医たちは入院を勧めた——自宅では適切な治療が受けられないからだ——

が、レナは私立診療所でさえも入院を断った。母親が来て、医師の言うことを聞くように説得したが、レナは自分の考えに固執し、母親は結局、娘のために看護師を一人雇うことにした。

三人の女性――母親とスタシャと看護師――が、つねにレナの世話をした。医師が毎日往診に来たが、病状が好転する兆しは見いだせなかった。医師はマークに打ち明けた――癌は他の臓器に転移していて、もう手の施しようがない、と。

甘やかされて育ち、爪が割れたり歯の詰め物が外れたりしたくらいで大騒ぎしていたレナが、今は諦めたのか、黙って自分の運命を受け入れているのに、マークは驚いた。ベッドに横になっていても、彼女は化粧をし、香水をつけ、髪を整え、爪にはマニキュアをして、日頃と同じようにファッション雑誌を読んでいた。母親は娘のために、ポーランド語とフランス語の新しい小説や雑誌を買ってきていた。

レナの友達といえば、ギムナジウム時代の同級生が三人ほどと、いとこ一人で、彼女は遺言状に、どの遺品を誰に渡すかを書いた――毛皮のコートや、ドレスや、宝石やアクセサリーを。

レナのわがまま勝手なふるまいは、何をするにも力の及ばない彼女が、それでも自分の力を失いたくないから本能的にしていたのだと、マークは今初めて気づいた。ある夜、二人きりになったとき、彼はベッドの下に膝をついて、自分が口にした辛辣な言葉や、互いの歩み寄りを妨げた誤解を詫びた。レナは彼の髪を（頭頂の、薄くなりはじめたところだったが）撫でながら言った。「いいのよ。あなたは悪くない。次はもっと健康な女を見つけてね」

「何を言うんだ。レナの次なんかいないない」

「いるわよ。あなた、子供が欲しいって言ったでしょう。でも、わたしはまだ幼い子たちを遺して死んでしまいたくはなかったの」

「あのとき、彼女は自分の余命を知っていたのだろうか」あとになって、マークは自問した。「レナは、早く死ぬと思いながら生きてきたのだろうか」だが、そんなことがありうるのか。医師たちにそう言われたのか。あるいは、彼女には未来を予知する力があったのか。

思い返せば、わからないことばかりだ――レナと恋に落ちたのも、そのあとで互いのあいだに疎外感が生まれたのも、親密さをなくしたまま過ぎていった年月も、それが終わろうとしている今このときも。彼はレナに再び恋をしたのかもしれないが、彼女のほうにはもう、その気持ちを受け止める余力はないだろう。彼女はますます頑なになり、口数も少なく、自分の中に閉じこもってしまった。彼女は自分のそばでなく居間のソファで眠るようにと、彼に言った。そして、写真がたくさん載った雑誌の、王侯貴族や、アメリカの大富豪や、ハリウッドの映画スターの記事に、これまで以上に熱中した。本当に興味があって読んでいたのか、それとも病状をひととき忘れるためだったのか。レナとのあいだの隙間が狭まることはないと、マークは悟った。彼女が自分を避けたがっていることが、さらにはっきりと伝わってきたからだ。自分から話しかけることはなく、話しかけられたときには、その一言で会話が終わるほどそっけない返事をした。そのあいだ、雑誌から目を上げもしなかった。彼への鬱憤があっても、墓まで持っていくと決めたのだろう。

死ぬまでのあいだ、痛みをやわらげるために薬を投与しつづけるほかないと、医師はマークに直截に言った。

しばらくして、レナは雑誌を読むのをやめた。マークが部屋に来ると、きまって彼女は眠っていた。たまに目を開けているときは、健康な者にはできないほど深く、もの思いにふけっていた。次第に見た目を気にしなくなり、化粧するのもやめ、母親と電話で話すこともなくなった。

レナの望みは一つだけのようだった――一人にしておいてほしい。だが、見舞いに来る者たちはあとを絶たなかった。遺言状に名を書いた友達が、花束や、レナがもう食べたがらない珍味佳肴や、というに興味を失った雑誌の束を手にやって来た。医師は患者を励ますための決まり文句を口にするばかりだった。「スープを召し上がった？　たいへん結構。薬が飲めた？　すばらしい！」そして、窓を開けて換気をするように言った。患者を清拭（せいしき）した、と看護師が報告すると、「よくやった！」と大きな声をあげた。往診しているあいだにマークが帰ってくれば、医師は「ご自分の健康をお忘れなきよう。お顔色がよくありませんぞ」などと帰り際に言い置いていった。ヴィタミン剤を奨められたが、その頃のポーランドでは手に入れやすいものではなかった。

この難局のさなかにも、マークはギムナジウムで授業をし、すでに刊行日が決まっている幾何学の教科書の仕上げにかかっていた。

冬が終わり、春が来た。第八学年の女子生徒たちは、学校が冗談の種でもあるかのようにふるまうようになった。マークを先生として見るのをやめ、彼が教室に入っても立たず、意味ありげな笑みをうかべて皮肉めいた挨拶をした。校則で禁止されている、やけに男の目を惹く服装をしていた。学年末試験を控えて夜遅くまで教科書を広げてはいても、教科はどれも、胡桃（くるみ）の殻みたいにあとで捨てるものと思っている。中身はふさわしい夫との結婚と、子供たちのいる家庭だ。母親たちは孫の顔を見て満足するときを待ち望んでいるにちがいない。父親たちは、娘を育てるという重荷を下ろし、安堵の欠伸(あくび)をすることだろう。マークはながらく女子生徒たちを騙(だま)してきたが、それもとうとう見抜かれてしまったようだ――すんなりした脚やまっすぐな鼻筋は、ユークリッド幾何学の定理よりもはるかに重要なのだということを。卒業証書の唯一の価値は、よりよい結婚相手を見つけるための大きな一助となることなのだし。

女子生徒たちがベラに向ける目は、もはや快癒の望みもないレナを見る、彼女の友達のものに似ていた。ベラが卒業できる機会はもはやない。彼女を第八学年にまで進めてしまったのは、実際はギムナジウム側の間違いだ。校長は彼女に学年末試験を受けさせないと決めた。他にも成績の悪い生徒は二、三人いたが、みな家が裕福なうえ容姿もよかった。その中の一人はすでに婚約しており、放課後には毎日のように、婚約者が校門の外で待っていた。

マーク・マイテルズはベラから目をそらした。もはや救う手立てはない。彼女は口をぽかんと開け、笑うような、哀願するような顔で、それでも尊敬を込めた目を彼に向けていた。彼が自分の望むように物事を進めてくれると思っているようだ。だが、それは間違いだ。試験が始まれば、彼にはベラを卒業させる選択肢はなくなる。

4

最後の二、三週間、レナはゆるやかに病み衰えていった。医師たちは鎮痛剤を投与しつづけたが、それでも彼女は痛みに苦しんだ。相好も別人のように変わってしまった。肌は褐色を帯びた黄色になってこわばり、蠟人形館に並ぶ顔を連想させた。若い雛鶏を料理して出しても、手をつけはしなかった。口に入れるのは薬だけで、それもたびたびこぼした。何か言いかけることもあったが、あまりに小さな声で、聞き取りようもなかった。

レナは死を待っていたが、死のほうには彼女をすぐに連れて行く気はなさそうだった。弱く不安定でも、彼女の心臓は鼓動を止めずにいた。他の臓器も、どうにか働きつづけていた。

レナの母親はマークと打ち解けようとはしなかった。自分の娘が結婚するのに教師よりも良い相手がいたのに、と思っていた。レナが発病してから、彼女はマークと口をきかなくなった。娘の病気の原因は彼にあると言わんばかりの目を向けた。医師と薬と看護師にかかる費用は彼には負担しきれず、母親が全額を出した。

学年末試験が始まる少し前に、レナは死んだ。彼女は自分を壁のほうに向けて欲しいと看護師に頼んだ。看護師が湯を沸かしにキッチンに行き、戻ってきたときにはレナは事切れていた。マークは試験には立ち会えなかった。葬儀のあと、同僚の誰かが電話で、ベラには試験を受けさせなかったこと、卒業できなかった生徒は他に二名いたことを伝えてきた。

義母は家で七日間の喪に服するように言ったが、そのような儀式は信じていないとマークは答えた。彼はレナの墓に服喪の祈禱（カッディーシュ）を唱えるのも断った。信じていないのに祈れるものか。永遠に沈黙し、その目的を示すことなく、存在さえも不確かな神に祈ることに、何の意味があるのか。もしマークが、人には魂があることを認めたとしても、レナの病気によって、それがまったく無意味なことだと確信しただけに終わった。レナの身体は、魂ともども滅び去ってしまったのだから。病床にいるあいだ、他の世界に向かっているようなことを、彼女は一言も口にしなかった。レナの魂が不滅であったら、今は何をしているというのだろう。またファッション雑誌を読んでいるのか？　マルシャウコフスカ通りをそぞろ歩き、ウィンドウショッピングを楽しんでいるのか？　もしそうでなく、レナの魂が生きていたあいだの彼女とは違っていたら、それはもう彼女の魂とは言えないのではないか……ポーランド人の霊媒クルスキ*の降霊会で、死者がパラフィンに手形を残していった、という話は、マークも何度となく聞いていた。ポーランド人オカルティスト、オホロヴィッツ教授*の論文を読み、さらにコナン・ドイルやバレット*、サー・オリヴァー・ロッジ*やフラマリオン*が書いたものも読んだ。「もしかしたら、そうかもしれない」と思いかけることもあった。母なる自然とその神秘を、私たちが知り得るものだろうか？　レナの病気は彼の空想を消し去った。彼女の死後に残ったものは何もなく、あらゆるものが虚しく見えるばかりだった。死んでしまったレナは、生きているあいだ彼女のために料理され、手をつけられずに翌日には捨てられてしまった雌鶏の肉と、ほとんど違いがなかったのだから。

マーク・マイテルズに、たくさんのお悔やみの手紙や電報が届き、弔花もいくつか送られてきたが、誰も電話をかけてはこなかった。夏休みで同僚たちはそれぞれ休暇を取っていたし、メイドのスタシャも親元の村に帰っていた。ワルシャワには彼の親しい友人はいなかった。彼はこれまでと同じように、昼間は長い散歩をし、日が沈んでからは家で一人で過ごしていた。すぐには明かりを点けず、暗い部屋に座っていた。子供の頃、死が怖ろしかった。葬儀も不安だった。だが今、レナを怖れているだろうか。彼はいつも胸の内で呼びかけていた。「レナ、もしそこにいるなら、何か合図をしてくれないか……」

もちろん、何の合図もないことはわかっているのだが。

奇妙なことに、レナの思慮のない短い人生を悲しみながらも、マークの心はベラに向かっていた。彼自身、それに気づいて当惑していた。なぜまた、不器量で頭もよくない女子学生を？　だが、レナを見舞った運命を嘆くのをやめると、自然にベラのことを考えていた。あの子は今、何をしているのだろう。私が妻を亡くしたことを知っているだろうか。他の生徒たちのことは――かわいい子も成績のよい子も陽気な子も――もうほとんど忘れてしまったのに、ベラの顔だけは浮かんでくる。暗い部屋

クルスキ　ワルシャワ出身の霊媒、フラネク・クルスキ（一八七三―一九四三）。パラフィンで霊の手形を取ったことで知られるが、それがトリックによるものであるとハリー・フーディーニらに看破された。

オホロヴィッツ教授　ワルシャワ出身の哲学者・心理学者、ユリアン・レオポルド・オホロヴィッツ（一八五〇―一九一七）。オカルティズム、心霊学などの研究者としても知られる。小説家ボレスワフ・プルスの親友で、彼の『人形』（一八九三）の登場人物のモデルとなった。

バレット　イギリスの物理学者サー・ウィリアム・F・バレット（一八四四―一九二五）。催眠術の研究から心霊学にかかわるようになり、英米双方の「心霊現象研究協会」の創立に貢献した。

サー・オリヴァー・ロッジ　イギリスの物理学者（一八五一―一九四〇）。心霊学の主著に、第一次大戦で戦死した息子との交信を記録した『レイモンド』（一九一六）がある。コナン・ドイルの友人でもあった。

フラマリオン　フランスの天文学者カミーユ・フラマリオン（一八四二―一九二五）。「火星の運河」の提唱者として知られる。長年にわたり心霊学の研究もし、関連の著書に『死とその神秘』（一九一七）などがある。

に、そこにいるかのように――狭い額、段のある鼻、厚い唇とばかに大きな目。裸になった彼女を想像した。大きすぎる乳房も、突き出した尻もO脚も、見苦しいだけだろうに。

彼女は心の内に一筋の狂気を秘めていた。洞窟に棲み、野獣や虱や飢えや、類人猿とほとんど変わりのない男たちと闘ってきた、太古の女たちの笑い声や叫びが、彼女の中で響いていた。

そんな夢想の中で、マークは彼女に数学を教えたことを思い出し、笑みをこぼした。彼女の知能はユークリッドから数千年はかけ離れているというのに、両親はあろうことか、娘を大学に進学させたがっていた。いったいどんな親なのだろう。親子だから、どちらもベラに似たところがあるはずだ。マークは奇妙な衝動に駆られた――ベラを捜したくなってきたのだ。住所は知らないし、暮らしぶりから察するに電話も引いてはいないだろう。ギムナジウムには連絡先が記録されているが、夏休みなので閉まっている。知っても意味もないことだとはわかっていた。服喪中の者は、誰かを励ましにいこうなどとはしないものだ。それに、彼女に何を言おうというのか。そっとしておくのに越したことはない。バクテリアや床虱から鯨に至るまで、生きとし生けるものを見守る自然は、ベラを活かすかもしれないし、滅ぼすかもしれない。滅びるのも自然の摂理だ。

馬鹿げたことを考えるのは止せ、とマークは自分に言い聞かせた。普段であれば自分の心を律する術を持つ彼だったが、どんなに振り払っても、ベラの顔が浮かんできた。いったい、どうしてしまったんだ？　彼はひとりごちた。

ある夜、彼が急に思い出したのは、ベラの父親がグノイナ通りの灯油や石鹸を扱う店で働いていることだった。グノイナ通りはこぢんまりしたところだ。店も何軒もないだろう。だが、こんな晩くに開いている店はない。明日なら……

マークは暗い中、部屋から部屋へと、自分に当惑しながら落ち着きなく歩きまわった。思い出すのも厭なあの女子生徒に、恋情に似たかのような関心を抱く自分に、疲れさえ覚えていた。「そんなことがありうるのか？ 私があの子に恋をしてしまったなんて。正気をなくしたのでなければ、とても考えられない……」混乱するわが頭に驚くばかりで、手の打ちようがない。説明のしようもなく、ただベラのことばかりが胸に浮かぶ。強迫観念というやつかもしれない。ベラが呼んでいるかのような、彼女が自分の名を叫んでいるような気がした。彼女の顔かたちが、不格好な体つきが、はっきりと見えた。彼女を見つけ、話しかけたい欲求が、一分ごとに高まっていく……。「グノイナまでなら歩けるさ」彼は決めた。「店は遅くまで開いているかもしれない……何か知ることができるかもしれない」

マークは急いで外に出た。走ればまだ間に合う、と思いながら。だが、「どうした？ どこまで走っていくつもりだ？ 気はたしかなのか？」と自分に問いかける冷静さも残ってはいた。音を立てて玄関を閉め、階段を下りかけたとき、中から電話のベルが聞こえてきた。「彼女だ！ 心が通じたんだ！」彼は声に出して言った。

鍵を手にしたが、鍵穴を探るのに少し手間取った。廊下では椅子にぶつかって膝を痛めた。ベルは鳴りつづけていた。だが、電話機に手をかけたとき、ベルは止んだ。マークは受話器を取り上げ、声高に言った。「もしもし？ 誰なんだ？ 答えてくれ！」

体が熱く、汗が湯気になって上っているのがわかった。叩きつけるように受話器を起き、彼は喚いた。「あいつだ。畜生め！」

怒りと恥ずかしさが身の内に広がった。自分がもはやかつてのマーク・マイテルズではなく、衝動に駆られる無知で迷信ぶかい男になってしまったか、昔から言われている悪霊（ディブク）に憑かれたか、と彼は思った。

5

マークは外に出る支度をしなおしたが、今度はグノイナ通りにではなく、レストランに行くためだった。食欲はまったくないのだが、食べないわけにはいかない。「明日いちばんに、どこか遠くに行こう」と心に決めた。「ザコパネ*か、どこか海辺にでも……」玄関まであと半歩というところで、また電話のベルが鳴った。暗い廊下を駆け戻り、声を抑えて受話器に応えた。「もしもし？」

相手は口ごもっていた。まちがいない、ベラだ。しどろもどろなもの言いが聞こえた。言葉に詰まらないよう懸命な様子だ。マークは驚いていた。誰が信じられる？　これがテレパシーというものだろうか。彼は声高に尋ねた。「きみはベラ・シルバシュタインか？」

「先生、わたしの声がわかるんですね」

「わかるとも、ベラ。きみの声を忘れてはいない」

少しのあいだ、彼女は黙った。

「電話したのは、ご不幸があったと聞いたからです」たどたどしい口調だった。「お悔やみ申し上げます……クラスのみんなも悲しんでいました……わたしにも身内の不幸がありましたが、先生がどれほど悲しんでいらっしゃるかと思うと……」言葉が途切れた。

マークは尋ねた。「今、どこに?」

「え……プロスタです。自宅のあるところです」

「これは御自宅の電話?」

「いいえ、デリカテッセンの公衆電話です」

「私の家まで来られるかな?」

受話器の向こうがしんと静まった。ようやく聞こえたとき、彼女の声は震えていた。「先生がお望みでしたら……わたしには、とても光栄なことです……先生はご存じないでしょうが——」

彼女は最後まで言わなかった。

「来なさい。それから、私のことを『先生』と読んではいけない」

「どうお呼びすればいいのですか」

「好きなように。マークでいい」

「先生、おふざけが過ぎます。わたし、お悔やみが言いたかっただけなんです……そんなこと言う先生って、怖い……なんだか——」

マークは自宅への道を彼女に詳しく伝えた。ベラは何度も礼を言った。彼女はマークのことでどれ

ザコパネ　ワルシャワの南、スロバキア国境近くに位置する都市。避暑地、保養地として知られる。

だけ悩んでいたかを繰り返していた。「とても、とても。毎日、昼も夜も……」

　マークは受話器を置いた。

「どうしたんだ。私は正気なのか？」彼は自問した。「これはテレパシーか、催眠術か？　少なくとも偶然ではない。あの子には気をつけなくてはな。ああいう生徒は、とかくおかしなことを考えがちだから」明かりを点けた。「きっと腹を空かせていることだろうから、何か出してやりたいな」キッチンに行き、食料品の棚を探ってみた。レナが死んでからは、彼は自宅でほとんど食事をしなかったので、あったのは固くなったパンと、少しばかりのサーディンの缶だけだった。「どこか店に連れていってやろう」だが、どこへ？　行った先に知り合いが来るかもしれない。レナが死んで間もないというのに、女連れのところを見られては——しかも連れが不細工な小娘ときては——恥をかくだけだ。それに、教師は生徒と個人的に親しくなってはならないという不文律が、ギムナジウムにはある。「ロールパンとキシュカ*があればいいだろう」と、彼は決めた。

　外に出ると、ロールパンとキシュカと果物を買った。ベラが早く来すぎているといけないと（タクシーに乗ってくるかもしれないから）急いで帰ったが、誰も来てはいなかった。もしレナの魂がここにいて、自分が何をしているかを見ていたら、という思いが、ふとよぎった。テレパシーというものがあり得るなら、死者の魂が生前いた場所にいても、おかしくはないだろう……いや、これまでにあれこれ悩んできたから、理性の箍（たが）が外れてしまったのだ。

　しばらく待ったが、誰も来なかった。つけておいた居間の明かりを、小さなランプ一つを残して消した。ソファに座り、玄関に物音がしないか、耳を澄ました。道に迷ったのだろうか。何をさせても満足にできない子だからな……。

呼び鈴が長く、耳に痛いほど鳴った。玄関まで走り、ドアを開けると、黒い服に麦藁帽子のベラがいた。手には花束があった。彼女は大人びて見えた。息を切らし、汗ばんでいた。

マークは言った。「その花束は、私に？」

「はい……これ以上悲しまれることのないようにと」彼女は、普段使っているイディッシュ語でなく、ポーランド語で言った。

マークは彼女の手を取り、居間に連れていった。花束を花瓶に生け、水を入れた。花を買う金があったのだろうか。手持ちの小銭を残らず遣ったのかもしれない……。できるだけ快く接しよう、だが、それ以上のことはしないし、させない。彼は自分に言い聞かせた。

ベラが帽子を取ったとき、彼女の髪の美しさに、マークは初めて気づいた。豊かで艶（つや）やかな、栗色の髪。彼女は椅子に座り、黒い靴のつま先に目を落としていた。自分の見た目を恥ずかしがっているのだろう——重たげな乳房、大きすぎる尻、段鼻の上のぎょろ目。その目は仔牛の眼には似ていない、とマークは思った。その目からは女性が古来から抱いている、畏怖と愛が見てとれた。

彼女は両手をハンドバッグに置いていた——女子学生にしては大きな手だ。授業のあとのように、その手にはインクがついていた。「奥様に何があったかを聞いて、クラスのみんなはとても悲しみました……学年末試験の期間だったので、誰もお葬式には参列できませんでしたが、わたしは試験を受けさ

キシュカ　牛の腸に牛肉、玉葱、香辛料などを詰めた食品。ソーセージに似る。

せてもらえなかったので……先生、わたしにはお気づきでないようでしたね」

「えっ？　気づかなかったな。すまなかったね」

「わたし、参列していました」

「今はどうしているのかい？」

「何も。家族はそろって、がっかりしています。とても。わたしにかけた学費はそっくり無駄になってしまいました。もちろん、卒業証書がすべてではないとは、わかっています。勉強できたこともありました――文学や、歴史や、美術を。数学は全然だめでした。がんばっても駄目でした」

「数学の他の科目はできていたんだね」

「たぶん。今は仕事を探していますが、家族の誰もが、卒業できなかったんだから雇ってもらえない、と言うんです。女子店員の求人広告を見て、チョコレートのお店に行ってみましたが、もう決めてしまった、と言われました。でもそのとき、学歴なんて訊かれませんでした」

「私の祖母たちも、学歴はなかったが、とても良い人たちだったよ」

「そうでしょうね。わたしの母はイディッシュ語の新聞も読めませんが、わたしには医者になれと言います。とても無理なのに」

「結婚して子供をもつことは考えていないのかい？」

一瞬、ベラの目に笑いが浮かんだ。「考えないとは言いませんが、私を選んでくれる人がいると思いますか？　子供は好きです。それはもう、とても。自分の子でなくていいんです。奥さんを亡くした人のところに後妻に入って、そこの子たちを自分のもののように大事に育てられれば。でも――」

「自分の子供でなくていいのかな？」

「お話してみただけです。もしそうできれば、いちばんいいのでしょうけれど――」

二人とも黙り込んだ。隣の部屋の時計が時刻を告げた。

「わたし、先生のお役に立てられないでしょうか」ベラが言った。「掃除も、洗濯も――何でもできます。お給料はいりません。そんなもったいない！」

「私のために無給で働きたい、というんだね」マークが言った。

しばらく考えていたベラは、口元に笑みを浮かべた。まっすぐ彼を見る黒い瞳は輝いていた。「ええ、先生のためなら、何でも。心よりお仕えします……」

6

マークはベラに近づき、その肩に両手を置いた。膝と膝が触れあった。彼は尋ねた。「今言ったことは本心からだね」

「はい、嘘偽りなく」

「私のことが好きかい？」

「世界中のなによりも」

「ご両親よりも？」

「ずっと」

「なぜ？」

「なぜかしら。先生は頭がよくて、わたしはおばかさんだからかも。先生が笑うときは、本当に面白いことがあるし、厳しい顔をして眉をひそめるときは、どんなものでもなんだか――」最後まで言わなかった。彼女のそばにいると、馬の近くに立っているように、体温が熱いほど伝わってきた。

マークは尋ねた。「私が望むことをしてくれるかい」

「どんなことでも」

「喉を切られても？」彼は尋ねてから、自分の言葉に驚いた。

ベラは身震いした。「はい！　血が勢いよく噴き出しても、わたしはその刃にキスします」

彼が何年も感じず、おそらくはもう感じることはないだろうと思っていた昂りが、身の内に沸き立った。「馬鹿なまねをするな！」内なる声が叫んだ。「今すぐこの子を家まで送るんだ！」声に出して彼は言った。「よし、ナイフを取ってこよう」

「はい」

キッチンに入り、暗いまま戸棚の抽斗を開いて、ナイフを取り出した。これはゲームだ、とわかってはいるはずなのに、言ったことそのままに動いていた。ナイフを手に、彼は居間に戻った。座っているベラの顔は青ざめていたが、目は期待に輝いていた。その全身から異端の歓喜が滲み出しているようで、彼女の切望を感じて彼は怯んだ。

マークは言った。「ベラ、きみはもうすぐ死ぬ。言い遺すことはないかな」

「愛しています」

「覚悟はできたか？」

「はい、しています」

刃先で喉に触れた。「切るよ」

「はい」

マークはナイフを戸棚の上にそっと置いた。アブラハムが神の命に従い、息子イサクを生贄にしようとしたが、「その子に手を下すな」と天使に止められる、聖書の一挿話を思い出したからだ。* かつて起きたことを繰り返しているような気がした。

「私へのその思いは、いつからなんだね」死に近づいていく患者に話しかける医師のように深刻な口調で、彼は尋ねた。歯がかたかた鳴った。

「初めて会ったときから」

「それからずっと？」

「昼も夜も」

立ちつくしていた彼は、自分の息づかいを聞いた。呼吸は鼻が鳴るほど荒い。「だが、私には妻がいるのを、きみは知っていた」

ベラは答えるまで、しばらく黙っていた。「はい、知っていました。だからわたしは呪いをかけまし

アブラハムが神の命に従い……　『旧約聖書』創世記・第二十二章より。

た。それで奥様はお亡くなりになりました」

「魔女にでもなったつもりか?」

「はい、わたし、魔女なんです」

そう聞くや否や、ベラが古書の版画に描かれた魔女そのものに見えた。髪は乱れていないし、顔に皺が刻まれてもいないが。いや、いかな魔女でも生まれながらに年老いてはいまい。おそらくは若い頃から魔術の修行をしているのだろう。そんなものは迷信だ、とマークは自分に言い聞かせたが、レナの病因はいまだ謎のままだ。医師たちでさえ、原因がわからないうえに病状の進行は急だった、と言っていた。レナは健康法の記事や本にはくまなく目を通していた。脂肪分の多いものは食べなかったし、煙草も酒も嗜(たしな)まなかった。癌の進行の速さは信じがたいほどだった。マークは今になって、レナが口にしたことを思い出した。「呪いをかけられた。わたしの幸運を妬(ねた)む誰かに……」

ベラは黒い瞳に法悦を浮かべ、熱を帯びたまなざしを彼に向けた。

マークは言った。「そんな馬鹿話が信じてもらえると思うのか? くだらない。本気でそう思っているなら、きみは人ひとり殺したことになる」

「本当です。わたしには神罰が下されるでしょう」

「きみは私と結婚できるとでも思ったのか」

「わかりません」

「その呪いは、どうやってかけたんだ?」

「奥様がお亡くなりになるよう願いました。真夜中に起きては死を祈りました」

「レナのことは何も知らないのに?」

「知っていました。何度も見ていましたから。外にいて、窓からお姿が見えるまで待っていました。一度は呼び鈴を鳴らして、おいでになった奥様に、メイドに雇ってもらえるようお願いしました。奥様は『流しの人など家に入れるものですか』とおっしゃって、鼻先でドアを閉めてしまわれましたが」

「自分がおかしなことをしているとは思わなかったのか」

「はい、思いました」

マークは戸棚の上に置いたナイフをちらと見やった。「きみがしたことは死に値するだろうが、私は誰も殺したくはない。私はこれでもユダヤ人だ。だが、きみが相手なら、何もしたくない。立ち去れ。二度と姿を見せるな。私にも呪いをかけたければ、かけてみるがいい」

「いいえ、わたしは死ぬまで、あなたを祝福します」

ベラは立ち上がりかけるそぶりを見せたが、やはり座ったままだった。

マークは言った。「口先だけなら何でも言えるさ。レナが死んだときは嬉しかったんじゃないのか」

「まさか。自分にそんな力があるなんて、思ってもみませんでした。だから、亡くなったと聞いたときは心底驚いて……」

「まったく、なんて馬鹿なんだ」思うより先に口が動いた。「勉強にそれくらい力を入れれば、きみも卒業できたのに。これからどうするつもりなんだ? きみとはもう会うこともない。私は心の底からレナを愛していた。今このときから私は、きみを蜘蛛よりも厭う」

ベラの顔から血の気が引いた。「それでも、先生をお慕いします」

「馬鹿なことを。きみはおかしいんだ」

「ちがいます」

「きみは夕方に電話をよこしたか」マークは尋ねた。「出かけようとしたときにベルが鳴った。すぐ戻ったが、出たときは切れていた。あれは、きみだろう」

「はい」

「どうして電話を？」

「かけずにはいられなかったのです」

「きみがそう思っただけか。中世をひきずっているようだな。あの時代の人々がなぜ魔女を焼き殺したか、わかるような気がしてきた。きみみたいな連中は殺されても仕方ない。きみは見た目からして魔女のようだな」口に出してしまってから、言うべきではなかった、とマークは思った。

「はい、自分でもそう思います」

「いや、本気で言ったんじゃないんだ。きみは私の愛人になりたいのか？」自分の質問にマークは驚いた。「もちろん、妻じゃない。正直な話、恥ずかしくて連れて歩けないからな」

怒りにも嘲(あざけ)りにも見える光が、ベラの目に宿った。「先生が今考えていること、してもいいですよ」

「いつ？」

「今……」

7

午前三時になって、ベラは服を身につけはじめた。常夜灯が寝室を赤く照らしていた。マークは疲れきっていて、何もできなかった。ベッドの上で片目を閉じたまま、身支度をする彼女をただ見ているだけだった。二十歳(はたち)の体の、大きすぎる乳房が揺れていた。腹まわりには肉がついていた。尻は丸桶を二つ並べたように突き出ていた。短い眉も段のある鼻も、乱れた髪に隠れていた。そのあいだから怯えたように彼を見る目は、追われて藪に逃げ込んだ小さな獣の目に似ていた。

魔女だ。まちがいなく魔女だ！　マークは胸の内で叫んだ。この年頃の少女が、しかも処女だというのに、あんなに激しく求めてきたとは。ベラは爪を立て、肩に歯を当て、意味の取れない言葉を口にし、隣に聞こえないか不安になるほどの声をあげて喜悦した。そしてマークは、彼女との結婚を誓った。「いったい何が起きたんだ？　私は正気か？　黒魔術などが本当にあるとでもいうのか？」

ベラがつぶやいた。「これを知ったら、母さんはきっと大騒ぎするわ。すぐに警察に電話するでしょう。まちがいなく。ここの管理人さんが門を開けて、わたしを出してくれればだけど」

「いくらか持っているかい？」

「え？　ないわ。ここに来るときタクシー代に遣っちゃったから」

「私のズボンのポケットから取るといい」

「ズボンはどこ？　ああ、床にあったわ……」

彼女はズボンを拾い上げ、ポケットを探った。そのさまに、マークは啞然とした。すでに妻のような手つきになっていたからだ。「ああ、もうおしまいだ」彼は悟った。

　ベラは硬貨を何枚か取ると、丁寧な手つきでズボンを戸棚の上に置いた。歩を進める彼女の脚は臑毛が濃かった。あの大きな足に合う婦人靴はあるのだろうか、とマークは考えた。ベラが尋ねる声がした。「父さんと母さんには何と言えばいいかしら。二人ともどれだけ騒ぐか、想像もつかない」

「きみが好きなように言えばいい」

「あなたが後悔してるなら、わたしはヴィスワ川に身を投げるわ」

「後悔はしていない」

「人生なんて、二グロシュの値打ちもない。奥様のいるところに、わたしもいつだって行ける。会ったら仕返しされるだろうけれど」

「死んだ者に仕返しはできない」マークは気怠く言った。

「できるわ。できますとも。あの女は今も夢に出てくるの。短剣を片手に、もう片方の手には血に濡れたハンカチーフを持って。わたしを怒鳴りつけ、唾を吐きかけて――」

　マークは答えなかった。これまでの情事の相手にしてきたどの女も、この小娘ほど搾りつくしはしなかった。彼女はまちがいなく妊娠する。避妊の用意を忘れていた。自殺行為だな、と彼は思った。何もわからず、ただ自分に問いかけるばかりだ。どうしてこんなことになったのか。自分の理性はどうなってしまったのか。ワルシャワじゅうの人々が、彼を笑いものにするだろう。ギムナジウムにもいられなくなる。生徒たちも彼を見るや笑うことだろう。

　ベラが言った。「もう帰るわ。玄関まで連れていって」

マークはベッドを下り、衣服を身につけた。黒い服を着て、麦藁帽子から乱れた髪がこぼれている彼女の姿は、なんとも奇妙に見えた。取った手は熱く汗ばんでいた。ベラは胸を押しつけるように身を寄せた。「帰らずに済めばいいのに。父さんも母さんも、わたしを惨めにするばかりだから。わたしを愛してるって、本当？　お願いだから、嘘はつかないで。そばにいても嬉しくないなら、はっきり言って」

「なぜ訊く？　ヴィスワ川に飛び込む前に知っておきたいのか？」

「そう答えるってことは、みんな嘘だったたってことね」

「ベラ、私はきみとは結婚できない」

返事はなかった。朝日が昇る前の薄闇の中、マークには彼女の目しか見えなかった。二つの目は、狂気じみた荒々しい光を浮かべていた。もし今、ベラが獣のように飛びかかってきたら、彼は身を守れないだろう。

「わかったわ。これで終わりね。おやすみなさい」

「どこに行く気だ？」

「あなたには関係ないことよ。わたしのことを悪く思わないで。これがわたしの愛だし、こんなふうにあなたを愛した女に出会うことは、もうないでしょう」

「ベラ、お願いだ、馬鹿なまねはよせ！」

「死は馬鹿なまねじゃないわ」

「ベラ、そばにいてくれ！」叫んだのはマーク・マイテルズだが、その言葉は何かの力が言わせたものだった。彼は続けた。「私たちはもうここにはいられないが、ワルシャワの外には広い世界がある。クラクフ*にも行けるし、ポーランドを出たっていい。キューバやホンデュラスなら査証（ヴィザ）はまだ取れるというし。一緒にいられるなら、なんでもないことさ」

「世界の果てまでだって、ついていくわ」

二人は立ったまま、しばらく黙っていた。ベラの吐息は荒く、熱かった。マークは新たな熱情に打たれた。

「だから、行かないでくれ！」

「待って。母さんは心臓が悪いの。わたしのことを心配して、死んでしまうかも」

「死にはしないさ。死んでしまったら残念だが」

「あなたは素敵な人殺しね！」

「きみは本物の魔女じゃないか」

「ええ、でも誰にも言わないでね」

「魔法はどんなふうにかける？」

「祈るだけよ。神様か、そうでなければ悪魔に。何に祈るかなんて、わからない。ベッドに横になっているとき来るものに祈るだけ。あなたはわたしから離れることはできない。互いの首輪をつないだ二匹の犬のように」

「本当か？」

「ワルシャワから出ていくなら、今すぐね」と、ベラが言った。

「今というのは？」

「今日じゅうに」

「家財道具の荷造りもしないとな。本もたくさんある」

「置いていくだけよ。父さんも母さんも、心配のあまり死んでしまうかもしれないけれど。わたしはもう人ひとり殺しているんだし、どうってことないわ」

「死にはしないさ。途中で電報を打てばいい」

「いいわ、そうしましょう。わたしが第五学年のとき、数学の担任になったときから、あなたのことが好きになって、それから他のことが考えられなくなってしまったの。ホンデュラスって、アフリカのどこ？」

「地理の授業で教わったろう」

「覚えていないわ。四年のあいだ、考えていたのはあなたのことだけ」

「おいおい！」

彼は彼女の手を引き、ふらつく足で居間を抜けて寝室に戻った。窓から朝日が赤く差していた。ベラの顔まで、血を浴びたかのように赤く染まっていた。目は炎を宿しているようだった。二人は鏡の

クラクフ　ポーランド南部、ヴィスワ川上流の古都。
ホンデュラスって……　ホンデュラスは中米にあり、南をニカラグア、西をグアテマラ、エルサルバドルと接している。

前に立った。

マークが言った。「黒魔術が本当にあるのなら、神も本当にいる、ということだ」

ベッドまで待ちきれず、彼はベラを絨毯に押し倒した——血と精液にまみれた魔女は、朝日の下で怪物から美女へと、その姿を変えていった。

恐怖の本質と極秘の宗教

植松靖夫

本書には怪異現象、心霊現象、霊能力者、呪いと祈り、怪しげな儀式などをモチーフとする多彩な作風の怪異譚が収められている。

ここではH・P・ラヴクラフトの唱える「宇宙的恐怖」を描いた「真の恐怖小説」なるものの定義を睥睨(へいげい)しながら、ゴシック小説の誕生を促した当時のイギリスの背景をそこに重ね合わせ、「ホラー(horror)」ではなく「テラー(terror)」を受けとめる新たな感性の誕生が果たした役割を明らかにし、ゴシック小説理解の一助となる解説を試みたい。

ラヴクラフトは、評論「文学と超自然的恐怖」の中で「怪奇小説」「恐怖小説／文学／伝説」「ゴシック・ロマンス／小説」「怪異譚」など幾つもの呼称を用いて論じているが、このジャンルの作品で肯綮(こうけい)となる「宇宙的恐怖」について、次のように主張している。

すなわち、真の「宇宙的恐怖」を描いている《恐怖文学を、表面上は似ていても心理学的には著しく異なっているもう一つの文学、即ち異なる肉体的な恐怖と世俗的な戦慄を描く文学と混同してはならない》（以下、《　》内はラヴクラフトの「文学と超自然的恐怖」〔拙訳〕より）。
そして、その文学作品には《息もつかせぬある種の雰囲気とか外部からやってくる未知の力に対する曰く言い難い恐怖感がそなわっていなくてはならないし、また、その小説の主題にふさわしい真剣なものものしい調子で、人間の頭脳が抱く考えの中で最も戦慄すべきもの――渾沌からの襲撃や底知れぬ宇宙の魔神から、唯一我々を守ってくれる確固たる自然の法則を、悪意をもって一時停止させたり破棄したりすること――が暗示的に描かれていなくてはならない》のである。自然界の法則を一時停止させたり破棄したりすることは、「魔術」でもある。魔術とは「自然界の法則に影響力を与えて、尋常ではない物理現象を引き起こす技術」と定義できるのだから。

その上で、何よりも重要なのは「雰囲気」なのだという。だから、《最終的にはありふれたやり方で恐怖の原因を説明してしまう恐怖小説は、宇宙的恐怖を扱った真の小説ではない》と強調し、当然アン・ラドクリフは《結末で微に入り細を穿った説明を展開して、せっかくの幽霊の存在を台無しにしてしまう忌々しい悪弊に陥っている》と批判される。ただ、それでも《恐怖感をそそる無気味な雰囲気を醸し出すという点で新たな高い規準を示している》ので、ラドクリフをゴシック小説の立役者として評価している。もっとも、ラドクリフも遺著にはなるが、余計な説明を排した、『ガストン・ド・ブロンドヴィル』を遺してはいるのだが。

ラヴクラフトはさらにこう続けている。《西洋の恐怖伝説の力》の源になったのは、《極秘の宗教》で、《各地でドルイド教、ギリシア・ローマ思想、キリスト教が表面上は君臨をつづけたにも拘わらず、何千年にも亙って農民の間でひそかに伝えられ》、ドイツではブロッケン山上で魔王と魔女が酒宴を張るというヴァルプルギスの夜祭、ドルイド教の祭儀を起源とするハローウィン、《人里離れた森の中や丘陵では「魔女集会」が催されるのだった。(中略)この種の宗教にきわめて近く、またひょっとすると実際にも関わりがあるかもしれないのが、恐ろしくも極秘の倒錯した神学体系、即ち悪魔崇拝で、これはかの有名な「黒ミサ」のごとき戦慄を惹起した》。

《実に宇宙的恐怖こそは、手の込んだ儀式魔術の一大特徴だったのである。儀式魔術といえば先史時代から盛んに行なわれ》た《悪魔・精霊を召喚する儀式》であり、《「エノクの書」とか「ソロモンの小さな鍵」といった断篇》にラヴクラフトは《摩訶不思議な事象》を認めている。

作品に真の宇宙的恐怖が備わっているかどうか、その試金石となるのは《未知の世界・未知の力と接触したという感覚を与えるかどうか》、《読者が畏怖の念を抱きつつ、じっと聴き入っている様子をしているかどうか》にあるという。

それでは単に煽情的な安っぽい恐怖と宇宙的恐怖はどう違うのか。

ラヴクラフトも時代を区分しながら論じているが、ゴシック小説誕生の場となった十七、十八世紀のイギリスの状況を思い出してみよう。

規律を尊重し理性を重んじる十八世紀前半の古典主義の時代から、窮屈な規則や束縛には飽き飽きして次第に自由なロマン派への志向が強まっていく十八世紀後半のイギリスでは、上流階級を中心に、絵画を観る目に質的な変化が生じた。

当時、上流階級の(特に貴族の)御曹司にとって、礼儀作法と「絵画を観る目」を養うことが最重要課題となった。そのために礼儀作法はフランスの宮廷で学び、絵画は写真も複製画もない時代には直接イタリアまで見に行くしかなかった。いわゆる十八世紀の「大修学旅行（グランドツアー）」である。
その行く手を阻むかのようにそびえているのがアルプス山脈だった。高い山の存在しないイングランドで生まれ育った御曹司が初めて目にするアルプスの威容は恐ろしくもあり（なにしろ、ただ眺めるだけの観光ではなく、命がけで乗り越えて行かなければならないのだ）厳かでもあった。アルプスを前に圧倒される畏怖の念、しかし同時にそこにはこれまで経験したことのない不思議な「高揚感」の混じり合った感情が湧いてくる。それが「サブライム（the sublime）という言葉で表現されるようになるのだが、日本語では、誰が主犯なのか知らないが、これが「崇高」という言葉で置き換えられている。意味も考えずに英和辞典の訳語をただ引き写したとしか思えないのだが、今もそのまま放置されている。sublimeは「崇高」とか「荘厳美」などという「あちらがわにあるもの」ではなく、「見ているがわの人間の心に生じる感情」のほうに重きがある言葉である。

この語に限らず、美術関係の日本語には学生の頃から不信は強まるばかりで、ちょっと話は逸れるが、美術館を見ても、展示している絵の説明書きには、誤訳も含めて意味不明の日本語（例えば、「〜に帰属」がやたら多用されているが、仲間うちでしか通用しない俗語（ジャーゴン）は絵画を鑑賞する一般人には意味不明の上に美しくない）が並んでいるし、英文についても明らかに間違っていることが珍しくない。だれか一人ぐらい「これはおかしいのでは」と気づく者はいないのかと毎回思う。

話をもどそう。「美」とは（無関係とまではいわないが）別次元の、アルプスの威容を前にした時に覚える独特の「畏怖」と「高揚感」の混じり合った「威圧的高揚感」、矛盾した感情の体験だ。イタリアまで名画を見に行く途上でイギリス人は予想外の強烈な心理的精神的体験をすることになったのである。

もう一つ、これは十七世紀から始まるが、イギリス人はこの体験と同じような方向にある「矛盾した」体験を絵画でも味わっている。

イングランド教会（これを未だに「英国国教会」と云うのは常識がなさすぎるというより、わたしには正気とは思えない）の創設と共にカトリック教会の施設である修道院が解体され、とりわけ引き取り手のない田舎の修道院（まさに中世のゴシック建築）は放置されたまま荒れるにまかせ、幽霊屋敷然とした姿をさらし、ロマン主義に傾きかけている人びとの心に訴え、侘び寂にも通ずる風情で恰好の画材になった。その鄙びた姿を写した絵が流行り、自然の風景の中に無気味で異様な雰囲気を醸し出す絵の構図、それがイタリア語由来の英語で「ピクチャレスク」と表現された。

このようなsublimeとピクチャレスクを物語に持ち込んだのが、十八世紀の恐怖小説／ゴシック小説である。

ラヴクラフト曰く、《十八世紀中頃には明確な形をとるようになったロマン派的感情がいよいよ甦り、自然・過去の輝き・奇妙な事件・大胆な行動・信じ難い奇蹟といったものに新たな喜びを感ずる時代の到来》となって、《ついには一挙に本能が解放されて、新しい一派の誕生となった。即ち、恐怖と幻想を盛りこんだ短編長編の散文小説を擁したゴシック派がそれ》だが、《しかし、よく考えてみると、怪奇小説が学問的にも認められた一つの確立した文藝様式としてやっとここで誕生したというのは、あまりにも遅きに失した感があり、注目すべきことであろう。その衝動とか雰囲気は人類誕生以来のものでありながら、公認された文学としての典型的怪奇小説は十八世紀の申し子なのである》。

《次第に強まっていく衝動に確固たる形を与え、恐怖小説を永続性のある文藝形式として実際に確立》させたのは、『オトラント城』のホレス・ウォルポールであるが、「遅きに失した」とはいっても、一つの独立したジャンルを担う「恐怖派（the School of Terror）」が登場するには、アルプスや廃墟を前にして感じる不思議な感動を認識し、自らの裡に生じた新たな感性の発見・自覚が不可欠だったのである。そして、強烈な威圧感と畏怖を含む「sublime」にともなう「おそれ」はホラーではなく「テラー（terror）」だ。

こうして振り返ってみると、ラヴクラフトのいう「超自然的恐怖（supernatural horror）」とは、じつは「ホラー」ではなく「テラー」であり、「宇宙的恐怖」も「テラー」であることがわかる。なお、アン・ラドクリフ自身、没後出版のエッセイで「超自然（the supernatural）」をテーマに「ホラー」と「テラー」を区別して論じてはいるのだが、彼女の実作にはそれが活かされているわけではなく、理論と実践が乖離している。

《未知の世界・未知の力と接触したという感覚を与えるかどうか》、《読者が畏怖の念を抱きつつ、じっと聴き入っている様子をしているかどうか》というラヴクラフトの「試金石」を最後に再度強調して、本書所収の各編が《息もつかせぬある種の雰囲気とか外部からやってくる未知の力に対する曰く言い難い恐怖感》を共通項とする「テラーの変奏曲」になっていることを附言しておきたい。

解題

『暗黒の祭祀』と『黒魔術』

牧原勝志

紀田順一郎・荒俣宏編による二十世紀の名アンソロジー《怪奇幻想の文学》全七巻（新人物往来社一九七七八年完結）を再構築する企画《新編　怪奇幻想の文学》の第四巻『黒魔術』を、ここにお届けする。

このシリーズは、オリジナル版の編者による監修のもと、怪奇小説の古典・準古典から、二十一世紀の読者に届けたい作品を新たに集めるものである。既刊三巻が怪奇小説愛好者のみならず、多くの読書人に歓迎されたことに、ここであらためて感謝を表したい。

本巻のテーマは、第二巻『暗黒の祭祀』（一九六九年初刊）に基づくものである。『暗黒の祭祀』はテーマを「黒魔術」とし、以下の作品を収録している。

「サラー・ベネットの憑きもの」"Sarah Bennet's Possession" W・F・ハーヴェイ
平井呈一訳
「変身」"Change" アーサー・マッケン　阿部主計訳
「ライデンの一室」"A Room in Leyden" リチャード・バーラム　平井呈一訳
「呪いをかける」"Casting the Runes" M・R・ジェイムズ　紀田順一郎訳
「暗黒の蘇生」"The Earlier Service" マーガレット・アーウィン　吉田誠一訳
「シルビアはだれ？」"Who Is Silvia?" シンシア・アスキス　曾根忠穂訳
「オットフォードの郵便夫」"Postman of Ottford" ロード・ダンセイニ　荒俣宏訳
「半パイント入りのビン」"The Half Pint Flask" デュボス・ヘイワード　荒俣宏訳
「魔術師の復活」"The Return of the Sorcerer" クラーク・アシュトン・スミス　米波平記訳
「暗黒の秘儀」"Festival" H・P・ラヴクラフト　仁賀克雄訳
「求める者」"Those Who Seek" オーガスト・ダーレス　桂千穂訳
「呪いの蠟人形」"A Soucerer Runs for Sheriff" ロバート・ブロック　仁賀克雄訳
「鳩は地獄からくる」"Pigeons from Hell" ロバート・E・ハワード　町田美奈子訳
「邪悪なる祈り」"Secret Worship" アルジャーノン・ブラックウッド　紀田順一郎訳

巻頭の解説は澁澤龍彦「黒魔術考」。序論以下、「サバト（夜宴）」「妖術迫害」「黒ミサ」の三章を立て、『黒魔術の手帖』を的確に要約したものという印象がある。

巻末の荒俣宏による解題から、編者の視座が表れている箇所を、以下に引用する。

〈……本書『暗黒の祭祀』は、きわめて複雑な内容を有する「魔術」という概念に焦点を当てて、そのなかに包含されているところの、多岐かつ異様な闇の歴史をかいまみようという意図を持って企画された〉

そして、ドルイドやヴードゥーなどを題材とした作品を含め〈「異端の思想史」を省察する手掛かりが多少なりとも捉えられるように配慮〉した、ともある。まさに、短篇小説に書かれた魔術を一望する作品選定である。同書から他の本に収録された作品も多く、名アンソロジーであることをあらためて感じさせる。

本書もまた、基本的な方針を踏襲しつつ、新たな角度から「異端の思想史」を一望できるよう、作品を選んだ。物語を楽しみつつ、日常の片隅に潜む異端の信仰に思いを馳せていただければ望外である。

収録作品解題

本書収録作は以下の十三編である。本邦初訳作五編、再録一編の他は、本書収録のために新訳したものである。以下に各作品を解題する。

「若いグッドマン・ブラウン」"Young Goodman Brown"（新紀元社『幻想と怪奇8　魔女の祭典』所

収　改訳）

アメリカの小説家ナサニエル・ホーソーン（一八〇四―六四）は『緋文字』などで知られるが、エドガー・アラン・ポーの同時代人であり、「ウェイクフィールド」（一八三五）や「ラパチーニの娘」（一八四四）などの作品で、幻想文学史においても重要な位置を占める。

The New England Magazine 一八三五年四月号に発表された本作は、魔女集会を描いた代表作だが、註記したように父方の先祖にクエイカー教徒を迫害した者や、セイラムの魔女裁判の判事を務めた者がいたことを踏まえている。グッドマン・ブラウンの心情は、ホーソーン自身のものを反映しているのだろう。なお、スティーヴン・キングは本作に想を得て、釣りに行く少年が森で黒衣の男と道連れになる短編「黒いスーツの男」を書いた。同作は一九九六年のO・ヘンリー賞を受賞している。

「ねじけジャネット」"Thrawn Janet"

イギリスの小説家ロバート・ルイス・スティーヴンスン（一八五〇―九四）は、『宝島』や『ジキル博士とハイド氏』の作者として著名である。ここであらためて言を贅することもないが、本作や「死体泥棒」など、怪奇・恐怖の傑作も手がけていることは、あらためて記しておきたい。

本作は *Cornhill Magazine* の一八八一年一〇月号に発表された。スコットランド語を交えた独特な語りが怖ろしさをいや増す作で、朗読していたスティーヴンスン自身が怖さのあまり、聞かせていた妻ともども部屋を飛び出したというエピソードがある。なお、「若いグッドマン・ブラウン」のセイラム同様、このバルウェアリにも黒衣の男が跳梁している。

なお、本作はこれまで多くの訳者が邦訳を手がけており、アンソロジーに選ばれることも多い。近年では三津田信三編『怪異十三』（原書房）に、河田智雄訳が収録された。

「魂を宿したヴァイオリン」"The Ensouled Violin"　本邦初訳

ヘレナ・P・ブラヴァツキー（一八三一―九一）は、ウクライナで軍人の父と小説家の母のあいだに生まれた。前半生として数々のエピソードが伝えられているが、多くの真偽は不明。アメリカで霊媒として名を馳せたのち、一八七五年にニューヨークで神智学協会を設立した。心霊主義、オカルティズム、数秘術、古代エジプトやインドの思想などを取り込んだ独自の神智学体系は、後年のニューエイジ思想に影響を与えている。『シークレット・ドクトリン』（一八八八）をはじめとする神智学関連の著書は多くが邦訳されている。アメリカからインドに拠点を移したのち、晩年はイギリスで執筆活動をおくった。

魔術師アレイスター・クロウリーや神秘家ダイアン・フォーチュンのように、ブラヴァツキーも創作を手がけている。本作は短編集 *Nightmare Tales*（『悪夢物語』一八九二）所収の一編。実際に「悪魔と契約した」と噂された天才ヴァイオリニスト、パガニーニに対抗し、魔術を用いて音楽の秘儀を得た青年の悲劇を物語っている。

「五月祭前夜」"May Day Eve"　本邦初訳

イギリスの小説家アルジャーノン・ブラックウッド（一八六九―一九五一）の作品は、先に本シリーズ第三巻『恐怖』に「木に愛された男」を収録している。ブラックウッドには魔術結社〈黄金の暁〉に参加していた時期があり、黒魔術の儀式を正面から描いた「邪悪なる祈り」をはじめ、魔術的志向を感じさせる作品も数多い。
本作は初期の短編集 *The Listner and Other Stories*（『幻の下宿人　その他の短編』一九〇七）に収録された。タイトルが示すように、知らずに魔宴に踏みこんでしまった者が奇怪な経験を物語る傑作だ。

「オール・ハロウズ大聖堂」"All Hallows"
イギリスの詩人、小説家、児童文学者ウォルター・デ・ラ・メア（一八七三―一九五六）は、日本でも知名度が高く、その作品は数多く邦訳されている。怪奇幻想系統では、長編『死者の誘い』（一九一〇）、短編「シートンのおばさん」「なぞ」などが知られている。近年では日本独自の編集による短編集『アーモンドの木』『トランペット』（共に白水社）が刊行された。
本作の初出は短編集 *The Connoisseur and Other Stories*（『鑑定家　その他の物語』一九二六）。一九四二年に *Best Stories of Walter de la Mare*（『ウォルター・デ・ラ・メア傑作集』）収録のさいに加筆改稿された。本書の邦訳は後者のテキストによる。淡々とした筆致の中、大聖堂を侵食する邪悪な力の侵攻をひしひしと感じさせる名品である。

「“彼のもの来りてのち去るべし”」"'He Cometh and He Passeth By!'"
H・R・ウェイクフィールド（一八八八―一九六四）は、イギリスの出版編集者にして小説家である。新聞王と呼ばれたノースクリフ子爵アルフレッド・ハームズワースの秘書を務めたのち第一次大戦に従軍、復員後は出版社に勤務つつ創作を手がけた。中でも怪奇小説は注目され、M・R・ジェイムズから称賛を受けた。第二次大戦後は公務員のかたわらBBCのラジオ番組の脚本を書いたが、怪奇小説への意欲はあってもイギリスでは発表の場に恵まれなかった。アーカムハウス社主オーガスト・ダーレスの知遇を得て、アメリカで短編集を刊行することができたのは幸運といえるだろう。邦訳書には、独自に編集された短編集『赤い館』（国書刊行会）と、その改編版『ゴースト・ハント』（東京創元社）がある。

本作は、一九二八年に刊行された第一怪奇小説集 *They Return at Evening*（『黄昏に帰る者たち』）を初出とする。呪殺の秘法を操る怪人物クリントンとの闘いをスリリングに描いた秀作である。クリントンの人物造形は、サマセット・モームの『魔術師』のオリヴァー・ハドゥを連想させるが、おそらく両者の根底にはアレイスター・クロウリーがいるのだろう。もっともこちらは、巷間に伝えられたクロウリーの悪いイメージが強いようだが。

「願いの井戸」"The Wishing-Well"　本邦初訳

本シリーズ第一巻『怪物』の「〝かくてさえずる鳥はなく〟」、第三巻『恐怖』の「顔」に続き、英国怪談の巧手E・F・ベンスン（一八六七―一九四〇）の作品を御紹介する。本作の初出は *Hutchinson's Magazine* 一九二九年二月号で、一九三四年刊の第四短編集 *More Spook Stories*（『続怪奇小説集』）に収録された。呪文や迷信をいまだ重んじるコーンウォールの小村を舞台にした、願いを叶えると伝えられる井戸をめぐる物語である。なお、同じ短編集には悪魔崇拝を正面から扱った「聖域」（『幻想と怪奇8　魔女の祭典』所収）も収録されている。

「魔術師の復活」"The Return of the Sorcerer"（『暗黒の祭祀』所収　同題　新訳）

アメリカの詩人、小説家、造形作家クラーク・アシュトン・スミス（一八九三―一九六一）は、『ウィアード・テールズ』誌の花形作家としてH・P・ラヴクラフト、R・E・ハワードと並び称された。超古代のゾシークやハイパーボリア、中世フランスのアヴェロワーニュなどの幻想世界を舞台にした怪奇幻想の物語は、独特の煌（きら）びやかさで読者を惹きつけ、ほとんどが邦訳されている。

本作は、彼が盟友ラヴクラフトらと世界を共有した「クトゥルー神話」に属する一編で、魔道書『死霊秘法（ネクロノミコン）』が登場する。本書では唯一、実在する伝承や信仰の裏打ちのない、純粋な想像上の魔術を物語った作品だが、描かれる怪異の鮮烈さは比類ない。初出は*Strange Tales of Mystery and Terror* 一九三一年九月号で、一九四二年アーカム・ハウス刊の第一短編集*Out of Space and Time* に収録された。

「真夜中の礼拝」"The Earlier Service"（『暗黒の祭祀』所収「暗黒の蘇生」新訳）

マーガレット・アーウィン（一八八九―一九六七）はイギリスの小説家で、〈エリザベス女王三部作〉（一九四四―五三）をはじめとする歴史小説や、エリザベス一世の廷臣サー・ウォルター・ローリーの伝記の著者として知られる。

本作は作者の数少ない怪奇短編の一つだが、デニス・ホイートリ編『恐怖の一世紀』（一九三五）収録以降、数々のアンソロジーに収録されている黒魔術小説の傑作である。また、作者の「コーベット氏の蔵書」(『幻想と怪奇8　魔女の祭典』所収)も、魔道書ものとして記憶されるべき一編である。

「変身」"Change"(『暗黒の祭祀』所収　同題　牧神社『アーサー・マッケン作品集成6　緑地帯』より再録)

イギリス幻想文学の巨人アーサー・マッケン(一八六三―一九四七)は、近年の日本では訳者・平井呈一ともども再評価がめざましいため、ここで改めて詳述することもなさそうだが、彼も〈黄金の暁〉に参加していたことは記しておきたい。なお、平井訳の『恐怖』『怪奇クラブ』『夢の丘』(東京創元社)と、南條竹則訳『白魔』(光文社)は、いずれも文庫で手に入るので、本作でマッケンを知り、興味をもたれた向きには、ぜひこれらの作品を味読していただきたい。

本作の初出は*The Children of the Pool and Other Stories*(『池の子たち　その他の物語』一九三六)。なお本作は『暗黒の祭祀』に阿部主計訳で収録されているが、本書ではその六年後に上梓された平井呈一訳を再録した。《怪奇幻想の文学》に「オトラント城綺譚」をはじめ数々の名訳を寄せた平井翁へのリスペクトである。なお、冒頭の英文は底本に倣い横組としてある点を御了解いただきたい。

「蟹座と月の事件」"The Case of the Moonchild"　本邦初訳

イギリスの小説家マージェリー・ローレンス(一八八九―一九六九)は、一九二〇年代から六〇年代にかけて、冒険、ロマンス、ファンタシーなど多岐のジャンルにわたる小説を、長編、短編ともに数多く発表している。その怪奇小説は魔術や心霊主義への深い造詣に裏打ちされており、特にアルジャーノン・ブラックウッドのジョン・サイレンスと、ダイアン・フォーチュンのタヴァナー博士に触発されたオカルト探偵マイルズ・ペノイヤーの連作は、その色調が濃い。

ここに紹介するのは、ペノイヤーの活躍を収めた中短編集 *Number Seven Queer Street*（『奇妙（クィア）通り七番地』一九四五）からの一編。黒魔術と白魔術の息もつかせぬ対決を描いている。なお、作中の白魔術はブラヴァツキーの神智学に依るところが大きく、「青銅の扉事件」（新紀元社『幻想と怪奇12　イギリス女性作家怪談集』所収）とはまた違ったペノイヤーの一面が見られる。

「ロスト・ヴァレー行き夜行列車」"The Night Train to Lost Valley"

オーガスト・ダーレス（一九〇九—七一）は、アメリカの小説家であり、主に幻想文学を刊行した小出版社アーカムハウスの創立者でもある。H・P・ラヴクラフト、クラーク・アシュトン・スミスをはじめ、同社で出版され作品の散逸を免れた小説家は数多い。また、アルジャーノン・ブラックウッド、H・R・ウェイクフィールドら、イギリスの怪奇小説家をアメリカの読者に紹介した。その業績については、竹岡啓（たけおかひらく）「オーガスト・ダーレス小伝」（新紀元社『幻想と怪奇13　H・P・ラヴクラフトと友人たち』所収）を御一読いただきたい。

邦訳はクトゥルー神話系統の作品が多いが、ダーレスの真価は「淋しい場所」に代表される、神話の要素のない短編にこそ発揮されている。本作はスティーヴン・グレンドン名義で『ウィアード・テールズ』一九四八年一月号に掲載され、六三年にアーカムハウス刊の短編集『ジョージおじさん　十七人の奇怪な人々』（アトリエサード）に収録された。いかにもアメリカらしい背景と語り口ながら、親交深いブラックウッドの作風をも想起させる好編だ。作中に描かれる深夜の秘儀には「若いグッドマン・ブラウン」にも通じるものがある。そう、暗黒の祭祀は二十世紀に入っても、日常生活の片隅に息づいているのだ——

「魔女」"The Witch"　本邦初訳

アイザック・バシェヴィス・シンガー（一九〇三—九一）は、ロシア帝国領ワルシャワ近郊で、ラビの家に生まれた。一九三二年に初の小説を上梓したが、反ユダヤ主義から逃れるため三五年に渡米。ニューヨークでイディッシュ語の新聞に取材記事やコラムを寄稿しつつ、やはりイディッシュ語で創作活動を続けた。五二年に短編小説「ばかものギンペル」がソール・ベローによって英訳されたのを機に、編集者や翻訳者の協力のもと、彼の作品は注目を集めていった。一九七八年にはノーベル文学賞を受賞。長編小説の代表作『敵、ある愛の物語』と『愛のイエントル』は映画化された。

シンガーの作品、とくに短編には、悪魔や妖怪が登場するなど、超自然的な要素を持つものが多い。カービー・マッコーリー編のホラー競作集『闇の展覧会』（一九八〇）に収録された「敵」はその好例と言えるだろう。ワルシャワの魔女の物語である本作は、イディッシュ語の新聞 *Forverts*（『フォワード』）に、一九六九年一月二五日号から二月八日号までのあいだに五回にわたり連載され、翌年には甥ジョゼフ・シンガーにより英訳。のちに短編集 *Passions and Other Stories*（『受難　その他の物語』一九七五）に収録された。本書では扉ページに、原題と著者名を英語・イディッシュ語で併記した。

本書の解説は、『麻薬常用者の日記』や『法の書』などアレイスター・クロウリーの著書の訳者としても知られる、英文学者の植松靖夫氏にお願いした。Ｈ・Ｐ・ラヴクラフトの評論「文学と超自然的恐怖」を軸に、宇宙的恐怖と魔術の関連を探究するこの解説を通し、読者の皆様には幻想文学の世界にさらに深く踏み込んでいただきたい。

今日の人権意識に照らして不適切と思われる表現や語句につきましては、発表時の時代的背景を考慮し、作品を尊重する立場から、原文を逸脱することなく翻訳・収録しておりますことを、ご了承下さい。（編集部）

新編 怪奇幻想の文学 4　黒魔術
2023年9月13日　初版発行

【監修】紀田順一郎・荒俣 宏
【 編 】牧原勝志（『幻想と怪奇』編集室）

【発行人】福本皇祐
【発行所】株式会社新紀元社
〒101-0054
東京都千代田区神田錦町 1-7 錦町一丁目ビル 2F
Tel.03-3219-0921　Fax.03-3219-0922
http://www.shinkigensha.co.jp/
郵便振替　00110-4-27618

【装幀・装画】YOUCHAN（トゴルアートワークス）
【印刷・製本】中央精版印刷株式会社

ISBN978-4-7753-2042-6
Printed in Japan　定価はカバーに表示してあります